BILL BRYSON
Streiflichter aus A

Buch

Nachdem er zwanzig Jahre in England gelebt hat, findet der amerikanische Autor Bill Bryson, daß es an der Zeit sei, seiner Wahlheimat den Rücken zu kehren und mit seiner Familie zurück in seine Heimat zu gehen. Doch schon bald kommt ihm dort vieles, was ihm früher einmal selbstverständlich erschien, befremdlich, sogar merkwürdig vor.
Mit frischem Blick, geschärft durch die Jahre der Abwesenheit, macht sich Bill Bryson daran, die USA unter die Lupe zu nehmen. Lustvoll seziert er Arten und Unarten seiner Landsleute, und mit wahrer Entdeckerwonne spürt er Absurdes und Kurioses auf, das im privaten wie im öffentlichen Leben lauert. Ob Bill Bryson sich den Wonnen des Junkfood-Paradieses hingibt, von Motels und Highways erzählt oder uns über die Tücken amerikanischer Müllschlucker aufklärt: »Streiflichter aus Amerika« ist eine amüsante Reise durch den Wahnsinn des Alltags im Land der unbegrenzten Möglichkeiten und ein immer wieder überraschender Beitrag zur amerikanischen Kulturgeschichte – ironisch, scharfzüngig und voll britischen Humors!

Autor

Bill Bryson wurde 1951 in De Moines, Iowa, geboren. 1977 ging er nach Großbritannien und schrieb dort mehrere Jahre u.a. für die *Times* und den *Independent*. Mit »Reif für die Insel« gelang Bryson schließlich der weltweite Durchbruch.
1996 kehrte Bill Bryson mit seiner Familie in die USA zurück, wo es ihn jedoch nicht lange hielt. Er war wieder »Reif für die Insel«, auf der er heute wieder lebt.

Von Bill Bryson ist bei Goldmann bereits erschienen:
Picknick mit Bären (44395)
Reif für die Insel (44279)
Streifzüge durch das Abendland (45073)
Frühstück mit Kängurus. Australische Abenteuer (45379)
Eine kurze Geschichte von fast allem (46071)
Eine kurze Geschichte von fast allem. Illustrierte
Ausgabe (geb., 31121)
Straße der Erinnerung. Reisen durch
das vergessene Amerika (46380)
Mein Amerika. Erinnerungen an eine ganz normale Kindheit
(geb., 30116)
Shakespeare – wie ich ihn sehe (geb., 31095)

Bill Bryson

Streiflichter aus Amerika

Die USA für Anfänger und Fortgeschrittene

Aus dem Amerikanischen
von Sigrid Ruschmeier

GOLDMANN

Die Originalausgabe erschien 1998
unter dem Titel »Notes from a Big Country«
bei Doubleday, London

FSC
Mix
Produktgruppe aus vorbildlich
bewirtschafteten Wäldern und
anderen kontrollierten Herkünften

Zert.-Nr. SGS-COC-1940
www.fsc.org
© 1996 Forest Stewardship Council

Verlagsgruppe Random House FSC-DEU-0100
Das für dieses Buch verwendetet FSC-zertifizierte Papier
München Super liefert Mochenwangen.

Ein Wort vorweg

Im Spätsommer 1996 rief mich Simon Kelner, ein alter Freund und außergewöhnlich netter Bursche, in New Hampshire an und fragte, ob ich für die *Night & Day*-Beilage der *Mail on Sunday,* deren Chef er gerade geworden war, eine wöchentliche Kolumne über die Vereinigten Staaten schreiben würde.

Über die Jahre hin hatte mich Simon überredet, alles mögliche zu schreiben, für das ich keine Zeit hatte, aber dieses Ansinnen übertraf alles bisher Dagewesene.

»Nein«, sagte ich. »Ich kann nicht. Tut mir leid. Unmöglich.«

»Dann fängst du also nächste Woche an.«

»Simon, du hast mich offensichtlich nicht verstanden. Es geht nicht.«

»Wir haben gedacht, wir nennen es ›Streiflichter aus Amerika‹.«

»Simon, nenn es ›Leerspalte am Anfang der Beilage‹! Ich habe keine Zeit.«

»Wunderbar«, sagte er, offenbar nicht ganz bei der Sache. Ich hatte den Eindruck, daß er gleichzeitig mit etwas anderem beschäftigt war, und tippte darauf, daß er Models für ein Bademodenheft begutachtete. Einerlei, er hielt jedenfalls die ganze Zeit die Hand über den Hörer und erteilte Leuten in seiner Umgebung Chefredakteuranweisungen.

»Dann schicken wir dir den Vertrag«, sagte er, als er wieder dran war.

»Nein, Simon, ich schaff es nicht. Ich kann dir keine wöchentliche Kolumne schreiben. Schluß, aus, Ende. Hast du das kapiert? Simon, sag mir, daß du es kapiert hast.«

»Großartig. Ich freue mich. So, ich muß los.«

»Simon, hör mir bitte zu. Ich kann keine wöchentliche Kolumne schreiben. Es ist unmöglich. Simon, hörst du zu? Simon? Hallo? Simon, bist du noch dran? Hallo? Mist.«

Hier sind also siebenundsiebzig Kolumnen, die Ausbeute aus den ersten achtzehn Monaten der ›Streiflichter aus Amerika‹. Und ehrlich, ich hatte wirklich keine Zeit dazu.

Wieder zu Hause

In einem meiner Bücher habe ich einmal gewitzelt, daß man drei Dinge im Leben nie schafft. Man gewinnt nie einen Streit mit der Telefongesellschaft, man bringt einen Kellner nicht dazu, einen zu sehen, bevor er nicht bereit ist, einen zu sehen, und man kann nie wieder nach Hause zurückkommen. In den letzten Monaten habe ich Punkt drei stillschweigend, ja sogar gern einer Revision unterzogen.

Im Mai vor einem Jahr bin ich nach fast zwei Jahrzehnten in England zurück in die Staaten gezogen, mit Frau und Kindern. Nach so langer Zeit wieder nach Hause zu kommen ist eine unerwartet verstörende Angelegenheit, ein bißchen, wie wenn man aus einem langen Koma erwacht. Man entdeckt nämlich bald, daß die Zeit Änderungen mit sich gebracht hat, angesichts derer man sich ein wenig blöde und von gestern vorkommt. Man zückt hoffnungslos unangemessene Geldscheine, wenn man kleine Einkäufe tätigt, steht kopfschüttelnd vor Verkaufsautomaten und öffentlichen Telefonen und stellt erstaunt fest – spätestens dann, wenn man fest am Ellenbogen gepackt wird –, daß es Straßenkarten an Tankstellen nicht mehr gratis gibt.

In meinem Fall wurde das Problem dadurch erschwert, daß ich als Jugendlicher weggegangen war und als Mann mittleren Alters zurückkehrte. Alles, was man als Erwachsener tut – Hypotheken aufnehmen, Kinder kriegen, Rentenversicherungen abschließen, ein Interesse für Stromleitungen im eigenen Heim entwickeln –, hatte ich nur in England getan. Fliegengitterfenster und all die anderen Dinge, die typisch amerikanisch waren, betrachtete ich stets als Domäne meines Vaters.

Als ich dann plötzlich für ein Haus in Neuengland verantwortlich war und mich mit den mysteriösen Leitungen, Rohren und Thermostaten, dem Müllschlucker mit seinen Mucken und der lebensgefährlichen automatischen Garagentür herumschlagen mußte, fand ich das sowohl furchterregend als auch spannend.

Und genau das ist es in mancherlei Hinsicht, wenn man nach vielen Jahren im Ausland wieder nach Hause zieht – man trifft auf eine merkwürdige Mischung aus tröstlich Vertrautem und seltsam Unbekanntem und gerät schon mal aus der Fassung, wenn man sich gleichzeitig derart in seinem Element und fehl am Platze fühlt. Ich kann die unmöglichsten Kleinigkeiten hersagen, an denen man sofort erkennt, daß ich Amerikaner bin – welcher der fünfzig Staaten eine Einkammerlegislative hat, was ein »squeeze play« im Baseball ist, wer Captain Kangaroo im Fernsehen gespielt hat –, und ich kenne sogar zwei Drittel des Textes der amerikanischen Nationalhymne, des Star-Spangled-Banner, mithin mehr als die meisten Leute, die sie in aller Öffentlichkeit gesungen haben.

Aber schicken Sie mich in einen Heimwerkerladen, und ich bin selbst jetzt noch hilflos und verloren. Monatelang führte ich mit dem Verkäufer in unserem hiesigen True Value Gespräche, die in etwa so verliefen:

»Hi, ich brauch was von dem Zeugs, mit dem man Löcher in der Wand stopft. In der Heimat meiner Frau heißt das Polyfilla.«

»Ah, Sie meinen Spackle.«

»Sehr gut möglich. Und ich brauche ein paar von den kleinen Plastikdingern, mit denen man Schrauben in der Wand verankert, wenn man Regale aufhängen will. Ich kenne sie als Rawlplugs.«

»Na, wir nennen sie Dübel.«

»Gut, das werd ich mir merken.«

Wirklich, ich hätte mich auch nicht fremder gefühlt, wenn ich in Lederhosen dort aufgekreuzt wäre. Es war ein Schock. Obwohl ich mich in Großbritannien immer sehr wohl gefühlt hatte,

hatte ich doch stets Amerika als meine Heimat im eigentlichen Sinne betrachtet. Von dort kam ich, dieses Land verstand ich wirklich, das war die Grundlage, von der aus ich alles andere beurteilte.

Ulkigerweise fühlt man sich nirgendwo mehr als Kind seines eigenen Landes, als dort, wo fast alle anderen Menschen Kinder dieses anderen Landes sind. Amerikaner zu sein war zwanzig Jahre lang das, was mich definierte. Es gehörte zu meiner Persönlichkeit, dadurch unterschied ich mich. Einmal bekam ich deshalb sogar einen Job. In einem Anfall jugendlichen Übermuts hatte ich nämlich gegenüber einem Redakteur der *Times* behauptet, ich würde als einziges Redaktionsmitglied »Cincinnati« richtig schreiben können. (Was dann auch der Fall war.)

Gott sei Dank hat meine Rückkehr in die USA auch ihre guten Seiten. All das, was schön ist in meiner alten Heimat, hatte etwas bezaubernd Neues für mich. Wie jeder Ausländer war ich regelrecht benommen von der berühmten Lockerheit der Leute, der schwindelerregenden Überfülle an allem und jedem, der schier grenzenlosen, wundersamen Leere eines amerikanischen Kellers, dem Entzücken, gutgelaunte Kellnerinnen zu erleben, der seltsam erstaunlichen Erfahrung, daß Eisessen kein Luxus ist.

Außerdem widerfuhr mir ständig die unerwartete Freude, den Dingen wiederzubegegnen, mit denen ich aufgewachsen war, die ich aber großteils vergessen hatte: Baseball im Radio, das zutiefst befriedigende Boing-bäng einer zuschlagenden Fliegengittertür im Sommer, lebensgefährliche Gewitterstürme, richtig hohen Schnee, Thanksgiving und der Vierte Juli, Glühwürmchen, Klimaanlagen an unerträglich heißen Tagen, Jell-o-jelly, (Wackelpeter mit echten Fruchtstückchen, den zwar keiner ißt, der aber hübsch aussieht, wenn er einfach so auf dem Teller vor einem schwabbelt), der angenehm komische Anblick, sich selbst in Shorts zu sehen. Eigenartig, das bedeutet einem doch alles sehr viel.

Letztendlich hatte ich also unrecht. Man kann wieder nach Hause zurückkehren. Hauptsache, man bringt ein bißchen Extrageld für Straßenkarten mit und merkt sich das Wort Spackle.

Hilfe!

Neulich rief ich meine Computer-Hotline an, weil ich mal wieder wissen wollte, wie es ist, wenn ein viel Jüngerer einen als Blödmann abstempelt. Der jungendlich klingende Mensch am anderen Ende der Leitung sagte mir, er brauche die Seriennummer auf meinem Computer, bevor er mir weiterhelfen könne.

»Und wo finde ich die?« fragte ich mißtrauisch.

»Sie ist unter der zentralen Funktionseinheit des Gleichgewichtsstörungsaggregats«, sagte er oder Worte ähnlich verblüffenden Inhalts.

Sehen Sie, deshalb rufe ich die Computerinfonummer auch nicht oft an. Wir haben noch keine vier Sekunden gesprochen, und schon spüre ich, wie ich in einem Strudel von Ignoranz und Scham in die eisigen Tiefen eines Meeres der Demütigung hinabgezogen werde. Schicksalsergeben weiß ich, daß der junge Mann mich nun jeden Moment fragt, wieviel RAM ich habe.

»Steht das irgendwo in der Nähe des Bildschirmdingsbums?« frage ich hilflos.

»Kommt drauf an. Haben Sie das Modell Z-40LX Multimedia HPii oder das ZX46/2Y Chrom BE-BOP?«

Und so plaudern wir dann weiter. Mit dem Endergebnis, daß die Seriennummer meines Computers in eine kleine Metallplakette am Boden des Gehäuses eingestanzt ist – dem Gehäuse mit der CD-Schublade, die zu öffnen und schließen solchen Spaß macht. Sie können mich ja einen idealistischen Narren nennen, aber wenn ich alle Computer, die ich verkaufte, mit einer Identifikationsnummer versähe und dann von den Benutzern verlangte, daß sie die jedesmal, wenn sie mit mir reden wollten, parat hätten – dann würde ich sie eher nicht so anbringen, daß man immer, wenn man sie herausfinden will, Möbel rücken und den Nachbarn zu Hilfe holen muß.

Aber darum geht's mir im Moment nicht.

Mir geht's darum, daß die Nummer meines Modells CQ 124765900-03312-DiP/22/4 oder so ähnlich lautete. Warum? Warum um Himmels willen braucht mein Computer eine derart atemberaubend komplizierte Kennzeichnung? Bei diesem Numeriersystem gäbe es immer noch genügend freie Zahlenkombinationen, wenn jedes Neutrino im Universum, jedes Materienpartikelchen zwischen hier und dem letzten Wölkchen des verwehenden Urknallgases einen Computer von dieser Firma kaufen würde.

Neugierig geworden, unterzog ich alle Nummern in meinem Leben einer genaueren Betrachtung, und fast jede war absurd übertrieben. Meine Scheckkartennummer hat zum Beispiel dreizehn Ziffern. Das reicht für fast zehn Billionen potentielle Kunden. Wen wollen sie verarschen? Meine Kundenkartennummer bei der Autovermietung hat nicht weniger als siebzehn Ziffern. Sogar mein Videoladen um die Ecke scheint 1999 Billionen Kunden in seiner Kartei zu haben (was vielleicht erklärt, warum *L. A. Confidential* nie da ist).

Aber bei weitem am imponierendsten ist meine Blue-Cross-/Blue-Shield-Krankenversichertenkarte – die Karte, die jeder Amerikaner bei sich tragen muß, wenn er nicht an einem Unfallort liegengelassen werden will. Sie identifiziert mich nicht nur als Nummer YGH475907018 00, sondern auch als der Gruppe 02368 zugehörig. Vermutlich ist in jeder Gruppe ein Mensch mit derselben Nummer, wie ich sie habe. Da könnte man ja beinahe auf die Idee kommen, Treffen zu veranstalten.

All das ist aber nur der langen Vorrede kurzer Sinn, um zum Hauptpunkt unserer heutigen Erörterung zu kommen, nämlich einer der großen Verbesserungen im amerikanischen Alltag, der Einführung von Telefonnummern, die jeder Idiot behalten kann. Lassen Sie mich erklären.

Aus komplizierten historischen Gründen befinden sich auf den Tasten aller amerikanischen Telefone (außer auf der 1 und der 0) auch drei Buchstaben des Alphabets. Auf der Taste für 2 steht ABC, der für 3 DEF und so weiter.

Früher einmal wußte man, daß man sich Nummern leichter merken kann, wenn man sich auf die Buchstaben verläßt und nicht auf die Ziffern. Wenn man zum Beispiel in meiner Heimatstadt Des Moines die Zeitansage anrufen wollte, mußte man 244-5646 wählen, was natürlich keiner behalten konnte. Wenn man aber BIG JOHN wählte, bekam man ebendiese Nummer, und alle behielten sie mühelos. (Nur seltsamerweise meine Mutter nicht, die es nie so mit Vornamen hatte und gewöhnlich bei irgendeinem Fremden landete, den sie weckte und nach der Zeit fragte. Aber das ist eine andere Geschichte.)

Irgendwann in den letzten zwanzig Jahren entdeckten große Firmen, daß sie uns allen das Leben leichter machen und jede Menge gewinnträchtiger Telefonate für sich verbuchen konnten, wenn sie sich Nummern mit eingängigen Buchstabenkombinationen zulegten. Wenn man jetzt eine Geschäftsnummer anruft, wählt man fast ausnahmslos 1-800-FFY TWA oder 24-GET-PIZZA oder was weiß ich. In den letzten zwei Dekaden gab es nicht viel, das simplen Gemütern wie mir das Leben deutlich lebenswerter gemacht hat, aber das zählt einwandfrei dazu.

Während ich in England einer schulmeisterlichen Stimme lauschen mußte, die mich beschied, daß die Vorwahl für Chippenham nun 01724750 lautete, außer bei einer vierstelligen Telefonnummer, da sei sie 9, esse ich nun Pizza, buche Flüge und bin, was die moderne Telekommunikation betrifft, um einiges versöhnlicher gestimmt.

Und jetzt verrate ich Ihnen eine großartige Idee. Ich finde, wir sollten alle eine Nummer für alles haben. Meine wäre natürlich 1-800-BILL. Und sie wäre wirklich für alles – sie würde auf meinen Schecks auftauchen, meinen Paß zieren, ich könnte ein Video damit ausleihen, und mein Telefon würde klingeln, wenn man sie wählte.

Es würde natürlich bedeuten, daß man unzählige Computerprogramme neu schreiben müßte, aber das wäre sicher zu schaffen. Ich habe vor, es mit meinem Computerlieferanten zu besprechen, sobald ich mal wieder an meine Seriennummer komme.

Also, Herr Doktor,
ich wollte mich gerade hinlegen ...

Das gibt's doch nicht! Laut letztem statistischen Jahrbuch der Vereinigten Staaten ziehen sich jedes Jahr mehr als 40 000 US-Bürger auf Betten, Matratzen und Kissen Verletzungen zu. Denken Sie mal eine Minute darüber nach. Das sind mehr Menschen, als in einer mittleren Großstadt wohnen, fast 1100 Betten-, Matratzen- oder Kissenunfälle pro Tag. In der Zeit, die Sie zum Lesen dieses Artikels brauchen, haben es vier Amerikaner irgendwie geschafft, sich an ihrem Bettzeug zu lädieren.

Wenn ich es nun anspreche, dann nicht deshalb, weil ich die Leute hier für tölpelhafter als den Rest der Welt halte, wenn es gilt, sich abends hinzulegen (obwohl es offensichtlich Tausende gibt, die eine zusätzliche Trainingseinheit gebrauchen könnten), sondern weil ich Ihnen erzählen will, daß es über dieses ausgedehnte, riesige Land fast keine Statistik gibt, bei der man nicht ins Stutzen gerät.

So richtig begriff ich das erst neulich wieder, als ich in unserer Stadtbücherei etwas völlig anderes in der erwähnten Statistik nachschlagen wollte und zufällig auf »Tabelle Nummer 206: Verletzungen durch Konsumgüter« stieß. Selten habe ich ein unterhaltsameres halbes Stündchen verbracht.

Bedenken Sie doch einmal diese faszinierende Tatsache: Fast 50 000 Amerikaner ziehen sich jedes Jahr an Bleistiften, Kugelschreibern und anderem Schreibtischzubehör Verwundungen zu. Wie machen sie das? Ich habe so manche lange Stunde am Schreibtisch gesessen und hätte fast jedes Malheur als willkommene Abwechslung begrüßt, bin aber nicht ein einziges Mal auch nur annähernd soweit gekommen, mir wirklich körperlichen Schaden zuzufügen.

Ich frage Sie also noch einmal: Wie schaffen diese Leute das? Vergessen Sie bitte nicht, daß es sich um ernsthafte Blessuren handelt, die einen Trip zur Ersten Hilfe nötig machen. Sich eine Heftklammer in die Zeigefingerspitze zu rammen zählt nicht (was mir tatsächlich häufiger passiert und manchmal nur zufällig). Wenn ich nun den Blick über meinen Schreibtisch schweifen lasse, sehe ich in einem Umkreis von drei Metern keine einzige Gefahrenquelle – es sei denn, ich stecke den Kopf in den Laserdrucker oder ersteche mich mit der Schere.

Aber so ist das ja mit Haushaltsunfällen, falls Tabelle 206 irgendwelche Anhaltspunkte bietet – sie widerfahren einem allenthalben. Überlegen Sie mal mit: 1992 (dem letzten Jahr, aus dem Zahlen verfügbar sind) haben sich hier mehr als 400 000 Menschen an Sesseln, Sofas oder Schlafcouchen lädiert. Was lernen wir daraus? Etwas Entscheidendes über das Design moderner Möbel oder nur, daß die Leute hier außergewöhnlich sorglose Hinsetzer sind? Auf jeden Fall, daß das Problem immer schlimmer wird. Gegenüber dem Vorjahr hat sich die Zahl der Sessel-, Sofa- und Schlafcouchunfälle um 30 000 erhöht, was ein besorgniserregender Trend selbst für diejenigen von uns ist, die Polstermöbeln offen und furchtlos entgegentreten. (Das mag natürlich die Kernursache der Misere sein – blindes Vertrauen.)

Wie vorauszusehen, war die aufregendste Kategorie »Treppen, Rampen und Flure« mit fast zwei Millionen verdutzter Opfer; ansonsten waren gefährliche Gegenstände jedoch viel harmloser als ihr Ruf. An Stereoanlagen haben sich mit 46 022 Fällen mehr Menschen verletzt als an Skateboards (44 068), Trampolins (43 655) oder sogar Rasierapparaten beziehungsweise -messern (43 365). Lediglich 166 670 übereifrige Hacker haben sich mit Beilen und Äxten verstümmelt, und selbst Sägen und Kettensägen forderten nur die relativ bescheidene Zahl von 38 692 Opfern. Papiergeld und Münzen übrigens fast soviel wie Scheren (30 274 zu 34 062).

Doch während ich mir durchaus vorstellen kann, daß jemand eine Zehncentmünze verschluckt (»He, Leute wollt ihr mal einen guten Trick sehen?«) und dann wünscht, er hätte es nicht getan, weiß ich partout nicht, was man mit Geldscheinen anstellen muß, um anschließend bei der Ersten Hilfe zu landen. Interessant wäre natürlich, ein paar der Patienten kennenzulernen.

Ja, ich würde mit fast allen der 263 000 Menschen, die sich an Zimmerdecken, Wänden und Innenraumverkleidungen Schaden zugefügt haben, gern mal einen Schwatz halten. Ich bin sicher, wer mit einer Zimmerdecke aneinandergeraten ist, hat eine hörenswerte Geschichte zu erzählen. Desgleichen würde ich Zeit für die 31 000 Unglücksraben erübrigen, die mit ihren »Putz- und Pflegeutensilien« Schwierigkeiten hatten.

Doch am allerliebsten würde ich mit den 142 000 Pechvögeln plaudern, die sich in ärztliche Behandlung begeben mußten, weil sie durch ihre Kleidung Verwundungen erlitten haben. Was haben sie nun? Eine komplizierte Schlafanzugfraktur? Ein Trainingshosenhämatom? Da läßt mich meine Phantasie im Stich.

Ein Freund von mir ist orthopädischer Chirurg, und hat mir erst neulich erzählt, daß eines der Berufsrisiken in seinem Job ist, daß man sich fast überhaupt nicht mehr traut, was zu tun, weil man ständig Leute flickt, die in der unwahrscheinlichsten, unvorhersehbarsten Art und Weise auf die Nase fallen. (Gerade an dem Tag hatte er einen Mann behandelt, dem – zur Verblüffung beider Beteiligter – ein Elch durch die Windschutzscheibe geflogen war.) Dank Tabelle 206 dämmerte mir plötzlich, was mein Freund meinte.

Übrigens hatte ich in der Bücherei ursprünglich etwas über die Kriminalitätszahlen für New Hampshire, wo ich nun wohne, nachlesen wollen. Ich hatte gehört, es sei einer der sichersten Staaten der USA, was sich auch bestätigte. Im letzten erfaßten Jahr hatte es nur vier Morde gegeben – im Vergleich zu mehr als dreiundzwanzigtausend im gesamten Land – und sehr wenig schwere Verbrechen.

Aber das alles bedeutet natürlich, daß es statistisch gesehen viel wahrscheinlicher ist, daß ich durch meine Zimmerdecke oder Unterhosen zu Schaden komme – um nur zwei potentiell tödliche Gefahrenquellen zu nennen – als durch einen Fremden. Und ehrlich gesagt, finde ich das kein bißchen tröstlich.

Baseballsüchtig

Manchmal fragen mich Leute: »Was ist der Unterschied zwischen Baseball und Cricket?«

Die Antwort ist einfach. Es sind beides Spiele, die große Geschicklichkeit, Bälle und Schläger erfordern, aber einen entscheidenden Unterschied aufweisen: Baseball ist aufregend, und wenn man am Ende des Tages nach Hause geht, weiß man, wer gewonnen hat.

War nur ein kleiner Scherz am Rande. Cricket ist ein wunderbarer Sport, voll herrlicher winziger Augenblicke echter Action, über eine lange Spielzeit verteilt. Wenn mir ein Arzt je vollkommene Ruhe und ein Minimum an Aufregung verordnet, werde ich sofort Cricketfan. Bis dahin, das verstehen Sie hoffentlich, gehört mein Herz dem Baseball.

Damit bin ich aufgewachsen, ich habe es als Junge gespielt, und das ist natürlich lebenswichtig, wenn man einen Sport auch nur annähernd liebenlernen will. So richtig begriffen habe ich das, als ich in England mit ein paar Jungs auf den Fußballplatz ging, um ein bißchen rumzubolzen.

Ich hatte im Fernsehen schon Fußball gesehen und dachte, ich sei einigermaßen im Bilde, was man dabei tun muß. Als also der Ball mit einer hohen Flanke in meine Richtung geschlagen wurde, wollte ich ihn lässig mit Kopfstoß ins Netz lupfen, so wie ich es bei Kevin Keegan gesehen hatte. Ich dachte, es wäre wie Beachballköpfen – ich höre, wie es ganz leise »bong« macht, der Ball löst sich elegant von meiner Braue und segelt in einem wunderschönen Bogen ins Tor. Aber natürlich war es, als hätte ich eine Bowlingkugel geköpft. Ich hatte noch nie erlebt, daß sich etwas so gräßlich anders anfühlte, als ich erwartet hatte. Noch Stunden danach schwankte ich, einen roten Kreis und das Wort »adidas« auf die Stirn gedruckt, auf wackligen Beinen durch die Gegend und schwor mir, etwas so Dämliches und Schmerzhaftes nie wieder zu tun.

Ich bringe es nur deshalb hier zur Sprache, weil die World Series gerade begonnen hat und ich Ihnen erzählen will, warum ich so aufgeregt bin. Die World Series ist der jährliche Baseballwettbewerb zwischen dem Meister der American League und dem Meister der National League.

Das heißt, so ganz stimmt das nicht mehr; das Reglement ist vor einigen Jahren geändert worden. Bei dem alten bestand das Problem darin, daß nur zwei Mannschaften teilnahmen. Und man muß ja keine höhere Mathematik können, um sich auszurechnen, daß eine Menge mehr Geld aus der Angelegenheit herauszuschlagen ist, wenn man es so deichselt, daß mehr Teams mitmachen.

Also teilte sich jede Liga in drei Gruppen – die West-, Ost- und Zentralliga – mit vier oder fünf Teams, und in der World Series konkurrieren nun nicht mehr die beiden besten Mannschaften – jedenfalls nicht notwendigerweise –, sondern die Gewinner einer Reihe Playoffspiele zwischen den Gruppensiegern der drei Gruppen in den beiden Ligen – plus (und das war besonders genial, finde ich) einigen »Wild card«-Teams, die überhaupt nichts gewonnen haben.

Es ist alles höchst kompliziert, bedeutet aber im wesentlichen, daß jedes Baseballteam außer den Chicago Cubs die Chance hat, bei der World Series mitzumischen.

Die Chicago Cubs schaffen es nicht, weil sie sich nie qualifizieren – nicht einmal bei diesem großzügigen, teilnehmerfreundlichen System. Oft sieht es so aus, als könnten sie es noch hinkriegen, und manchmal stehen sie auch auf einem so überragenden Tabellenplatz, daß nach menschlichem Ermessen nichts mehr schiefgehen kann. Aber zum Schluß schaffen sie es doch immer wieder beharrlich – es nicht zu schaffen. Einerlei, was sie dazu anstellen müssen – siebzehn Spiele hintereinander verlieren, leichte Bälle durch die Beine flutschen lassen, im Outfield ganz komisch ineinanderzukrachen –, die Cubs kriegen es hin. Wär doch gelacht.

Und zwar seit mehr als einem halben Jahrhundert zuverlässig und effizient. Ich glaube, sie sind im Jahr 1938 zum letztenmal bei einer World Series dabeigewesen. So lange ist es nicht einmal her, daß Mussolini gute Zeiten hatte. Und weil dieses herzzerreißende Versagen der Cubs beinahe das einzige ist, das sich während meiner Lebenszeit nicht geändert hat, sind sie mir lieb und teuer.

Baseballfan zu sein ist nicht leicht, denn Baseballfans sind ein hoffnungslos sentimentaler Haufen. Dabei sind in einem so wahnsinnig lukrativen Gewerbe wie einer US-amerikanischen Sportart Gefühle völlig unangebracht. Weil ich hier gar keinen Platz habe, um zu erläutern, wie sie sich an meinem geliebtem Spiel während der letzten vierzig Jahre versündigt haben, erzähle ich Ihnen nur das Schlimmste: Sie haben fast alle tollen alten Stadien abgerissen und an ihrer Stelle große nichtssagende Mehrzweckhallen gebaut.

Früher hatte einmal jede große Stadt in den Vereinigten Staaten ein altehrwürdiges Baseballstadion. Meist waren sie feucht und knarzig, aber sie hatten Charakter. An den Sitzen holte man sich Splitter, wegen des vielen, über die Jahre in der Erregung ausgespuckten Glitschzeugs klebte man mit den Schuhsohlen am Boden fest, und die Sicht war einem unweigerlich von einem gußeisernen Dachträger versperrt. Doch das gehörte in diesen glorreichen Zeiten dazu.

Jetzt gibt es nur noch vier alte Stadien. Zum einen den Fenway Park in Boston, die Spielstätte der Red Sox. Ich will nicht behaupten, daß die Nähe Fenways bei unserer Entscheidung, uns in New Hampshire niederzulassen, den Ausschlag gegeben hat, aber es war ein Grund unter anderen. Nun wollten die Besitzer das Stadion abreißen und ein neues bauen. Ich sage immer wieder, wenn sie Fenway dem Erdboden gleichmachen, betrete ich die neue Halle nicht, aber ich weiß, das ist eine Lüge, denn ich bin hoffnungslos süchtig nach Baseball.

Und mein Respekt und meine Bewunderung für die Chicago Cubs werden um so größer. Ich rechne es ihnen nämlich hoch und heilig an, daß sie nie damit gedroht haben, Chicago zu verlassen, und immer noch im Wrigley Field spielen. Meistens sogar noch tagsüber – denn daß Baseball am Tage gespielt wird, lag auch in Gottes Absicht. Glauben Sie mir, ein Tagesspiel im Wrigley Field ist eines der großen amerikanischen Abenteuer.

Womit wir beim eigentlichen Problem wären: Niemand verdient es mehr als die Chicago Cubs, an der World Series teilzunehmen. Aber sie dürfen nicht, weil das ihre Tradition, an der Qualifikation beharrlich zu scheitern, zerstören würde. Ein unlösbarer Konflikt. Jetzt wissen Sie, was ich meine, wenn ich behaupte, daß es nicht leicht ist, Baseballfan zu sein.

Dumm, dümmer, am dümmsten

Vor einigen Jahren unterzog eine Organisation namens National Endowment for the Humanities, also eine Stiftung zur Förderung der Geisteswissenschaften, achttausend amerikanische High-School-Absolventen einem Allgemeinbildungstest und stellte fest, daß sehr viele von ihnen – na ja, keine hatten.

Zwei Drittel wußten nicht, wann der amerikanische Bürgerkrieg stattgefunden hat oder aus der Feder welches Präsidenten die Rede von Gettysburg stammt. Etwa derselbe Anteil war in gnädiger Unkenntnis darüber, wer Josef Stalin, Winston Churchill oder Charles de Gaulle waren. Ein Drittel dachte, Franklin Roosevelt sei während des Vietnamkrieges Präsident gewesen und Kolumbus nach 1750 gen Amerika gesegelt. Zweiundvierzig Prozent – und das ist mein Lieblingsbeispiel – konnten kein einziges Land in Asien nennen.

Nun bin ich solchen Befragungen gegenüber immer skeptisch, weil ich weiß, wie leicht man mich auf dem falschen Fuß erwischen könnte. (»Die Studie ergab, daß Bryson die simplen Anweisungen zum Zusammenbau eines haushaltsüblichen Grills nicht verstand und beim Autofahren fast immer versehentlich den Wischer für die Windschutzscheibe und die Heckscheibe betätigte, wenn er irgendwo abbog.«) Aber heutzutage ist eine Gedankenleere verbreitet, die schwer zu ignorieren ist. Das Phänomen ist allgemein bekannt als das Verdummen Amerikas.

Mir selbst ist es zum erstenmal aufgestoßen, als der Meteorologe im sogenannten Wetterkanal hier in unserem Fernsehen sagte: »In Albany fielen heute zwölf Zoll Schnee« und dann frohgemut hinzufügte: »Das ist ungefähr ein Fuß.«

Nein, du Depp, es *ist* ein Fuß!

Am selben Abend schaute ich mir einen Dokumentarfilm auf dem Discovery Channel an (und ahnte nicht, daß ich eben diesen Dokumentarfilm bis in alle Ewigkeit sechsmal im Monat auf ebendiesem Sender sehen konnte), und der Sprecher salbaderte: »Wind und Regen haben in dreihundert Jahren neunzig Zentimeter von der Sphinx abgetragen.« Dann machte er eine Pause und verkündete feierlich: »Das ist ein Schnitt von dreißig Zentimetern in einem Jahrhundert.«

Verstehen Sie, was ich meine? Es handelte sich nicht um einen kuriosen Ausrutscher, wie sie gelegentlich passieren. Es passiert die ganze Zeit. Manchmal kommt es mir vor, als habe die gesamte Nation ein Schlafmittel geschluckt und sei immer noch leicht weggetreten.

Neulich flog ich mit der Continental Airlines auf einem Inlandsflug (»Nicht ganz die schlechteste«, schlage ich als Werbeslogan vor) und las, weiß der Himmel warum, den »Brief des Vorstandsvorsitzenden«, mit dem jedes Bordmagazin beginnt – das heißt, den Brief, in dem sie einem erklären, wie unermüdlich sie bestrebt sind, den Service zu verbessern (offenbar dergestalt, daß jeder in Newark umsteigen muß). Gut, dieser blitzgescheite Erguß eines Mr. Gordon Bethune, des Herrn Vorstandsvorsitzenden und Generaldirektors, beschäftigte sich mit den Ergebnissen einer Umfrage unter den Kunden, deren Bedürfnisse man hatte herausfinden wollen.

Danach wollten die Passagiere »eine saubere, sichere und zuverlässige Fluggesellschaft, die sie pünktlich und mit ihrem Gepäck dorthin bringt, wo sie hinwollen«.

Gute Güte! Da muß ich gleich Stift und Block zücken! Haben die Leute gesagt, »*mit* ihrem Gepäck«? Wahnsinn!

Bitte verstehen Sie mich nicht falsch. Ich glaube keine Sekunde, daß Amerikaner von Natur aus dümmer oder hirntoter sind als andere Menschen. Man bemüht sich nur routinemäßig, ihnen in allen Lebenslagen das Denken zu ersparen, und nun haben sie es sich abgewöhnt.

Was zum Teil dem – wie ich es nenne – »London, England«-Syndrom zuzuschreiben ist, dem Brauch unserer Zeitungen, ihren Artikeln Stadt plus Land voranzustellen. Wenn beispielsweise die *New York Times* über Parlamentswahlen in Großbritannien berichtet, beginnt sie die Story mit »London, England«, damit bloß kein Leser überlegen muß: »London? Mal sehen, ist das in Nebraska?«

Im Alltagsleben hier findet man diese kleinen Krücken überall, bisweilen in erstaunlicher Anzahl. Vor ein paar Monaten schrieb ein Kolumnist im *Boston Globe* über unfreiwillig komische Anzeigen und Bekanntmachungen – wie etwa das Schild in einem Optikerladen: »Wir überprüfen Ihre Sehstärke, während Sie hier sind« – und erläuterte dann gewissenhaft, was bei jeder einzelnen nicht stimmte. Zitat: »Natürlich wäre es schwierig, die Sehstärke überprüfen zu lassen, ohne daß man dabei ist.«

Zum Schreien, aber kein Einzelfall. Erst vor einigen Wochen machte ein Schreiber im *New York Times*-Magazin genau das gleiche: In einem Essay über amüsante sprachliche Mißverständnisse analysierte er sie der Reihe nach. Er erzählte zum Beispiel, daß ein Freund von ihm immer gedacht habe, die Textzeile in dem Beatles-Song »Lucy in the Sky« laute »the girl with *colitis goes by*«, und enthüllte dann glucksend, die Zeile heiße in Wirklichkeit – na, Ihnen brauche ich nicht zu sagen, daß das Mädel keinen Dickdarmkatarrh hatte, sondern »kaleidoscope eyes«...

Sinn und Zweck des Ganzen ist, den Leuten das Denken abzunehmen. Ein für allemal. Jüngst bat mich eine amerikanische Publikation, eine Bemerkung zu David Niven herauszunehmen, »weil er tot ist und wir der Meinung sind, daß viele unserer jüngeren Leser/innen ihn nicht mehr kennen«.

O ja, stets zu Diensten.

Bei einer anderen Gelegenheit erwähnte ich jemanden, der in Großbritannien eine staatliche Schule besucht, und da sagte der amerikanische Redakteur: »Ich dachte, in Großbritannien hätten sie keine Bundesstaaten.«

»Ich meine ›staatlich‹ im weiteren Sinne.«

»Also eine öffentliche Schule, eine public school.«

»Hm, nein, public schools in England sind Privatschulen.«

Lange Pause. »Sie wollen mich auf den Arm nehmen.«

»Nein, das weiß doch jedes Kind.«

»Verstehe ich Sie denn also richtig, daß in Großbritannien public schools privat sind?«

»Jawohl.«

»Und wie heißen dann öffentliche Schulen?«

»Staatliche Schulen.«

Noch eine lange Pause. »Aber ich dachte, sie hätten keine Bundesstaaten.«

Schließen wir nun mit meiner Lieblingsdummheit, der Antwort Bob Doles auf die Frage, wie er den Hauptinhalt seiner Wahlkampagne definiere.

»Es geht um die Zukunft«, erwiderte er gewichtig, »denn auf die bewegen wir uns zu.«

Das Schreckliche ist: Er hat recht.

Risiken und Nebenwirkungen

Wissen Sie, was ich wirklich vermisse, seit ich nicht mehr in England bin? Ich vermisse, in leicht angesäuseltem Zustand um Mitternacht nach Hause zu kommen und im Fernsehen die lehrreichen Sendungen der Open University zu gucken. Ehrlich.

Wenn ich jetzt um Mitternacht nach Hause käme, fände ich in der Glotze nur Scharen wohlproportionierter, hüllenlos herumtollender Grazien plus den Wetterkanal, der auf seine Weise, das gebe ich ja zu, ganz unterhaltsam, aber kein Vergleich ist mit der hypnotischen Faszination der Open University nach sechs Gläsern Bier. Und das meine ich todernst.

Ich weiß partout nicht, warum, aber ich habe es immer seltsam unwiderstehlich gefunden, wenn ich in England spätnachts den Fernseher einschaltete und einen Burschen erblickte, der aussah, als hätte er alle Klamotten, die er je brauchen würde, 1977 bei einem Einkaufstrip zu C & A erstanden (damit er den Rest seiner Tage ungestört vor Oszilloskopen verbringen kann) und der mit einer eigenartig unpersönlichen Stimme schnarrte: »Und nun sehen wir, daß wir, wenn wir zwei gesicherte Lösungen addieren, eine neue gesicherte Lösung erhalten.«

Meistens hatte ich keinen blassen Schimmer, worüber geredet wurde – gerade darum war es ja so hypnotisierend –, aber sehr gelegentlich (na gut, einmal) konnte ich dem Thema sogar folgen und hatte meinen Spaß daran. Es handelte sich um einen wider Erwarten kurzweiligen Dokumentarfilm, den ich vor drei, vier Jahren zufällig einschaltete und in dem die Vermarktung von Qualitätsarzneimitteln in Großbritannien und den Vereinigten Staaten verglichen wurde.

Auf beiden Märkten muß man nämlich dasselbe Produkt auf völlig verschiedene Weise verkaufen. In Großbritannien verspricht zum Beispiel eine Werbung für Erkältungskapseln nicht mehr, als daß es einem nach deren Einnahme ein wenig besser geht. Man läuft zwar weiter mit roter Nase und Morgenmantel herum, doch man lächelt wieder, wenn auch matt. Die Werbung in den USA dagegen garantiert einem sofortige und komplette Genesung. Ein Amerikaner, der dieses Wundermittel nimmt, wirft nicht nur seinen Morgenmantel ab und eilt schnurstracks zur Arbeit, sondern fühlt sich auch wohler als seit Jahren und beendet den Tag mit einer Sause auf der Bowlingbahn.

Letztendlich lief es darauf hinaus, daß die Briten nicht erwarten, daß frei erhältliche Medikamente ihr Leben verändern, während die Amerikaner nichts weniger als das fordern. Im Laufe der Jahre, das kann ich Ihnen versichern, ist dieser rührende Glaube der Nation in nichts erschüttert worden.

Sie müssen nur einmal zehn Minuten einen x-beliebigen Fernsehsender einschalten, eine Illustrierte durchblättern oder an den ächzenden Regalen eines Drugstore entlanglatschen, und Ihnen wird klar, daß die Amerikaner verlangen, daß es ihnen stets und ständig mehr oder weniger hervorragend geht. Selbst unser Familienshampoo, fällt mir auf, verspricht uns »ein ganz neues Lebensgefühl«.

Es ist komisch mit den Amerikanern. Sie trichtern sich und allen anderen ständig die Mahnung »Sag nein zu Drogen« ein, und dann laufen sie in den Drugstore und kaufen sie kistenweise. Sie geben fast fünfundsiebzig Milliarden Dollar im Jahr für Medikamente aller Art aus, und pharmazeutische Produkte werden mit einer Aggressivität und Direktheit vermarktet, die doch einigermaßen gewöhnungsbedürftig sind.

In einem Werbespot, der im Moment im Fernsehen läuft, wendet sich eine nette, mittelalterliche Dame an die Kamera und gesteht ganz freimütig: »Wissen Sie, wenn ich Durchfall habe, gönne ich mir ein wenig Komfort.« (»Warum warten, bis man Durchfall hat?« kann ich da nur sagen.)

In einer anderen Werbung grinst ein Mann an einer Bowling-bahn (in solchen Spots stehen Männer meistens an Bowling-bahnen) nach einem schlechten Wurf und murmelt seinem Partner zu: »Es sind wieder diese Hämorrhoiden.« Und jetzt kommt's. Der Kerl hat Hämorrhoidensalbe in der Tasche! Nicht im Sportbeutel, nein, auch nicht im Handschuhfach seines Autos, sondern in seiner Hemdtasche, damit er sie jederzeit zücken und die Kumpels bitten kann: Stellt euch mal alle um mich rum. Irre!

Eine der erstaunlichsten Änderungen der letzten zwei Deka-den aber ist, daß nun selbst für verschreibungspflichtige Medi-kamente geworben wird. Vor mir liegt die beliebte Illustrierte *Health,* rammelvoller Anzeigen mit dicken Lettern. »Warum nehmen Sie zwei Tabletten, wenn eine reicht? Prempro ist das einzige verschreibungspflichtige Präparat, das Premarin und ein Progestin in einer Tablette kombiniert«, lese ich, oder: »Allegra, das neue Allergiemedikament! Jetzt auf Rezept in Ihrer Apo-theke! Und Sie können wieder unbeschwert hinaus.«

Eine dritte Annonce fragt ziemlich keck: »Haben Sie schon einmal eine vaginale Hefepilzentzündung mitten in der Wildnis behandelt?« (Nicht daß ich wüßte!) Eine vierte steuert gleich auf das ökonomische Kernproblem der Sache zu. »Der Arzt hat mir gesagt, ich müßte wahrscheinlich für den Rest meines Le-bens Blutdruckpillen nehmen«, erklärt uns der Kerl aus der An-zeige. »Schön daran ist, wieviel ich spare, seit er mir Adalat CC (Nifidipin) statt Procardia XL (Nifidipin) verschreibt.«

Man soll also die Werbung lesen und dann seinen Arzt bela-bern (oder seinen Fachmann für Gesundheitsfragen), bis der einem das Gewünschte verordnet. Ich finde die Vorstellung ko-misch, daß Illustriertenleser entscheiden, welche Medizin am besten für sie ist. Aber offenbar sind Amerikaner in punkto Medikamenten sehr beschlagen. Denn die Werbung setzt durchgängig ein imponierend hohes Niveau biochemischer Kenntnisse voraus. Die Vaginalzäpfchenanzeige versichert den Leserinnen selbstbewußt, daß die Einahme von Diflucan der von »Monistat 7, Gyne-Lotrimin oder Mycelex-7 über sieben Tage hinweg vergleichbar ist«, während die Anzeige für Prempro verspricht, daß es »die gleiche Wirkung hat, wie wenn man Premarin und ein Progestin separat einnimmt«.

Führt man sich vor Augen, daß das für Tausende und Abertausende Amerikaner sinnvolle Aussagen sind, scheint die Tatsache, daß unser Bowlingbruder eine Tube Hämorrhoidensalbe in der Hemdtasche hat, nicht mehr ganz so abwegig.

Ich weiß nicht, ob diese landesweite zwanghafte Beschäftigung mit der eigenen Gesundheit wirklich was bringt. Ich weiß nur, daß es einen viel angenehmeren Weg gibt, vollkommene innere Harmonie zu erlangen. Trinken Sie sechs Gläser Bier, und schauen Sie vor dem Schlafengehen neunzig Minuten Open University. Das hat bei mir noch immer gewirkt.

Die Post! Die Post!

Zu den Reizen des Lebens in einer kleinen, altmodischen Stadt in Neuengland gehört eine kleine, altmodische Post. Unsere ist besonders reizend. Das hübsche, fast zweihundert Jahre alte Backsteingebäude ist stattlich, aber nicht protzig, und sieht genauso aus, wie eine Post aussehen sollte. Es riecht sogar gut – nach einer Mischung aus Gummikleber und etwas zu hoch aufgedrehter alter Zentralheizung.

Die Angestellten am Schalter sind stets flink und effizient und geben einem gern ein Stück Tesafilm, wenn sich die Lasche eines Briefcouverts zu lösen droht. Darüber hinaus beschäftigen sie sich nur mit postalischen Aufgaben – sie kümmern sich weder um Rentenzahlungen noch Kindergeld, Kraftfahrzeugsteuern, Fernsehgebühren, Pässe, Lotteriescheine oder sonst eines der hundert Dinge, die einen Besuch in einer britischen Post zu einem solch beliebten Ganztagsereignis machen und schwatzhaften Leuten, die nichts so genießen wie eine ordentlich lange Jagd nach dem genauen Geldbetrag in ihren Börsen und Handtaschen, einen todsicher befriedigenden Zeitvertreib bieten. Hier dagegen gibt es nie Warteschlangen, und man ist in Minutenschnelle drin und wieder draußen.

Und das Allerbeste ist, daß jede amerikanische Post einmal im Jahr einen sogenannten Kundentag feiert. Unserer war gestern. Von diesem wundervollen Brauch hatte ich noch nie gehört und war sofort angetan. Die Angestellten hatten Fahnen aufgehängt, einen langen Tisch mit einer hübschen, karierten Decke aufgestellt und einen Festschmaus mit Donuts, Pastetchen und heißem Kaffee aufgetischt – alles gratis.

Es kam mir wie das reinste Wunder vor, daß sich eine gesichtslose staatliche Behörde bei mir und meinen Mitbürgern dafür erkenntlich zeigte, daß wir sie als Kunden beehrten. Ich war beeindruckt und dankbar, und fand, ehrlich gesagt, auch gut, daß man daran erinnert wurde, daß Postangestellte nicht nur hirnlose Automaten sind, die ihre Tage damit verbringen, Briefe zu zerreißen und mutwillig meine Honorarschecks an einen Typen in Vermont namens Bill Bubba zu schicken, sondern engagierte Spezialisten, die ihre Tage damit verbringen, meine Briefe zu zerfetzen und meine Honorarschecks an einen Typen in Vermont namens Bill Bubba zu schicken.

Wie dem auch sei, ich war hingerissen. Daß Sie nun denken, meine Loyalität zur Post sei billig mit einem Schokodonut und einem Plastikbecher Kaffee zu kaufen, ist mir zwar peinlich, aber es trifft zu. Sosehr ich auch die Post Ihrer Majestät der Königin von England schätze, einen morgendlichen Imbiß hat sie mir noch nie angeboten, und ich muß gestehen, daß ich nach Erledigung meiner Besorgungen nach Hause schlenderte, mir die Krümel aus dem Gesicht wischte und hinsichtlich des Lebens in Amerika im allgemeinen und der Post der Vereinigten Staaten im besonderen nur Gutes zu sagen hatte.

Aber wie bei fast allen staatlichen Dienstleistungen währte die Freude nicht lange. Als ich nach Hause kam, lag die Post auf der Fußmatte. Die Massen an Werbemüll und -schrott, die tagtäglich in jedem US-amerikanischen Haushalt eintrudeln, können Sie sich einfach nicht vorstellen. Unter den üblichen zahlreichen Aufforderungen, einen Regenwald zu retten, neue Kreditkarten oder die lebenslange Mitgliedschaft in der nationalen Inkontinenzstiftung zu erwerben, meinen Namen (gegen eine kleine Gebühr) in den *Who's Who der Menschen in Neuengland, die Bill heißen*, eintragen zu lassen, Band eins der *Großen Explosionen* zur Ansicht zu bestellen (ohne Kaufverpflichtung), die National Rifle Association, das heißt, die organisierte Waffenlobby bei ihrer Kampagne »Bewaffnet die Krabbelkinder« zu unterstützen – also, unter den Dutzenden unerwünschter Werbebroschüren und Supersonderangebotszetteln mit dämlichen kleinen Aufklebern, auf denen mein Name und meine Adresse schon gedruckt standen, lag einsam und zerrissen ein Brief, den ich einundvierzig Tage zuvor an einen Freund in Kalifornien geschickt hatte, und zwar an seinen Arbeitsplatz. Nun war das Schreiben mit dem Vermerk zurückgekommen »Adresse unvollständig – Bitte überprüfen und noch einmal versuchen« oder Worten ähnlichen Inhalts.

Bei diesem Anblick entfuhr mir doch ein kleiner Verzweiflungsseufzer, und zwar nicht nur, weil ich der US-Post soeben erst meine Seele für einen Donut verkauft hatte, sondern weil ich zufällig kurz davor im *Smithsonian* einen Artikel über Wortspiele gelesen hatte, in dem der Autor behauptete, daß ein übermütiger Scherzkeks einmal einen Brief losgeschickt hatte, der mit schelmischer Vieldeutigkeit an

HILL
JOHN
MASS

adressiert und auch angekommen war, nachdem die Postbehörden herausgefutzelt hatten, daß man es als »John« *under* »Hill« *and over* »Massachusetts« lesen mußte, was im Adressenklartext hieß: John Underhill, Andover, Massachusetts. Capito?

Die Geschichte ist hübsch, und ich würde sie wirklich gern glauben, doch das Schicksal meines Briefes, der nun nach einem einundvierzigtägigen Abenteuertrip in den Westen wieder bei mir gelandet war, schien doch zur Vorsicht zu gemahnen, was die Post und ihre Spürnasenqualitäten betraf.

Das Problem bestand offenbar darin, daß ich als Adresse meines Freundes nur »c/o Black Oak Books, Berkeley, California« daraufgeschrieben hatte, also weder Straßennamen noch -nummer, weil ich beide nicht wußte. Ich sehe ja ein, daß das keine vollständige Adresse ist, aber sie ist doch sehr viel ausführlicher als »Hill John Mass«, und der Buchladen Black Oak Books ist obendrein eine Institution in Berkeley. Jeder, der die Stadt einigermaßen kennt – und in meiner Weltentrücktheit und Naivität hatte ich das von den dortigen Postbehörden angenommen –, kennt auch den Black-Oak-Buchladen. Nur die Post nicht. (Im übrigen weiß der Himmel, was mein Brief beinahe sechs Wochen in Kalifornien machte. Wenigstens kam er mit einer hübschen Bräune zurück.)

Um diese Klagemär aber mit einem herzerwärmenden Ausblick abzuschließen, möchte ich Ihnen nicht vorenthalten, daß mir, kurz bevor ich aus England wegzog, die Königliche Post einen Brief an »Bill Bryson, Schriftsteller, Yorkshire Dales« achtundvierzig Stunden, nachdem er in London aufgegeben worden war, zustellte. Eine beeindruckende detektivische Leistung! (Macht nichts, daß der Absender ein bißchen plemplem war.)

Da steh ich nun, hin- und hergerissen zwischen meiner Zuneigung zu einer Post, die mir nichts zu essen gibt, aber eine besondere Herausforderung bewältigt, und einer, die mir zwar Klebeband schenkt und mich rasch bedient, mir aber nicht behilflich ist, wenn ich einen Straßennamen vergessen habe. Daraus lernen wir natürlich, daß man bei einem Umzug von einem Land in ein anderes akzeptieren muß, daß manche Dinge besser und manche schlechter sind und nichts daran zu ändern ist. Das ist vielleicht nicht die tiefgründigste Einsicht, aber ich habe einen Donut umsonst bekommen und bin, na ja, alles in allem zufrieden.

Und jetzt entschuldigen Sie mich bitte, ich muß nach Vermont und meine Post bei einem Mr. Bubba abholen.

Wie man auch zu Hause seinen Spaß haben kann

Meine Frau findet alles am Leben in den Vereinigten Staaten wunderbar. Sie ist entzückt, wenn man ihr ihre Lebensmitteleinkäufe in Tüten einpackt, sie liebt Gratiseiswasser und -streichholzbriefchen in Restaurants, und ein Pizzalieferservice ins Haus ist für sie der Gipfel der Zivilisation. Bisher hatte ich noch nicht den Mut, ihr zu sagen, daß die Kellnerinnen hier alle Leute nötigen, »einen schönen Tag zu haben«.

Ich persönlich mag Amerika zwar auch und bin für seine vielen Annehmlichkeiten dankbar, aber nicht ganz so sklavisch und unkritisch. Gut, beim Einkaufen werden einem die Lebensmittel eingepackt. Natürlich ist das eine nette Geste, doch was hat man anderes davon, als daß man zuschauen kann, wie einem die Lebensmittel eingepackt werden? Es verschafft einem ja mitnichten wertvolle zusätzliche Freizeit. Ich will kein Spielverderber sein, aber wenn ich die Wahl zwischen Gratiseiswasser und staatlicher Gesundheitsfürsorge hätte, würde ich mich doch instinktiv für letzteres entscheiden.

Schwamm drüber. Manches hier ist trotz allem so herrlich, daß ich es selbst kaum aushalten kann. Und dazu gehört an vorderster Stelle und ohne jeden Zweifel die Art der Müllentsorgung. Die Müllschlucker sind der Inbegriff dessen, was eine arbeitssparende Einrichtung sein sollte und so selten ist – laut, lustig, extrem gefährlich und so überwältigend funktionstüchtig, daß man sich gar nicht mehr vorstellen kann, wie man je ohne sie ausgekommen ist. Wenn sie mich vor achtzehn Monaten gefragt hätten, wie die Aussichten dafür stünden, daß binnen kurzem mein Haupthobby sein würde, ausgewählte Gegenstände in ein Loch im Küchenabwaschbecken zu stecken, hätte ich Ihnen wahrscheinlich bloß ins Gesicht gelacht. Aber so ist es nun.

Ich habe noch nie einen Müllschlucker besessen, mußte also die Bandbreite seiner Möglichkeiten zunächst einmal mittels Trial-and-Error-Methode erkunden. Mit Eßstäbchen erzielt man vielleicht die lebhafteste Wirkung (ich empfehle es natürlich nicht, aber irgendwann kommt bei jedem Gerät der Zeitpunkt, daß man einfach sehen will, was es alles kann), doch Honigmelonenschalen erzeugen den vollsten, kehligsten Klang und brauchen auch weniger Rutschzeit. Mit großen Mengen Kaffeesatz erzielen Sie am ehesten den Vesuveffekt, aber aus Gründen, die klar auf der Hand liegen, sollten sie dieses schwierige Kunststück am besten erst dann ausprobieren, wenn Ihre Gattin den ganzen Tag außer Haus ist und Sie Wischlappen und Trittleiter bereitstehen haben.

Am aufregendsten ist es freilich, wenn der Müllschlucker verstopft. Dann muß man nämlich mit dem Arm hineinlangen und ihn frei machen, das heißt, gewärtig sein, daß er jeden Moment wieder zum Leben erwacht und den Arm mir nichts, dir nichts von einem nützlichen Greifwerkzeug in ein Setzholz verwandelt. Vom Leben am Abgrund brauchen Sie mir also nichts zu erzählen.

Auf ihre Weise auch sehr befriedigend und gewiß nicht weniger sinnreich erdacht ist die wenig bekannte Kaminaschengrube. Es handelt sich um ein simples Blech – eine Art Falltür – über einer tiefen, ziegelsteingemauerten Grube, die vor dem Wohnzimmerkamin in den Boden eingelassen ist. Anstatt beim Kaminsaubermachen die Asche in einen Eimer zu fegen und sie dann kleckernderweise durchs Haus zu schleppen, manövriert man sie in dieses Loch, und sie verschwindet für immer. Spitze!

Theoretisch muß die Aschengrube ja irgendwann voll werden, doch unsere scheint bodenlos zu sein. Unten im Keller ist eine kleine Metalltür in der Wand, durch die man sehen kann, wie sich die Grube so macht, und manchmal gehe ich auch hinunter und werfe einen Blick hinein. Es ist nicht unbedingt notwendig, aber es verschafft mir eine Ausrede, in den Keller zu gehen, und eine solche begrüße ich immer aufs schärfste, weil Keller die dritte große Attraktion des Lebens in Amerika sind. Sie sind grandios, hauptsächlich, weil sie so erstaunlich geräumig und nutzlos sind.

Ich kenne Keller natürlich, weil ich mit einem aufgewachsen bin. Alle amerikanischen Keller sind gleich. Sie haben eine Wäscheleine, die selten benutzt wird, ein diagonal über den Boden fließendes Wasserrinnsal aus einer nicht lokalisierbaren Quelle und einen komischen Geruch – eine Mischung aus alten Zeitschriften, Campingausrüstung, die hätte gelüftet werden müssen, es aber nicht wurde, und etwas, das mit einem Meerschweinchen namens Puschelchen zu tun hat, das vor sechs Monaten durch ein Zentralheizungsgitter entfleucht und seitdem nicht mehr gesichtet worden ist (und jetzt wohl auch besser Skelettchen genannt werden sollte).

Ja, Keller sind so kolossal nutzlos, daß man selten dort hinuntergeht und immer wieder überrascht ist, wenn einem einfällt, daß man einen hat. Jeder Vater, der jemals in einen Keller geht, hält irgendwann einmal inne und denkt: »Manno, mit diesem ganzen Platz sollten wir wirklich was machen. Wir könnten eine Hausbar und einen Billardtisch und vielleicht eine Musikbox und ein Whirlpoolbad und ein paar Flipper...«

Aber das alles gehört natürlich zu den Dingen, die man eines Tages tun will und doch nie tut. Wie Spanisch lernen oder Heimfriseur werden.

Gelegentlich, vor allem in Erstlingsheimen, stellt man durchaus schon einmal fest, daß ein junger, tatendurstiger Vater den Keller in ein Spielzimmer für die Kinder verwandelt hat. Aber das ist generell ein Fehler, weil Kinder nicht in Kellern spielen. Und zwar deshalb, weil sie, ganz einerlei, wie lieb die Eltern sind, immer denken, daß Mami und Papi leise die Tür oben an der Treppe abschließen und nach Florida ziehen. Nein, Keller sind zutiefst und unweigerlich angsteinflößend – deshalb kommen sie ja auch stets in Horrorfilmen vor. Normalerweise wird der Schatten von Joan Crawford, die eine Axt in der Hand hält, an die hintere Wand geworfen. Vielleicht gehen deshalb Väter nicht so oft hinunter.

Ich könnte ewig und drei Tage weitere kleine unbesungene Herrlichkeiten des häuslichen Lebens in Amerika auflisten – Kühlschränke, die Eiswasser und Eiswürfel zubereiten, begehbare Einbauschränke, elektrische Stecker in Badezimmern –, doch ich verzichte darauf. Ich habe keinen Platz mehr, und da Mrs. B. gerade zum Einkaufen entschwunden ist, könnte ich doch flugs mal ausprobieren, was der Müllschlucker mit einem Saftkarton anstellt. Ich werde Sie über das Ergebnis unterrichten.

Konstruktionsmängel

Ich habe einen Sohn im Teenageralter, der Leichtathlet ist und Rennen läuft. Er nennt, vorsichtig geschätzt, sechstausendeinhundert Paar Laufschuhe sein eigen, und jeder einzelne davon zeugt von einer geballteren Portion planerischer Anstrengungen als, sagen wir, die schöne Retortenstadt Milton Keynes unweit Londons.

Die Schuhe sind ein Wunderwerk. Ich habe eben in einer Sportzeitschrift meines Filius einen Testbericht über das Neueste in Sachen »Running- und Freizeitschuhe« gelesen, und er strotzte von Sätzen wie folgendem: »Eine doppelt dichte, extraflexible, längsgerichtete Zwischensohle mit Luftkammern gibt Ihnen Stabilität, während eine Gelferseneinlage stoßdämpfend wirkt, der Schuh aber dennoch einen schmalen Fußabdruck hinterläßt, ein Charakteristikum, das typischerweise nur dem biomechanisch effizienten Läufer dient.« Alan Shepard ist weniger wissenschaftlich abgesichert in den Weltraum geflogen.

Nun aber kommt meine Frage. Wenn mein Sohn unter einer offenbar unendlichen Anzahl gewissenhaft ersonnenen biomechanisch effizienten Schuhwerks wählen kann, warum ist mein Computerkeyboard der letzte Mist? Im Ernst, das möchte ich wissen.

Meine Tastatur hat einhundertundzwei Tasten – fast doppelt soviel wie meine alte mechanische Schreibmaschine –, was auf den ersten Blick schrecklich großzügig anmutet. Neben anderem typografischen Luxus kann ich zwischen drei verschiedenen Klammern und zwei verschiedenen Doppelpunkten wählen. Ich kann meinen Text mit Accents circonflexes und Cedillen verzieren. Ich habe Schrägstriche nach links oder rechts, und Gott weiß, was sonst noch alles.

Ja, ich habe so viele Zeichen, daß auf der rechten Seite des Keyboards ganze Tastenkolonien sind, von deren Funktion ich nicht den blassesten Schimmer habe. Wenn ich manchmal aus Versehen auf eine Taste drücke, muß ich prompt feststellen, daß etliche Absätze meiner Ar9beit da+n s? auss*hen oder daß ich die letzten eineinhalb Seiten in einer interessanten, leider aber nichtalphabetischen Schrift namens Windingeling geschrieben habe. Wozu die Tasten sonst noch da sind – ich habe keine Ahnung.

Macht auch nichts, denn viele haben nur noch einmal dieselbe Funktion wie andere Tasten oder tun überhaupt nichts. Meine Lieblingstaste dieser Kategorie ist eine, die mit »Pause« beschriftet ist und wirklich nichts tut, wenn man darauf drückt – was die reizvolle philosophische Frage aufwirft, ob sie dann ihre Pflicht tut. Etliche Tasten befinden sich an den schwachsinnigsten Stellen. Die zum Löschen ist zum Beispiel direkt neben der zum Überschreiben, so daß ich nicht selten hell aufjuchzend entdecke, daß ich alles, was vorher da stand, Pacman-mäßig verschlungen habe. Und häufig treffe ich aus irgendeinem Grund eine Kombination von Tasten, die ein Fenster aufrufen, das mir eigentlich nur sagt: »Das ist ein nutzloses Fenster! Willst du es?«, und dann folgt ein weiteres, das fragt: »Bist du sicher, daß du das nutzlose Fenster nicht willst?« Das übersehen wir mal großzügig alles. Ich weiß ja schon lange, daß der Computer nicht mein Freund ist.

Aber jetzt kommt, was mich kirre macht. Unter all den einhundertundzwei Tasten, die mir zur Verfügung stehen, gibt es keine einzige für den Bruch $\frac{1}{2}$. Wenn ich nun $\frac{1}{2}$ schreiben will, muß ich das Font-Menu aufrufen, in ein Verzeichnis namens »WP Characters« gehen und dann durch eine Reihe Unterverzeichnisse jagen, bis ich mich an eines erinnere (beziehungsweise meist durch Zufall darauf stoße), das »Typographische Zeichen« heißt und in dem sich das hinterlistige $\frac{1}{2}$-Zeichen verbirgt. Das ist lästig und sinnlos, und ich finde es auch nicht in Ordnung.

Aber so ergeht es mir ja mit den meisten Dingen dieser Welt. Auf dem Armaturenbrett unseres Autos ist eine flache Delle, ungefähr so groß wie ein Taschenbuch. Wenn man was sucht, wo man seine Sonnenbrille oder ein paar lose Geldmünzen ablegen kann, ist es der logische Platz. Ideal, muß ich sagen, solange das Auto steht. Sobald man es jedoch in Bewegung versetzt, und insbesondere, wenn man die Bremse berührt, abbiegt oder einen sanften Berghang hochfährt, rutscht alles herunter. Denn diese Armaturenbrettablage hat keinen Rand. Es ist nur ein flaches Rechteck mit einem ausgedellten Boden. Und nur, was festgenagelt ist, bleibt dort liegen.

Also frage ich Sie: Wozu ist sie da? Jemand muß sie doch entworfen haben. Sie ist nicht spontan dort aufgetaucht. Ein Mensch – was weiß ich, vielleicht ja sogar ein ganzes Ingenieursteam in der Armaturenbrettablage-Designabteilung – mußte Zeit und Gedanken investieren, um in dieses Fahrzeug eine Ablage einzuarbeiten, von der im Ernstfall alles herunterfliegt. Bravo, gut gemacht!

Das ist aber noch gar nichts im Vergleich zu den mannigfachen Leistungen der Konstrukteure, die für den modernen Videorecorder verantwortlich zeichnen. Ich will mich jetzt nicht darüber auslassen, wie unmöglich es ist, einen stinknormalen Videorecorder zu programmieren, weil Sie das schon wissen. Ich verkneife mir auch die Bemerkung, wie ärgerlich es ist, wenn man immer quer durchs Zimmer latschen und sich auf den Bauch legen muß, um sich zu vergewissern, ob das Ding auch wirklich aufnimmt. Ich will nur rasch folgende kleine Story zum besten geben. Ich habe neulich einen Videorecorder gekauft, und eines der Verkaufsargumente lautete – der Hersteller prahlte sogar damit –, daß man das Gerät bis zu zwölf Monaten im voraus programmieren könne. Nun denken Sie mal einen Augenblick nach, und nennen Sie mir eine Situation – egal, was für eine –, in der Sie den Wunsch verspüren, einen Videorecorder so zu programmieren, daß er eine Sendung aufnimmt, die in einem Jahr läuft.

Ich will nicht immer nur nörgeln. Ich gebe freimütig zu, daß es heute viele hervorragende, gut konstruierte Produkte gibt, die in meiner Kindheit und Jugend noch nicht existierten – Taschenrechner oder Wasserkessel, die sich automatisch abstellen, wenn das Wasser gekocht hat, sind zwei, die mich immer wieder mit Bewunderung und Dankbarkeit erfüllen –, aber es scheint mir doch, daß es schrecklich viele Dinge auf dem weiten Erdenrund gibt, die Menschen ersonnen haben, die sich unmöglich mal einen Moment hingesetzt und einen Gedanken daran verschwendet haben, wie sie zu benutzen sind.

Überlegen Sie nur, wie oft Sie im Alltag mit Gegenständen nur deshalb nicht zurechtkommen, weil sie schlecht erdacht sind – Faxgeräte, Fotokopierer, Zentralheizungsthermostate, Flugscheine, TV-Fernbedienungen, Hotelduschen, Wecker, Mikrowellen, ja, fast alle elektrischen Geräte, die nicht Ihnen, sondern jemand anderem gehören.

Und warum sind sie schlecht erdacht? Weil all die besten Designer Laufschuhe entwerfen. Entweder liegt es daran, oder die Burschen sind schlicht und ergreifend dumm. In jedem Fall ist es total unfair.

Endlose Weite

Heute nenne ich Ihnen ein paar Dinge, die Sie auf Ihrem Weg durchs Leben nicht vergessen sollten: Daniel Boone war ein Idiot, und es lohnt sich nicht, von Hanover, New Hampshire, aus einen Tagesauflug nach Maine zu machen. Bitte lassen Sie mich erklären.

Neulich abends spielte ich mit einem Globus herum (einer der Vorzüge des gräßlichen amerikanischen Fernsehens ist, daß man immer wieder mit einer Menge neuer Sachen herumspielt) und stellte leise erstaunt fest, daß ich hier in Hanover viel näher an unserem alten Haus in Yorkshire bin als an vielen anderen Orten der Vereinigten Staaten. Ja, wirklich, von dort, wo ich sitze, bis Attu, der westlichsten der aleutischen Inseln vor Alaska, sind es fast sechstausendundfünfhundert Kilometer. Anders ausgedrückt, Sie sind Johannesburg näher als ich dem äußersten Zipfel meines eigenen Landes.

Sie könnten natürlich einwenden, daß der Vergleich mit Alaska hinkt, weil zwischen hier und dort viel nicht-US-amerikanisches Territorium liegt, aber selbst wenn Sie sich auf das Festland der USA beschränken, sind die Entfernungen beeindruckend. Von meinem Haus nach Los Angeles ist es ungefähr so weit wie von Ihrem Haus nach Lagos. In einem Satz, wir haben es hier mit großen Dimensionen zu tun.

Deshalb erzähle ich Ihnen gleich noch etwas Atemberaubendes, das mit großen Dimensionen zu tun hat. In den vergangenen zwanzig Jahren (einer Zeitspanne, in der ich, wie ich hier zu Protokoll geben möchte, meine Fortpflanzungspflichten anderswo erledigt habe) hat sich die Bevölkerungszahl der Verei-

43

nigten Staaten fast genau um die Großbritanniens vergrößert. Ja, da bin ich auch ganz baff, nicht zuletzt, weil ich nicht weiß, wo diese neuen Leute alle sind.

Wenn man lange in einem gemütlichen kleinen Ländchen wie dem Vereinigten Königreich gelebt hat, fällt einem auf, wie sehr groß und wie sehr leer die USA immer noch sind. Bedenken Sie einmal dies: Montana, Wyoming sowie Nord- und Süddakota haben eine doppelt so große Fläche wie Frankreich, doch eine Einwohnerzahl, die kleiner ist als die Südlondons. Alaska ist noch größer und hat noch weniger Menschen. Selbst mein neuer Heimatstaat New Hampshire im relativ dicht besiedelten Nordosten der USA besteht zu fünfundachtzig Prozent aus Wald, und fast der ganze Rest sind Seen. Hier können Sie stundenlang fahren und sehen nichts als Bäume und Berge – kein Haus, kein Dörflein, ja sehr oft nicht einmal ein anderes Auto.

Ich falle dauernd auf diese weiten Entfernungen herein. Erst vor kurzem hatten wir ein paar Freunde aus England da, und wir beschlossen, den Seen im westlichen Maine einen Besuch abzustatten. Alle Voraussetzungen zu einem schönen Tagesausflug waren gegeben. Wir brauchten nur quer durch New Hampshire – schließlich den viertkleinsten Staat der USA – und ein wenig hinter die Staatsgrenze in unsere hübsche, elchwimmelnde Nachbarschaft im Osten zu fahren. Ich rechnete mit zwei bis zweieinhalb Stunden Fahrzeit.

Na, die Pointe haben Sie sicher schon erraten. Sieben Stunden später hielten wir müde und matt am Ufer des Rangeley Lake, knipsten zwei Fotos, schauten uns an, setzten uns wortlos wieder ins Auto und fuhren nach Hause. So was passiert hier ständig.

Komisch ist nur, daß – soweit ich weiß – kaum ein Amerikaner meint, sein Land sei groß und weit. Sie finden es viel zu voll. Dauernd werden neue Versuche unternommen, den Zugang zu den National- und Naturparks mit der Begründung zu beschränken, daß sie gefährlich überlaufen sind. Zum Teil sind sie das ja auch, aber das liegt daran, daß achtundneunzig Prozent der Besucher mit dem Auto kommen und wiederum achtundneunzig Prozent davon sich nicht weiter als dreihundert Meter von ihren Blechgehäusen wegbewegen. Dadurch hat man dann zwar selbst in den beliebtesten Parks an den vollsten Tagen ganze Berge nur für sich allein, doch wird man mir über kurz oder lang trotzdem verbieten, in vielen Naturparks zu wandern, wenn ich nicht so vorausschauend bin, meinen Besuch Wochen vorher anzumelden, weil das Ding ja eventuell überlaufen sein könnte.

Noch bedrohlicher ist die wachsende Überzeugung, daß man dieser angeblichen Krise am besten zu Leibe rückt, indem man die ausschließt, die nicht hier geboren sind. Eine Organisation, deren Name mir im Moment entfallen ist (der allerdings »Gefährlich engstirnige Reaktionäre für ein besseres Amerika« lauten könnte), setzt immer wieder todernst gemeinte, sorgfältig argumentierende Anzeigen in die *New York Times* und andere wichtige Blätter, in denen sie ein Ende der Einwanderung fordert, weil diese »unsere Umwelt und unsere Lebensqualität vernichtet«. Des weiteren entblödet sich diese Organisation auch nicht zu behaupten, daß »wir vor allem wegen der Immigranten mit halsbrecherischer Geschwindigkeit auf eine ökologische und ökonomische Katastrophe zurasen«. Jetzt aber mal halblang, bitte!

Wahrscheinlich gibt es durchaus Gründe dafür, die Einwanderung zu beschränken, aber daß im Land kein Platz mehr sei, ist geradezu lachhaft. Die Gegner weiteren Zuzugs übersehen geflissentlich die Tatsache, daß die Vereinigten Staaten pro Jahr eine Million Menschen wieder ausweisen und daß diejenigen, die hier sind, meist Jobs machen, die den Einheimischen zu schmutzig, gefährlich oder schlecht bezahlt sind. Wenn man die Immigranten hinauswirft, bedeutet das nicht, daß sich für die hier Ansässigen plötzlich neue Arbeitsmöglichkeiten eröffnen. Im Gegenteil: Dann werden eine Menge Teller nicht abgewaschen und eine Menge Obst nicht geerntet. Und daß uns übrigen mehr Raum zum Atmen bleibt, ist vollends absurd.

Die USA gehören unter den Industrieländern bereits zu denen mit der niedrigsten Einwandererquote. Nur sechs Prozent der hier lebenden Menschen sind im Ausland geboren, in Großbritannien dagegen acht und in Frankreich elf. Falls man auf ein ökonomisches oder Umweltdesaster zurast, dann sicherlich nicht deshalb, weil sechs von hundert Personen woanders geboren worden sind. Aber versuchen Sie das mal der breiten Masse zu erzählen.

Tatsache ist, daß die Vereinigten Staaten mit durchschnittlich nicht mehr als sechsundzwanzig Bewohnern pro Quadratkilometer eines der am dünnsten besiedelten Länder der Erde sind. Im Vergleich dazu sind es in Frankreich einhundertundzwei und in Großbritannien über zweihundertdreißig. Insgesamt gelten nur zwei Prozent der Vereinigten Staaten offiziell als »bebaut«.

Die Amerikaner haben das natürlich schon immer lieber anders gesehen. Berühmt ist die Geschichte, wie Daniel Boone angeblich eines Tages einen Blick aus seinem Blockhüttenfenster warf, ein Rauchwölkchen erspähte, das aus der Behausung eines Siedlers auf einem weit entfernten Berg quoll, sich bitter beklagte, daß die Gegend überlaufen werde, und dann seine Absicht kundtat, weiterzuziehen.

Deshalb sage ich, Daniel Boone hat gesponnen. Ich fände es nur gräßlich, wenn der Rest meines Landes auch damit anfängt.

Regel Nummer eins:
Befolge alle Regeln!

Neulich abends habe ich eine Dummheit begangen. Ich habe eine unserer hiesigen Gaststätten aufgesucht und mich ohne Erlaubnis hingesetzt. Das gehört sich nicht. Aber ich mußte rasch einen wichtigen Gedanken aufschreiben, bevor er mir entfleuchte (und zwar: »Es ist immer noch ein Rest Zahnpasta in der Tube. Denken Sie mal darüber nach.«). Die Kneipe war ohnehin so gut wie leer. Ich nahm einen Tisch neben der Tür.

Nach einigen Minuten kam die für das Plazieren der Gäste verantwortliche Dame zu mir und sagte bemüht gelassen: »Ich sehe, Sie haben sich schon selbst hingesetzt.«

»Jawohl«, erwiderte ich stolz. »Hab mich heute auch selbst angezogen.«

»Haben Sie das Schild nicht gesehen?« Sie drehte den Kopf in Richtung eines großen Schildes, auf dem stand: »Bitte warten Sie, bis Sie zum Tisch geführt werden.«

In dieser Kneipe bin ich ungefähr einhundertfünfzigmal gewesen. Das Schild habe ich aus jedem Blickwinkel außer auf dem Rücken liegend gesehen.

»Was für ein Schild?« sagte ich, ganz das Unschuldslamm. »Herrje, das habe ich ja gar nicht gesehen.«

Die Dame seufzte. »Die Kellnerin für diesen Bereich ist sehr beschäftigt, deshalb werden Sie wohl eine Weile warten müssen, bis sie zu Ihnen kommt.«

In einem Radius von fünfzehn Metern befand sich kein anderer Gast, aber darum ging es auch gar nicht. Es ging darum, daß ich ein aufgestelltes Hinweisschild mißachtet hatte und folglich eine kleine Strafe in der Vorhölle abbrummen mußte.

Es wäre völlig verkehrt zu sagen, daß Amerikaner Regeln lieben, aber sie haben eine gewisse Achtung dafür. Gegenüber Regeln verhalten sie sich weitgehend so wie die Briten bei Warteschlangen; sie finden sie unabdingbar notwendig zur Aufrechterhaltung einer zivilisierten, geordneten Gesellschaft. Im Grunde hatte ich mich vorgedrängelt.

Wahrscheinlich hat es etwas mit unserem germanischen Erbe zu tun. Alles in allem habe ich auch daran nichts zu mäkeln. Ja, ich muß sogar gestehen, manchmal wäre ein teutonischer Ruf zur Ordnung auch in England gar nicht verkehrt – wie zum Beispiel, wenn Leute auf einem Parkplatz zwei Plätze belegen (das einzige Vergehen, für das ich, wenn ich hier frei sprechen darf, die Wiedereinführung der Todesstrafe begrüßen würde).

Die amerikanische Ordnungsliebe geht mir allerdings manchmal zu weit. Unser Schwimmbad hat siebenundzwanzig – siebenundzwanzig! – Regeln, und man achtet streng auf die Einhaltung aller. »Nur ein Anlauf pro Sprung vom Sprungbrett!« ist mir am meisten ans Herz gewachsen.

Frustrierend – nein, zum Aus-der-Haut-Fahren – ist, daß es fast nie eine Rolle spielt, ob die Vorschriften sinnvoll sind oder nicht. Seit ein, zwei Jahren verlangen die US-amerikanischen Fluggesellschaften in ihrem Kampf gegen die zunehmende Terrorismusgefahr, daß Fluggäste sich mit Foto ausweisen, wenn sie für einen Flug einchecken. Ich hörte zum erstenmal davon, als ich knapp zweihundert Kilometer von zu Hause entfernt vor einen Schalter trat, um ein Flugzeug zu besteigen.

»Ich muß irgendeinen Ausweis mit Bild sehen«, sagte der Angestellte mit dem Charme und der unbändigen Motivation, die man schließlich auch von jemandem erwartet, dessen Hauptvergünstigung im Job ein Nylonschlips ist.

»Wirklich? Ich glaube, ich habe keinen«, sagte ich, fing an, mir auf die Taschen zu klopfen, als machte das einen Unterschied, und zog Karten aus meiner Brieftasche. Ich hatte alle möglichen Ausweise dabei – Bibliotheksausweis, Kreditkarten, Sozial- und Krankenversicherungskarte, den Flugschein –, und überall war mein Name drauf, aber nirgendwo mein Bild. Endlich fand ich im hintersten Fach meiner Brieftasche einen alten Führerschein aus Iowa. Ich wußte gar nicht, daß ich den noch besaß.

»Der ist abgelaufen«, sagte der Mann naserümpfend.

»Dann darf ich das Flugzeug wohl nicht mehr selbst fliegen«, erwiderte ich.

»Unsinn, der ist fünfzehn Jahre alt. Ich brauche etwas neueren Datums.«

Ich stöhnte und wühlte in meinen Habseligkeiten. Endlich fiel mir ein, daß ich ein Buch dabeihatte, auf dessen Umschlag mein Foto prangt. Stolz und einigermaßen erleichtert händigte ich es ihm aus.

Er schaute erst das Buch, dann streng mich und dann eine gedruckte Liste an. »Das ist nicht auf der Liste erlaubter visueller Dokumente«, behauptete er oder etwas ähnlich Hirnrissiges.

»Das glaube ich Ihnen gern, aber trotzdem bin ich es. Wie ich leibe und lebe.« Ich senkte die Stimme und beugte mich näher zu ihm vor. »Meinen Sie allen Ernstes, daß ich das Buch extra habe drucken lassen, um mich damit in ein Flugzeug nach Buffalo zu schmuggeln?«

Er starrte mich noch eine Minute lang an und rief dann zwecks Beratung einen Kollegen. Sie konferierten und beorderten einen dritten Mann zu sich. Am Ende waren wir umgeben von einer Menschentraube: drei Leute vom Bodenpersonal, deren Vorgesetzten, dem Vorgesetzten des Vorgesetzten, zwei Gepäckträgern, etlichen Schaulustigen, die sich die Hälse verrenkten, um besser sehen zu können, und einem Typen, der aus einer Aluminiumvitrine Schmuck verkaufte. Mein Flugzeug sollte in wenigen Minuten abgehen, und in meinen Mundwinkeln sammelte sich langsam Schaum. »Was ist denn überhaupt Sinn und Zweck des Ganzen?« fragte ich den Obervorgesetzten. »Warum brauchen Sie einen Ausweis mit Bild?«

»Vorschrift der FAA, der staatlichen Luftfahrtbehörde«, sagte er und starrte unglücklich auf mein Buch, meinen ungültigen Führerschein und die Liste der erlaubten Dokumente.

»Aber warum ist das die Vorschrift? Glauben Sie wirklich, daß Sie einen Terroristen von seinem Tun abhalten, indem Sie von ihm verlangen, daß er Ihnen ein Hochglanzfoto von sich präsentiert? Glauben Sie, ein Mensch, der eine bis ins kleinste ausgetüftelte Flugzeugentführung planen und ausführen kann, läßt von seinem Vorhaben ab, wenn man ihn auffordert, seinen – gültigen! – Führerschein zu zeigen? Sind Sie schon mal auf die Idee gekommen, daß Sie der Terrorismusgefahr eventuell effizienter begegnen, wenn Sie jemanden einstellen, der seine fünf Sinne beieinander und einen etwas höheren IQ als ein Kopffüßer hat und die Bildschirme auf Ihren Röntgenapparaten überwacht?« Vielleicht habe ich meiner Meinung nicht in exakt diesen Worten Luft gemacht, aber das ungefähr war die Stoßrichtung.

Sehen Sie, man verlangt von den Leuten nicht einfach, daß sie sich ausweisen, sondern daß sie es in einer Weise tun, die präzise einer schriftlichen Anordnung entspricht.

Wie dem auch sei, ich änderte meine Taktik und verlegte mich aufs Bitten. Ich versprach, nie wieder mit unzureichenden Ausweispapieren auf einem Flughafen aufzukreuzen. Ich mimte den zutiefst Bußfertigen. Ich glaube nicht, daß irgend jemand schon einmal so inbrünstig und reumütig den Wunsch geäußert hat, man möge ihm doch bitte erlauben, nach Buffalo weiterzureisen.

Endlich nickte der Vorgesetzte dem Angestellten zu und sagte ihm immer noch sehr skeptisch, er solle mich einchecken lassen. Nachdem er mich ermahnt hatte, etwas so Schlitzohriges nie wieder zu versuchen, ging er mit seinen Kollegen von dannen.

Der Abfertigungsmensch gab mir eine Bordkarte, ich ging auf die Sperre zu, drehte mich dann um und vertraute ihm, als sei es mir gerade eingefallen, mit leiser, überzeugter Stimme einen nützlichen Gedanken an.

»In der Tube ist immer noch ein Rest Zahnpasta«, sagte ich. »Denken Sie darüber nach.«

Weihnachtliche Mysterien

Eines der vielen kleinen Geheimnisse, die ich lüften wollte, als ich nach England zog, war folgendes: Wenn die Briten zu Weihnachten »A-wassailing we'll go« sangen, wo gingen sie hin und was genau taten sie, wenn sie dort anlangten?

Während meiner gesamten Kindheit und Jugend hörte ich dieses Lied jedes Jahr zu Weihnachten, ohne daß ich einmal einen Menschen fand, der die leiseste Ahnung hatte, wie man es anstellte, das rätselhafte, obskure »A-wassailing«. Angesichts des munter kecken Tonfalls und der Partystimmung, in der immer davon gesungen wurde, drängten sich meiner jugendlichen Phantasie rosawangige Maiden mit Bierkrügen in einer Szene allgemeiner heiterster Ausgelassenheit vor einem lodernden Jul-Block in einer mit Stechpalmenzweigen geschmückten Halle auf, und dessen eingedenk blickte ich meinem ersten englischen Weihnachtsfest mit unverhohlener Freude entgegen. Bei mir zu Hause galt es als Gipfel weihnachtlicher Ausschweifungen, daß man einen Keks in Form eines Weihnachtsbaums bekam.

Sie können sich also meine Enttäuschung vorstellen, als mein erstes Weihnachten in England kam und ging, und nicht nur niemand a-wassailte, sondern auch niemand, den ich ausquetschte, dessen tiefverborgene uralte Geheimnisse kannte. Ja, in fast zwanzig Jahren dort habe ich nicht einmal jemanden kennengelernt, der a-wassailing gegangen ist (jedenfalls nicht wissentlich). Und da wir einmal dabei sind, ich habe auch nie ein »Mumming« oder ein »Hodening« erlebt und auch keine der anderen englischen Weihnachtstraditionen, die ausdrücklich in den Liedern und in den Romanen von Jane Austen und Charles Dickens versprochen werden. (Zu Ihrer Information: Beim Mumming handelt es sich um einen weihnachtlichen Mummenschanz, dessen Ursprünge bis ins Mittelalter zurückreichen, und beim Hodening bettelt ein organisierter Stoßtrupp um Münzen, um sich später in der nächstbesten Kneipe vollaufen zu lassen – was ich für eine grandiose Idee halte.)

Erst als ich zufällig auf T. G. Crippens kenntnisreiches, altersloses Werk *Weihnachten und Weihnachtsbräuche,* London 1923, stieß, erfuhr ich, daß »wassail« ursprünglich ein Gruß war, der aus dem Altnordischen »ves heil (bleib gesund)!« stammt. In angelsächsischen Zeiten sagte laut Crippen jemand, der einen Trinkspruch ausbrachte: »Wassail!«, der Angesprochene erwiderte: »Drinkhail!«, und dann wiederholten auch die anderen Trinkkumpane die Übung, bis sie bequem in der Horizontale lagen.

Aus dem Wälzer von Crippen ist außerdem ersichtlich, daß dieser und viele andere reizende alte Weihnachtsbräuche 1923 in Großbritannien noch überall lebendig waren. Nun scheinen sie sich leider Gottes für immer verabschiedet zu haben.

Trotzdem ist Weihnachten in Großbritannien wunderschön, viel schöner als in Amerika, und das aus vielerlei Gründen. Zunächst einmal packt man in Großbritannien – zumindest in England – mehr oder weniger all seine Festtagsexzesse (essen, trinken, Geschenke überreichen, noch mehr essen und trinken) in Weihnachten hinein, während wir sie hier über drei separate Feiertage verteilen.

In Amerika ist der große Freßfeiertag Thanksgiving Ende November. Thanksgiving ist ein toller Feiertag – wahrscheinlich der beste, wenn Sie mich fragen. (Er erinnert übrigens an das erste Erntedankfest, zu dem sich die Pilgerväter mit den Indianern zusammengehockt, ihnen für all die Hilfe gedankt und gesagt haben: »Ach, übrigens, wir sind zu dem Schluß gekommen, daß wir das ganze Land haben wollen.«) Thanksgiving ist so schön, weil man keine Geschenke machen oder Karten verschicken oder sonst irgendwas tun muß, sondern nur essen, bis man wie ein Ballon aussieht, der zu lange auf der Gasflasche war.

Schade ist nur, daß Thanksgiving weniger als einen Monat vor Weihnachten liegt. Wenn also Mom am fünfundzwanzigsten Dezember wieder einen Truthahn hereinbringt, heißt es nicht »Puter! Juchu!«, sondern eher »Oh, schon wieder Puter, Mutter«? Bei diesem kurzen Zeitabstand ist doch klar, daß Weihnachten nicht mehr der ganz große Knüller ist.

Des weiteren trinken die US-Amerikaner in der Regel an diesem Fest nicht viel. Ja, ich vermute, daß die meisten Leute es hier für einen Hauch unschicklich halten, mehr als, na ja, einen kleinen Sherry vor dem Mittagessen am Weihnachtstag zu sich zu nehmen. Hier bewahrt man sich die Saufgelage in großem Stil für Silvester auf.

Apropos, wir haben auch keines der anderen Dinge, die in Großbritannien ganz selbstverständlich zu Weihnachten gehören. In Amerika gibt es keine Weihnachtstheateraufführungen, keine Mincepies und selten Christmas Pudding. Am Heiligabend läuten keine Glocken und knallen keine Knallbonbons. Es fehlen die Doppelausgabe der *Radio Times*, Brandybutter, die kleinen Schälchen mit Nüssen. Und man hört nicht mindestens alle zwanzig Minuten »Merry Xmas Everbody« von Slade. Aber vor allem gibt es keinen zweiten Weihnachtsfeiertag, Boxing Day.

In den Vereinigten Staaten gehen am sechsundzwanzigsten Dezember alle wieder zur Arbeit. Ja, als wahrnehmbares Phänomen endet Weihnachten mehr oder weniger am Mittag des fünfundzwanzigsten Dezember. Im Fernsehen läuft nichts Besonderes, und die meisten Läden und Einkaufszentren öffnen nachmittags (damit die Leute all die Dinge umtauschen können, die sie bekommen, sich aber nicht gewünscht haben). Am sechsundzwanzigsten können Sie hier ins Kino oder zum Bowling gehen. Irgendwie finde ich das nicht recht.

Von einem zweiten Feiertag haben die meisten US-Amerikaner nie gehört. Übrigens, es mag Sie überraschen, aber Boxing Day ist eine ziemlich moderne Erfindung. Das *Oxford English Dictionary* kann den Begriff nicht weiter als bis ins Jahr 1849 zurückverfolgen. Seine Wurzeln gehen allerdings zumindest bis ins Mittelalter zurück, als es Brauch war, zu Weihnachten die Almosenkästen, die »boxes«, in den Kirchen aufzubrechen und den Inhalt an die Armen zu verteilen. Als Feiertag wird der Boxing Day erst seit dem letzten Jahrhundert begangen.

Ich persönlich mag den Boxing Day lieber als den ersten Feiertag, hauptsächlich, weil er sämtliche Vorteile des fünfundzwanzigsten Dezember besitzt (alle sind einander wohlgesonnen, man kann essen und trinken bis zum Abwinken und bei Tageslicht im Sessel dösen) und nicht die Nachteile wie zum Beispiel, daß man stundenlang auf dem Boden hockt und sich abrackert, um Puppenhäuser und Fahrräder nach Anleitung zusammenzubasteln, die in taiwanesisch beschrieben sind, oder sich falsche Dankbarkeitsbezeugungen gegenüber Tante Gladys für einen handgestrickten Pullover abringen muß, den nicht einmal Bill Cosby tragen würde. (»Nein, ehrlich, Glad, ich habe schon überall nach einem Pullover mit Einhornmotiv gesucht.«)

Ja, wenn es eines gibt, das ich aus England vermisse, dann Boxing Day. Das und natürlich das »Merry Xmas Everbody«-Gedudel. Von allem anderen mal ganz abgesehen, schätzt man dann den Rest des Jahres um so mehr.

Das Zahlenspiel

Der Kongreß der Vereinigten Staaten, der doch immer wieder für eine Überraschung gut ist, hat neulich beschlossen, dem Pentagon elf Milliarden Dollar mehr zu bewilligen, als es haben wollte.

Können Sie sich vorstellen, wieviel elf Milliarden Dollar sind? Natürlich nicht. Niemand kann das. Eine solch große Summe kann man sich nicht vorstellen.

Dabei stoßen Sie, wo immer es in Amerika und seiner Wirtschaft um Zahlen geht, auf immense Summen, die man nicht begreifen kann. Betrachten wir nur einmal ein paar Zahlen, die ich aus den Zeitungen des vergangenen Sonntags herausgeholt habe. Das Bruttoinlandsprodukt der Vereinigten Staaten beträgt 6,8 Billionen Dollar im Jahr, das Staatsbudget 1,6 Billionen. Das Staatsdefizit fast 200 Milliarden. Kalifornien allein hat ein Wirtschaftsaufkommen von 850 Milliarden Dollar.

Man verliert leicht aus dem Blick, wie ungeheuer groß diese Zahlen eigentlich sind. Die Gesamtschulden der USA lagen bei der letzten Bestandsaufnahme laut der *Times* »knapp« unter 4,7 Billionen Dollar. Der exakte Betrag betrug 4,692 Billionen, also ist gegen diese Aussage eigentlich gar nichts einzuwenden. Aber es handelt sich um eine Differenz von 8 Milliarden Dollar – ein »knappes« Sümmchen, über das sich mancher freuen würde.

Ich habe lange im Wirtschaftsteil einer überregionalen Zeitung in England gearbeitet und weiß, daß selbst die ausgefuchstesten Wirtschaftsjournalisten oft ganz irre werden, wenn sie mit Begriffen wie Milliarden und Billionen hantieren müssen, und zwar aus zwei sehr berechtigten Gründen: Erstens haben sie in der Mittagspause ziemlich viel getrunken, und zweitens machen einen solche Zahlen ja auch konfus.

Kern des Problems sind also diese riesigen Zahlen, die jegliches menschliche Begreifen übersteigen. Auf der Sixth Avenue in New York ist eine elektronische Anzeigentafel, die ein anonymer Stifter errichtet hat und unterhält. Sie nennt sich »Die Staatsschuldenuhr«. Als ich im November das letztemal dort war, bezifferte sie diese auf 4 533 603 804 000 Dollar – das sind 4,5 Billionen und ein paar Gequetschte –, und die Zahl nahm mit jeder Sekunde um 10 000 Dollar zu, jedenfalls so schnell, daß die letzten drei Ziffern immer ineinander verschwammen. Doch was nun bedeuten 4,5 Billionen Dollar?

Versuchen wir's mal mit einer Billion, also tausend Milliarden. Stellen Sie sich vor, Sie sitzen mit der Gesamtheit der amerikanischen Staatsschulden in einem Kellergewölbe, und man verspricht Ihnen, daß Sie jede Dollarnote behalten dürfen, die Sie mit Ihren Initialen versehen. Sagen wir der Einfachheit halber, Sie können jede Sekunde eine Dollarnote unterzeichnen und arbeiten sich, ohne Pause zu machen, durch. Wie lange, glauben Sie, würden Sie brauchen, um eine Billion Dollar zusammenzukriegen? Na los, tun Sie mir den Gefallen und raten Sie. Zwölf Wochen? Fünf Jahre?

Wenn Sie einen Dollar pro Sekunde unterzeichneten, hätten Sie nach sechzehn Minuten und vierzig Sekunden 1000 Dollar verdient. Nach fast zwölf Tagen ununterbrochener Schufterei hätten Sie Ihre erste Million beisammen. Also bräuchten Sie einhundertundzwanzig Tage, um zehn Millionen anzuhäufen, und eintausendzweihundert Tage für einhundert Millionen – drei Jahre und etwas mehr als drei Monate. Nach 31,7 Jahren wären Sie Milliardär, und nach fast eintausend Jahren wären Sie so reich wie Bill Gates, der Gründer von Microsoft. Aber erst nach sage und schreibe 31 709,8 Jahren hätten Sie Ihren billionsten Dollar abgezeichnet (und dann hätten Sie nicht einmal ein Viertel des Geldhaufens durch, der die Staatschulden der Vereinigten Staaten repräsentiert).

Na bitte, das ist eine Billion Dollar.

Doch aufgepaßt! Die meisten dieser unvorstellbar riesigen Summen, mit denen Ökonomen und Politiker jonglieren, liegen offenbar total daneben. Nehmen Sie das Bruttosozialprodukt, den Maßstab, an dem die jährliche wirtschaftliche Gesamtleistung eines Landes gemessen wird, Eckpfeiler der modernen Wirtschaftspolitik, in den dreißiger Jahren von dem Wirtschaftswissenschaftler Simon Kuznets erdacht. Man kann sehr gut konkrete Dinge damit messen – Tonnen Stahl, Längenmeter Holz, Kartoffeln, Autoreifen und so weiter, und in einer traditionellen industriellen Wirtschaft damit zu arbeiten war ja auch gut und schön. Nun aber besteht in fast allen Industrieländern der größte Teil der Arbeitserträge aus Dienstleistungen und Ideen – Computersoftware, Telekommunikation, Finanzgeschäfte –, die zwar Reichtum produzieren, aber nicht unbedingt ein Produkt hervorbringen, das man auf eine Palette laden und zu Markte tragen kann.

Weil solche Leistungen schwer zu messen und quantifizieren sind, weiß niemand so richtig, worauf sie sich belaufen. Viele Wirtschaftswissenschaftler sind sogar der Meinung, daß die Vereinigten Staaten seit einigen Jahren die Wachstumsrate ihres BSP um bis zu zwei, drei Prozentpunkte pro Jahr unterbewerten. Das kommt einem vielleicht nicht viel vor, aber wenn es zutrifft, ist das US-amerikanische Wirtschaftsvolumen – ohnehin schon atemberaubend groß – um ein Drittel größer, als man annimmt. In anderen Worten: In der US-amerikanischen Wirtschaft sind womöglich mehrere hundert Milliarden Dollar im Umlauf, von denen niemand etwas ahnt. Unglaublich.

Doch jetzt kommt's! All das ist unerheblich, weil das BSP ein vollkommen nutzloses Meßinstrument ist. Es ist wirklich nur das Maß der Gesamtwertschöpfung eines Landes pro Jahr, in den USA (wie es die Lehrbücher ausdrücken) »der Wert der in einer bestimmten Zeitspanne produzierten Güter und erbrachten Dienstleistungen in Dollar«.

Jede Art wirtschaftlicher Aktivität vergrößert das BSP. Es ist einerlei, ob sie »gut« oder »schlecht« ist. Man hat zum Beispiel geschätzt, daß unser BSP durch den O.-J.-Simpson-Prozeß mit seinen Rechtsanwaltshonoraren, Gerichtskosten, Hotelrechnungen für die Presse und so weiter um zweihundert Millionen Dollar gestiegen ist. Ich bezweifle allerdings sehr, daß viele Leute behaupten würden, das teure Spektakel habe die Vereinigten Staaten zu einem merklich besseren, edleren Land gemacht.

Ja, schlechte Taten tragen oft mehr zum Wachstum des BSP bei als gute. Kürzlich war ich auf dem Gelände einer Zinkfabrik in Pennsylvania, die so viel schädliche Abgase in die Luft geblasen hat, daß ein ganzer Berghang kahlgefressen wurde. Vom Zaun der Fabrik bis zum Gipfel des Berges wuchs nichts mehr, kein Baum und kein Strauch. Was den BSP betraf, war das alles jedoch wunderbar. Zuerst nahm das Wirtschaftswachstum durch das ganze Zink zu, das die Fabrik über die Jahre gewonnen und verkauft hat. Dann durch die Millionen und Abermillionen Dollar, die die Regierung ausgeben mußte, um das Gelände zu reinigen und den Berg zu renaturieren, und zum Schluß durch die weiterhin notwendige ständige medizinische Behandlung der Arbeiter und Bürger der Stadt, die chronisch krank sind, weil sie in der verseuchten Umwelt gelebt haben.

Nach den konventionellen Kriterien der Bemessung des wirtschaftlichen Wachstums ist das alles Gewinn und nicht Verlust. Ebenso wie das Überfischen von Seen und Meeren, ebenso wie das Abholzen von Wäldern. Kurz und gut, je rücksichtsloser wir die natürlichen Ressourcen plündern, desto besser für das Bruttosozialprodukt.

Der Wirtschaftswissenschaftler Herman Daly hat ja auch einmal gesagt, daß »die gängige nationale Buchführung die Erde wie ein Geschäft in Liquidation behandelt«. Und drei andere führende Ökonomen bemerkten in einem Artikel in der *Atlantic Monthly* letztes Jahr trocken: »Nach der seltsamen Maßgabe des BSP ist der Held der nationalen Wirtschaft ein todkranker Krebspatient, der eine kostspielige Scheidung betreibt.«

Warum benutzen wir dieses groteske Kriterium ökonomischer Leistungen so hartnäckig weiter? Weil die Herren und Damen Wirtschaftswissenschaftler noch nichts Besseres erfunden haben. Na, besonders phantasievoll waren sie ja noch nie.

Zimmerservice

Schon immer einmal wollte ich gern im Motel Inn in San Luis Obispo in Kalifornien übernachten. (Und wenn ich für diese Kolumne Reisespesen kriegte, würde ich es auch sofort tun.)

Auf den ersten Blick ein vielleicht seltsam anmutender Wunsch, denn nach allem, was man hört, ist das Motel Inn keineswegs eine besonders reizvolle Unterkunft. 1925 im spanischen Kolonialstil erbaut, hockt es im Schatten der Träger einer vielbefahrenen Autobahn, zwischen einem Haufen Tankstellen, Fast-food-Läden und anderen – moderneren – Autobahnraststätten.

Einstmals jedoch war es ein berühmter Haltepunkt an der Küstenstraße zwischen Los Angeles und San Francisco. Sein reichverziertes Äußeres verdankt es einem Architekten aus Pasadena namens Arthur Heinemann, dessen genialstes Vermächtnis aber in dem Namen liegt, den er auswählte. Er spielte mit den Worten Motor und Hotel und taufte es Mo-tel – mit Bindestrich, um seine Neuheit zu betonen.

Damals hatten die USA schon jede Menge Motels, doch sie hießen alle anders – auto court, cottage court, hotel court, tour-o-tel, auto hotel, bungalow court, cabin court, tourist camp, tourist court, trav-o-tel. Lange sah es so aus, als werde tourist court die Standardbezeichnung werden; erst 1950 wurde Motel zum Gattungsbegriff.

Das weiß ich alles, weil ich gerade ein Buch über die Geschichte des Motels in den Vereinigten Staaten gelesen habe, das den umwerfend originellen Titel *Das Motel in Amerika* trägt. Es ist von drei Akademikern geschrieben und ein sturzlangweiliges

Teil voller Sätze wie »Die Bedürfnisse sowohl der Konsumenten als auch der Anbieter von Unterkünften übten einen starken Einfluß auf die Entwicklung organisierter Distributionssysteme aus«. Doch ich kaufte und verschlang es trotzdem, weil ich alles, was mit Motels zu tun hat, liebe.

Ich kann mir nicht helfen, aber ich werde immer noch jedesmal richtig hibbelig, wenn ich einen Schlüssel in eine Moteltür stecke und sie aufstoße. Motelübernachtungen gehören einfach zu den Dingen – wie Essen im Flugzeug –, bei denen ich wider besseres Wissen ganz aufgeregt werde. Denn das goldene Zeitalter der Motels war, wie der Zufall so spielt, auch mein goldenes Zeitalter – die fünfziger Jahre –, und das erklärt wahrscheinlich meine Faszination. Alle, die in den Fünfzigern nicht im Auto in Amerika gereist sind, können sich heute kaum noch vorstellen, wie toll diese Herbergen waren. Zum einen existierten die landesweiten Ketten wie Holiday Inn und Ramada noch kaum. Bis 1962 waren noch achtundneunzig Prozent der Motels in individuellem Besitz, jedes hatte also seine eigene Note.

Im wesentlichen gab es zwei Typen. Zum einen die guten. In ihnen herrschte eine heimelige, fast ländliche Atmosphäre, und sie waren um eine großzügige Rasenfläche mit schattigen Bäumen und ein mit einem weiß angemalten Wagenrad geschmücktes Blumenbeet herumgebaut. (Aus unerfindlichen Gründen malten die Besitzer auch gern alle Steine weiß an und reihten sie am Rande der Einfahrt entlang auf.) Oft gab es dazu einen Swimmingpool und einen Geschenkeladen oder ein Café.

Innen boten sie ein Maß an Komfort und Eleganz, angesichts dessen man in Entzückensschreie ausbrach – dicke Teppiche, surrende Klimaanlage, Nachttisch mit eigenem Telefon und eingebautem Radio, Fernseher am Fuß des Betts, ein eigenes Bad, manchmal einen Ankleideraum und Vibratorbetten, die einem für einen Vierteldollar eine Massage verabreichten.

Den zweiten Typ Motel bildeten die entsetzlichen. In denen nächtigten wir immer. Mein Vater, einer der großen Geizkrägen der Geschichte, war der Ansicht, daß es sinnlos sei, Geld für ...

na ja, eigentlich für überhaupt irgend etwas auszugeben. Schon gar nicht für etwas, in dem man im Prinzip nur schlief.

Folglich logierten wir meist in Motelzimmern, in denen das Mobiliar angeschlagen und die Matratzen durchgelegen waren und in denen man regelmäßig damit rechnen konnte, nachts von einem gellenden Schrei geweckt zu werden, dem Geräusch zersplitternder Möbel und einer weiblichen Stimme, die flehte: »Nimm das Gewehr runter, Vinnie. Ich tue alles, was du sagst.« Ich möchte nicht unbedingt behaupten, daß mich diese Erfahrungen fürs Leben gezeichnet und verbittert haben, aber ich weiß noch, daß ich gesehen habe, wie Janet Leigh in *Psycho* im Hotel der Bates zerhackt wird, und mein erster Gedanke war: »Na, wenigstens hatte sie einen Duschvorhang.«

Aber selbst die grottenschlechtesten Motels verliehen Autoreisen eine geradezu berauschende Ungewißheit. Man wußte nie, welche Art von Komfort man am Ende eines Tages finden würde und welche kleine Freuden doch vielleicht geboten wurden. Und das verlieh dem Reisen eine Würze, mit der sich die immer gleichen Raffinessen des modernen Reisezeitalters nicht messen können.

All das änderte sich sehr rasch mit dem Aufkommen der Motelketten. Holiday Inn hatte zum Beispiel 1958 neunundsiebzig Häuser und weniger als zwanzig Jahre später fast eintausendfünfhundert. Heute teilen sich nur fünf Ketten den Großteil der Motelkapazitäten im Lande. Reisende wollen keine Ungewißheiten mehr. Einerlei, wo sie hinfahren, sie wollen im selben Motel übernachten, dasselbe Essen essen, dasselbe Fernsehen sehen.

Als ich neulich einmal mit meiner Familie von Washington, DC, nach Neuengland fuhr, wollte ich meinen Kindern etwas von meinen Erfahrungen vermitteln und schlug vor, daß wir in einem altmodischen familienbetriebenen Motel übernachteten. Alle waren einhellig der Meinung, daß die Idee total dämlich war, aber ich behauptete standhaft, daß es ein großartiges Erlebnis sein würde.

Gut, wir suchten überall. Wir kamen an Hunderten Motels vorbei, aber sie gehörten alle den Ketten. Nach neunzig Minuten vergeblichen Herumfahrens verließ ich die Interstate zum siebten- oder achtenmal, und – siehe da! – aus der Dunkelheit strahlte das Sleepy Hollow Motel, noch original so wie in den fünfziger Jahren.

»Auf der anderen Straßenseite ist ein Comfort Inn«, sagte eins meiner Kinder mit Nachdruck.

»Wir wollen nicht in ein Comfort Inn, Jimmy«, erklärte ich und vergaß einen Moment lang, daß ich gar kein Kind namens Jimmy habe. »Wir wollen in ein richtiges Motel.«

Meine Frau bestand darauf, sich das Zimmer anzusehen. Schließlich ist sie Engländerin. Es war natürlich grauslich. Die Möbel waren angeschlagen, die Teppiche abgelaufen, und es war so kalt, daß man seinen Atem sehen konnte. Und der Duschvorhang hing nur noch an drei Ringen.

»Es hat eine eigene Note«, behauptete ich.

»Und Läuse«, sagte meine Frau. »Du findest uns im Comfort Inn gegenüber.«

Ungläubig sah ich, wie meine gesamte Familie hinausmarschierte. »Du bleibst doch hier, Jimmy, oder?« sagte ich, aber selbst er trollte sich, ohne auch nur einen Blick zurückzuwerfen.

Etwa fünfzehn Sekunden stand ich da, schaltete dann das Licht aus, brachte den Schlüssel zurück und ging hinüber zum Comfort Inn. Es war völlig reizlos und wie jedes andere Comfort Inn, in dem ich je übernachtet habe. Aber es war sauber, der Fernseher funktionierte, und zugegeben, der Duschvorhang war sehr hübsch.

Unser Freund, der Elch

Eben hat meine Frau hochgerufen, daß das Essen auf dem Tisch ist (mir wäre ja lieber, es wäre auf den Tellern, aber so geht's), also wird die Kolumne diese Woche vielleicht kürzer als sonst.

In unserem Haus kriegen Sie nämlich, wenn Sie nicht binnen fünf Minuten am Tisch sitzen, nur noch den Knorpel und das gräuliche Stück Faden, mit dem der Braten umwickelt war. Doch wenigstens – und das ist das Schöne daran, wenn man heutzutage in den USA, ja überhaupt irgendwo anders als in Großbritannien lebt – können wir Rindfleisch verzehren, ohne daß wir damit rechnen müssen, gegen die Wand zu torkeln, wenn wir nach dem Essen aufstehen.

Ich war vor kurzem im Vereinigten Königreich und habe festgestellt, daß viele Menschen dort wieder Rindfleisch essen. Woraus ich schließe, daß sie neulich weder die hervorragende zweiteilige Fernsehsendung über BSE gesehen noch John Lanchesters nicht minder aufschlußreichen Bericht im *New Yorker* über ebendieses Thema gelesen haben. Sonst würden sie, weiß Gott, nie wieder Rindfleisch anrühren. (Ja, mehr noch, sie würden wünschen, daß sie es vor allem zwischen 1986 und 1988 nicht angerührt hätten. Ich habe es damals auch gegessen, und Junge, Junge, da blüht uns was.)

Heute habe ich jedoch nicht die Absicht, Angst und Schrecken hinsichtlich unser aller Zukunftsaussichten zu verbreiten (wenn ich Ihnen auch den guten Rat geben möchte, Ihre Angelegenheiten in Ordnung zu bringen, solange Sie noch einen Stift halten können), sondern ich möchte eine Alternative vorschlagen, was mit den armen Kühen geschehen könnte, denen in Großbritannien nun samt und sonders der Garaus gemacht werden soll.

Ich finde, man sollte sie alle hierher verschiffen, in den Great North Woods freilassen, die sich von Vermont nach Maine über das nördliche Neuengland erstrecken, und dann US-amerikanische Jäger auf sie loslassen. Mein Hintergedanke dabei ist, die Weidmänner daran zu hindern, die Elche abzuknallen.

Weiß der Himmel, warum man überhaupt auf die Idee kommt, so ein harmloses, braves Tier wie einen Elch zu erschießen, aber Tausende wollen nichts lieber als das – jetzt sogar so viele, daß die einzelnen Bundesstaaten durch Losverfahren entscheiden, wer die Erlaubnis dazu bekommt. Im letzten Jahr gingen in Maine zweiundachtzigtausend Anträge für eintausendundfünfhundert Genehmigungen ein. Mehr als zwölftausend nicht in Maine ansässige Personen trennten sich gern von nicht zurück zu erstattenden zwanzig Dollar, nur um an der Auslosung teilnehmen zu können.

Die Jägersleut erzählen Ihnen, daß der Elch ein hinterlistiges, grimmiges Waldwesen ist. In Wirklichkeit ist er ein von einem Dreijährigen gezeichneter Ochse. Mehr nicht. Der Elch ist die kurioseste, rührend hilfloseste Kreatur, die je in freier Wildbahn gelebt hat! Er ist zwar riesig – so groß wie ein Pferd –, aber wahnsinnig ungelenk. Ein Elch läuft, als wisse das linke Bein nicht, was das rechte tue. Selbst sein Geweih macht nichts her. Andere Viecher lassen sich Geweihe mit spitzen Enden wachsen, die im Profil prächtig aussehen und dem Feind Respekt abnötigen. Der Elch dagegen trabt mit einem Geweih durch die Gegend, das wie ein Handschuh-Topflappen aussieht.

Vor allem aber zeichnet das Tier ein beinahe grenzenloser Mangel an Intelligenz aus. Wenn Sie einen Highway entlangfahren und ein Elch aus dem Wald tritt, blinzelt er Sie eine ganze Minute lang an und rennt dann urplötzlich vor Ihnen weg, aber die Fahrbahn entlang. Die Beine fliegen gleichzeitig in acht verschiedene Richtungen. Macht nichts, daß zu beiden Seiten des Highways zehntausende Quadratkilometer dichten, sicheren

Waldes liegen. Der Elch, zu doof, zu erkennen, wo er ist und was genau da abläuft, folgt dem Highway unverdrossen bis fast nach New Brunswick, bis ihn sein eigentümlicher Gang irgendwann aus Versehen zurück in den Wald führt. Dort bleibt er sofort stehen, und Verblüffung breitet sich auf seiner Miene aus. »Hey – ein Wald!« sagt er. »Na, wie zum Kuckuck bin ich hierhergeraten?«

Elche sind so kolossal wirr im Kopf, daß sie oft sogar, wenn sie hören, daß ein Pkw oder ein Lastwagen kommt, *aus* dem Wald hinaus und auf den Highway springen, weil sie die merkwürdige Hoffnung hegen, dort in Sicherheit zu sein. In Neuengland fallen jedes Jahr etwa eintausend Elche Zusammenstößen mit Fahrzeugen zum Opfer. (Und da ein Elch bis zu zweitausend Pfund wiegen kann und genauso gebaut ist, daß die Motorhaube eines Pkws unter ihn paßt und ihm die spillerigen Beine weghaut, während der Rumpf durch die Windschutzscheibe kracht, sind derlei Begegnungen ebenso oft tödlich für den Autofahrer.) Wenn Sie sähen, wie ruhig und leer die Straßen in den nördlichen Wäldern sind, und sich vergegenwärtigen, wie unwahrscheinlich es ist, daß überhaupt ein Lebewesen just in dem Moment auf dem Highway auftaucht, wenn ein Fahrzeug vorbeifährt, dann könnten Sie ermessen, wie erstaunlich diese Zahlen sind.

Noch erstaunlicher aber ist, daß der Elch trotz seiner Unbedarftheit und seltsam abgestumpften Überlebensinstinkte zu den ältesten Tierarten in Nordamerika gehört. Elche gab es schon, als Mastodone auf der Erde herumlatschten. Und im Osten der Vereinigten Staaten wuchsen und gediehen einmal Kältesteppenmammute, Wölfe, Karibus, Wildpferde und sogar Kamele. Doch sie starben nach und nach alle aus, während der Elch, unbeirrt von Eiszeiten, Meteoriteneinschlägen, Vulkanausbrüchen und dem Auseinanderdriften von Kontinenten, weiterstampfte.

Das war nicht immer so. Um die Jahrhundertwende schätzte man die Zahl der Elche auf nicht mehr als ein Dutzend in ganz

Neuengland und vermutlich null in Vermont. Heute geht man davon aus, daß fünftausend Elche in New Hampshire, noch eintausend mehr in Vermont und bis zu dreitausend in Maine leben.

Damit diese massive und noch wachsende Population nicht überhandnimmt, hat man allmählich wieder mit dem Jagen begonnen. Doch dabei entstehen zwei Probleme. Zunächst einmal sind die Zahlen wirklich nur Schätzungen; die Tiere treten ja nicht gerade zur Volkszählung an. Zumindest ein führender Naturforscher meint, daß die Zahlen bis zu zwanzig Prozent zu hoch angesetzt sind, was bedeuten würde, daß die überschüssigen Elche nicht etwa mit Bedacht erlegt, sondern sinnlos abgeschlachtet werden.

Mein Haupteinwand gegen die Jagd auf sie ist freilich, daß es sich einfach nicht gehört, ein so dümmliches, argloses Tier zu jagen und zu töten. Einen Elch abzuknallen ist keine Kunst. Ich bin in der Wildnis auf welche gestoßen und kann Ihnen versichern, daß man auf sie zugehen und sie mit einer gefalteten Zeitung erschlagen könnte. Die Tatsache, daß neunzig Prozent der Jäger in einer Jagdsaison, die nur etwa eine Woche dauert, erfolgreich Beute machen, bezeugt, wie leicht ein Elch zur Strecke zu bringen ist.

Und genau deshalb schlage ich vor, daß alle die armen, verseuchten Rindviecher hierhergeschickt werden. Sie würden unseren Nimrods die Art männlicher Herausforderung bieten, nach der sie offenbar lechzen, und es könnte dazu beitragen, den einen oder anderen Elch vor dem sicheren Tode zu bewahren.

Also schickt die wahnsinnigen Kühe ruhig her. Per Adresse Bob Smith. Er ist einer unserer Senatoren in New Hampshire, und nach seinem Abstimmungsverhalten im Senat zu urteilen, ist er mit geistigen Behinderungen wohlvertraut.

Wenn Sie mich nun bitte entschuldigen wollen, ich muß sehen, ob an dem gräulichen Stück Faden noch ein Fetzchen Fleisch hängt.

Konsumentenfreuden

Ich glaube, ich habe soeben den endgültigen Beweis sicherge-
stellt, daß die Vereinigten Staaten das ultimative Einkaufspa-
radies sind. Und zwar in einem Videokatalog, der unangefordert
heute mit der Morgenpost gekommen ist. Unter den üblichen
vielfältigen Angeboten – *Der Fiedler auf dem Dach, Fit und gesund
mit Tai Chi*, alle Filme, in denen John Wayne je mitgespielt hat –
war ein Selbsthilfevideo mit dem Titel *Tanz den Macarena split-
terfasernackt*, und es verspricht, dem nackten Zuschauer zu
Hause »die Bewegungen dieses heißen lateinamerikanischen
Tanzes beizubringen, der im ganzen Land Triumphe feiert«.

Unter den interessanten Offerten des Katalogs befand sich
weiterhin ein Dokumentarfilm mit dem Titel *Antike landwirt-
schaftliche Traktoren* und eine reizvolle Sammlung mit dem Titel
Nackte Hausfrauen Amerikas (Folge 1 & 2), in der normale Hausfrauen »ihre täglichen Haushaltspflichten im Evaskostüm erledigen«.

Oje, und ich Trottel hab mir zu Weihnachten einen Schrau-
benschlüssel gewünscht!

Es gibt also beinahe nichts in diesem außergewöhnlichen
Land, das Sie nicht käuflich erwerben können. Natürlich ist
Shopping seit Jahrzehnten hier Volkssport, aber drei signifikan-
te Entwicklungen im Einzelhandel haben die Konsumentenfreuden in den letzten dreißig Jahren auf ein schwindelerregend
hohes Niveau gehoben. Als da wären:

Teleshopping. Ein brandneuer Geschäftszweig, in dem Heerscharen von Verkäufern mehr oder weniger willkürlich wildfrem-
de Menschen anrufen, ihnen entschlossen einen vorbereiteten

Text vorlesen und ein Gratisset Bratenmesser oder ein Koffer-radio versprechen, wenn sie ein bestimmtes Produkt oder eine bestimmte Dienstleistung kaufen. Diese Leute kennen keine Gnade.

Die Chance, daß ich am Telefon von einem Fremden ein Ferienhaus auf Time-sharing-Basis in Florida kaufen würde, ist so groß wie die, daß ich die Religion wechseln würde, nachdem ein Paar Mormonen auf meiner Türschwelle aufgetaucht sind. Aber offenbar ist diese Haltung nicht allgemein verbreitet. Nach Angaben der *New York Times* werden beim Teleshopping in den USA nun fünfunddreißig Milliarden Dollar im Jahr umgesetzt. Diese Zahl ist derart umwerfend, daß ich nicht darüber nachdenken kann, ohne Kopfschmerzen zu bekommen. Also lassen Sie uns zur Einzelhandelsentwicklung Nummer zwei übergehen:

Factory outlets. Das sind Einkaufszentren, in denen Firmen wie Ralph Lauren oder Calvin Klein ihre Klamotten billiger verhökern. Kurz, es sind Ladengruppen, in denen alles ständig im Ausverkauf ist, und sie sind mittlerweile riesengroß.

Ja, in vielen Fällen sind es gar keine Einkaufszentren, sondern kleine Gemeinden, die von den Fabrikläden übernommen worden sind. Die bei weitem bemerkenswerteste ist Freeport, Maine, die Heimat. L. L. Beans, eines beliebten Lieferanten von Outdoor-Kleidung und Sportausrüstung für Yuppies.

Auf dem Weg durch Maine haben wir letzten Sommer dort haltgemacht, und ich zittere immer noch, wenn ich daran denke. Ein Besuch in Freeport verläuft nach dem stets gleichen Muster. In einer langen Autoschlange kriecht man in die Stadt, sucht vierzig Minuten einen Parkplatz und schließt sich dann einer tausendköpfigen Menge an, die die Main Street an einer Reihe von Läden entlangschlurft, die jede bekannte Marke führen, die es je gab oder geben wird.

Und im Zentrum des Ganzen ist der L.-L.-Bean-Laden: gigantisch und vierundzwanzig Stunden am Tag dreihundertundfünfundsechzig Tage im Jahr geöffnet. Wenn Sie wollen, können Sie dort um drei Uhr nachts ein Kajak kaufen. Offenbar wollen die Leute das auch. Langsam brummt mir wieder der Schädel.

Drittens und letztens: Kataloge. Per Post einzukaufen ist ja schon lange üblich, doch nun greift es in einem Maß um sich, das jenseits allen Erstaunens liegt. Beinahe von dem Augenblick an, als wir in den USA ankamen, plumpsten uns die Kataloge unverlangt mit der täglichen Post auf die Matte. Nun bekommen wir vielleicht ein Dutzend die Woche, manchmal auch mehr – Kataloge für Videos, Gartengeräte, Unterwäsche, Bücher, Camping- und Angelausrüstung, für allerlei Schnickschnack, mit dem wir unser Badezimmer eleganter und gastlicher gestalten können; kurzum für alles, was das Herz begehrt.

Eine ganze Zeitlang habe ich die Kataloge mit dem anderen Werbemüll weggeworfen. Was war ich dumm! Jetzt begreife ich, daß sie einem nicht nur ein stundenlanges Lesevergnügen bereiten, sondern auch eine Welt von Möglichkeiten eröffnen, von deren Existenz man nie etwas geahnt hat.

Gerade heute erst bekamen wir mit der erwähnten Macarena-Nacktbroschüre einen Katalog mit dem Titel *Werkzeuge für ernsthafte Leser*. Er war voll der üblichen Auswahl an Kladden und Schreibtischkörben. Besonders ins Auge aber stach mir ein sogenannter Aktentaschendiener – ein ungefähr zehn Zentimeter über dem Boden sitzendes Wägelchen mit Rädern.

Erhältlich in Kirsche, dunkel oder naturbelassen, zu dem attraktiven Preis von 139 Dollar, soll es einem der hartnäckigsten Büroorganisationsprobleme unseres Zeitalters Abhilfe schaffen. »Die meisten Menschen stehen jedesmal vor demselben drängenden Problem: Was tun mit der Aktentasche, wenn wir sie zu Hause oder im Büro abstellen wollen?« erklärt der Katalogtext. »Darum haben wir unseren Aktentaschendiener gebaut. Er bewahrt Ihre Aktentasche so auf, daß Sie sie nicht auf den Boden stellen müssen, und erleichtert es Ihnen im Laufe eines langen Tages, Dinge hineinzustecken und herauszuholen.«

Mir gefallen besonders die Worte »im Laufe eines langen

Tages«. Ja, wie oft habe ich am Ende eines anstrengenden Arbeitstages gedacht: »Was gäbe ich jetzt für ein kleines Gerät mit Rädern in einer Auswahl von Holztönen, das es mir ersparen würde, die letzten zehn Zentimeter hinunterzulangen.«

Das Gruselige ist, daß die Texte oft so raffiniert verfaßt sind, daß man dauernd Gefahr läuft, darauf hereinzufallen. In einem anderen Katalog habe ich gerade etwas über ein schickes Küchenutensil aus Italien namens »porto rotolo di carta« gelesen, das mit einem »Spannfederarm« prahlte, »einer rostfreien Edelstahlleitvorrichtung«, »einem handgearbeiteten Kreuzblumen-Abschlußornament aus Messing« und einer »Gummidichtungsmanschette für außergewöhnliche Stabilität« (alles für nur 49,95 Dollar) und – sich als Küchenpapierhalter herausstellte.

Natürlich steht nicht in dem Katalog: »Einerlei, wie Sie es betrachten, das hier ist schlicht und ergreifend ein Küchenpapierhalter, und Sie wären bekloppt, wenn Sie ihn kauften«, sondern man versucht, mit dessen exotischer Herkunft und technischen Komplexität zu blenden.

Folglich rühmen sich selbst die banalsten Gegenstände in den Katalogen zahlreicher Designermerkmale als ein 1954er Buick. Vor mir liegt die Hochglanzbroschüre einer Firma, die mit unverhohlenem Stolz verkündet, daß ihre Flanellhemden neben vielem anderen mit Stulpenknöpfen, extralangen Ärmelschlitzen, Rückenpasse mit verdeckter Falte, doppelten Nähten an besonders strapazierten Stellen, praktischen Garderobenschlaufen und Kentkragen versehen und aus zweifädigem 40-S-Garn (»für einen hochwertigeren Flor!«) gewebt sind, was immer das alles ist. Selbst Socken sind mit weitschweifigen wissenschaftlich klingenden Beschreibungen versehen, die ihre nicht auftragenden Nähte, Eins-zu-eins-Faserschlingen und handgekettelten Spitzen preisen.

Ich gebe zu, daß ich durch diese verführerischen Ausschmükkungen bisweilen kurz versucht bin, etwas zu kaufen. Doch vor die Wahl gestellt, 37,50 Dollar für ein Hemd mit hochwertigerem Flor und besonders strapazierfähigen Stellen hinzublättern

71

oder Sie nun nicht länger mit hochwertiger Unterhaltung zu strapazieren, entscheide ich mich für letzteres.

Eins muß ich allerdings noch sagen: Wenn mir jemand ein spitterfasernacktes Schraubenschlüssel-Macarena-Trainings-heimvideo mit praktischer Garderobenschlaufe in einer breiten Auswahl von Farben anbietet, kaufe ich es sofort.

Im Junkfood-Paradies

Neulich beschloß ich, den Kühlschrank sauberzumachen. Normalerweise machen wir unseren Kühlschrank nicht sauber – wir packen ihn nur alle vier, fünf Jahre in einen Karton und schicken ihn zum Institut für Seuchenbekämpfung in Atlanta mit einem Begleitschreiben, man möge sich mit allem bedienen, was wissenschaftlich verheißungsvoll aussieht. Aber wir hatten eine der Katzen schon seit ein paar Tagen nicht mehr gesehen, und ich glaubte mich vage zu erinnern, daß ich im untersten Fach hinten etwas Pelziges erblickt hatte. (Es stellte sich als großes Stück Gorgonzola heraus.)

Als ich nun also vor dem Kühlschrank kniete, Sachen aus Folien wickelte und vorsichtig in Tupperbehälter lugte, stieß ich auf ein interessantes Produkt namens Frühstückspizza. Ich untersuchte es mit der wehmütigen Zärtlichkeit, die aufkommt, wenn man ein altes Foto von sich selbst betrachtet, auf dem man Kleidung trägt, von der man sich später nicht mehr vorstellen kann, daß man sie jemals schick fand. Die Frühstückspizza war nämlich das letzte überlebende Relikt eines sehr ernsten Konsumanfalls meinerseits.

Ein paar Wochen zuvor hatte ich meiner Frau angekündigt, daß ich sie beim nächsten Einkauf zum Supermarkt begleiten wolle, weil sie mit dem Zeug, das sie immer mit nach Hause brachte, nicht ganz – wie kann ich es ausdrücken? – nicht ganz auf der Höhe der US-amerikanischen Eßkultur war. Nun lebten wir schon im Junkfood-Paradies – dem Land, das der Welt Käse in Sprühdosen geschenkt hat –, und Mrs. B. kaufte immer noch gesunden Kram wie frischen Brokkoli und Knäckebrot.

73

Natürlich, weil sie Engländerin ist. Sie hat ja noch nicht begriffen, welch vielfältige, unübertroffene Auswahl an Schmier und Pamps die Lebensmittelhändler hier bereithalten. Ich lechzte nach künstlichen Speckscheiben, Schmelzkäse in einem in der Natur nicht bekannten Gelbton und cremigen Schokoladenfüllungen, womöglich alle im selben Produkt. Ich wollte Essen, das spritzt, wenn man hineinbeißt, oder einem in solchen Mengen auf die Hemdbrust platscht, daß man sich ganz behutsam vom Tisch erheben und zum Spülbecken tappen muß, um sich dort sauberzumachen. Also begleitete ich meine Gattin zum Supermarkt, und während sie losging, Melonen drückte und sich nach dem Preis von Shiitakepilzen erkundigte, eilte ich in die Junkfood-Abteilung – die den Hauptteil des gesamten Ladens ausmachte. Na, es war der Himmel auf Erden!

Allein mit den sogenannten Frühstückscerealien hätte ich mich für den Rest des Nachmittags beschäftigen können. Es müssen etwa zweihundert Sorten dagewesen sein, und ich übertreibe nicht. Jede Substanz, die man nur irgendwie trocknen, aufpuffen und mit Zucker glasieren kann, war vertreten. Gleich auf den ersten Blick faszierend war ein Getreideprodukt namens Cookie Crisp, das versuchte so zu tun, als sei es ein nahrhaftes Frühstück, während es in Wirklichkeit aus Schokoladensplitterkeksen bestand, die man in eine Schale gab und mit Milch aß. Super.

Erwähnenswert sind auch die Erdnußmus-Knusperflocken, Zimtminibrötchen, Graf Schokula (»mit Monster-Marshmallows«) und ein Angebot für Hardcorefans namens Cookie Blast Oat Meal, in dem vier Sorten Käse enthalten waren. Ich schnappte mir von allem eine Packung plus zwei von der Haferflockendröhnung und eilte zurück zum Einkaufswagen. (Wie oft habe ich schon gesagt, man sollte den Tag nicht ohne eine Orgie mit einer großen, dampfenden Schüssel Kekse beginnen!)

»Was ist denn das?« fragte meine Frau in dem speziellen Tonfall, mit dem sie mich oft in Läden anspricht.

Ich hatte keine Zeit für Erklärungen.

»Das Frühstück für die nächsten sechs Monate«, keuchte ich im Vorbeiflitzen. »Und komm bloß nicht auf die Idee, auch nur ein Paket wieder zurückzustellen und Vollkornweizenflocken zu holen.«

Ich ahnte ja nicht, wie sich der Markt für Junkfood ausgeweitet hatte. Wo ich mich auch hinwandte, stand ich vor Lebensmitteln, nach deren Verzehr man garantiert watschelte, und die meisten waren mir völlig neu – Mondpastetchen, Wackelpeter-Butterkremküchlein, Pecannußschnecken, Pfirsichfruchtgummis, Kräuterlimonadentaler, Schokofondant-Höllenhunde und ein schaumig geschlagener Marshmallow-Brotaufstrich namens Fluff, der in einem Wännchen verkauft wurde, in dem man ein Kleinkind hätte baden können.

Sie können sich die überreiche Vielfalt an nichtnahrhaften Nahrungsmitteln, die dem Kunden eines amerikanischen Supermarktes angeboten und die Mengen, in denen sie verzehrt werden, einfach nicht vorstellen. Kürzlich habe ich gelesen, daß sich jeder US-Bürger durchschnittlich achttausendundvierundsiebzig Gramm Brezel im Jahr einverleibt.

Gang sieben (»Leckerlis für die ernsthaft Fettleibigen«) erwies sich besonders ergiebig. Dort war eine ganze Abteilung ausschließlich einem Produkt namens Toastergebäck vorbehalten, darunter neben vielem anderen auch acht verschiedenen Arten Toasterstrudel. Und was ist ein Toasterstrudel? Schnurzpiepe! Er war mit Zucker überzogen, sah schön klitschig aus, und ich lud mir die Arme voll.

Ich gebe zu, ich verlor ein wenig den Kopf – aber es war so viel da, und ich war so lange weggewesen.

Bei der Frühstückspizza riß meiner Frau der Geduldsfaden. Nach einem Blick auf die Schachtel, sagte sie: »Nein.«

»Wie bitte, mein Liebes?«

»Du bringst mir nichts ins Haus, das Frühstückspizza heißt. Du darfst ...« Sie langte in den Wagen und ergriff ein paar Kostproben. »... Kräuterlimonade und Toasterstrudel und ...« Hier hob sie ein Paket heraus, das ihrer Aufmerksamkeit bisher entgangen war. »Was ist das?«

Ich schaute ihr über die Schulter. »Mikrowellenpfannkuchen«, sagte ich.

»Mikrowellenpfannkuchen«, wiederholte sie deutlich weniger begeistert.

»Ist der technische Fortschritt nicht wunderbar?«

»Du ißt alles auf«, sagte sie. »Alles, was du jetzt nicht zurück auf die Regale stellst! Bis zum letzten Krümel. Hast du das verstanden?«

»Natürlich«, erwiderte ich todernst.

Und wissen Sie was? Sie hat mich wirklich gezwungen, alles zu essen. Wochenlang futterte ich mich durch eine bunte Palette amerikanischen Junkfoods, und alles war ekelhaft. Bis zum letzten Krümel. Ich weiß nicht, ob das amerikanische Junkfood schlechter oder meine Geschmacksnerven reifer geworden sind, aber selbst die Leckerbissen, mit denen ich aufgewachsen bin, schmeckten nun hoffnungslos fade oder abartig übelkeiterregend.

Am allergrauenhaftesten war die Frühstückspizza. Ich habe drei oder vier Anläufe gemacht. Ich habe sie im Ofen gebacken, mit Mikrowellen unter Beschuß genommen und sie in meiner Verzweiflung sogar einmal mit einer Beilage von Marshmallow Fluff probiert, aber es war und blieb eine zugleich schlaffe und zähe schale Masse. Schließlich gab ich es ganz auf und versteckte die Schachtel in dem Tupperbehälterfriedhof auf dem untersten Fach des Kühlschranks.

Als ich neulich also wieder darauf stieß, betrachtete ich sie mit gemischten Gefühlen. Ich wollte sie schon wegwerfen, zögerte dann aber und öffnete den Deckel. Sie roch nicht schlecht – wahrscheinlich war sie so vollgepumpt mit Chemikalien, daß für Bakterien überhaupt kein Platz mehr war –, und ich überlegte, ob ich sie nicht als Mahnung an meine Torheit noch eine Weile aufbewahren sollte. Dann entsorgte ich sie doch. Und bekam prompt einen Gieper auf was Herzhaftes und ging zur Speisekammer, um zu sehen, ob ich nicht einfach nur eine schöne Scheibe Knäckebrot und vielleicht eine Stange Sellerie fand.

Wie vom Erdboden verschluckt

Vor etwa einem Jahr verließ ein junger Student mitten im Winter eine Party in einem Dorf unweit der kleinen Stadt in New Hampshire, in der wir wohnen, um zum wenige Kilometer entfernten Haus seiner Eltern zu laufen. Dummerweise – denn es war dunkel, und er hatte getrunken – beschloß er, eine Abkürzung durch den Wald zu nehmen. Er kam nie an.

Als am nächsten Tag sein Verschwinden bemerkt wurde, machten sich Hunderte Freiwilliger auf, um ihn im Wald zu suchen. Sie suchten tagelang, ohne Erfolg. Erst im Frühjahr stolperte ein Wanderer über seinen Leichnam.

Vor fünf Wochen ereignete sich etwas mehr oder weniger Ähnliches. Ein Privatflugzeug mit zwei Leuten an Bord mußte bei schlechtem Wetter den Landeanflug auf unseren Flughafen abbrechen. Als der Pilot nach Nordosten umschwenkte, um einen erneuten Versuch zu wagen, teilte er dem Kontrollturm seine Absicht über Funk mit.

Einen Augenblick später verschwand der kleine grüne Punkt, der sein Flugzeug war, vom Radarschirm des Flughafens. Irgendwo draußen, urplötzlich und aus unbekannten Gründen, stürzte die Maschine in den Wald.

Wiederum wurde eine großangelegte Suche organisiert, diesmal mit einem Dutzend Flugzeugen und elf Hubschraubern zusätzlich zu den mehr als zweihundert freiwilligen Helfern auf dem Boden. Wieder suchten sie tagelang, und wieder ohne Erfolg. Das vermißte Flugzeug hatte immerhin achtzehn Passagiersitze, muß also mit ziemlicher Wucht aufgeschlagen sein. Aber nirgendwo fand man verstreute Wrackteile oder eine Bruchschneise im Wald. Das Ding war spurlos verschwunden.

Ich will damit nicht sagen, daß wir am Rande einer Art Bermudadreieck der Wälder wohnen, sondern nur, daß die Waldgebiete von New Hampshire eigentümlich wild und gefährlich sind.

Zunächst einmal sind sie voller Bäume – und das meine ich nicht als Scherz. Letzten Sommer bin ich ein paar Wochen dort gewandert und kann Ihnen versichern: Das einzige, was Sie in unvorstellbaren Mengen sehen, sind Bäume, Bäume, Bäume. Manchmal ist es sogar beunruhigend, weil es im Grunde nur eine sich endlos wiederholende Szenerie ist. Jede Wegbiegung bietet einem den immer gleichen, unterschiedslosen Anblick, und das ändert sich nie, einerlei, wie lange man geht. Wenn man sich verläuft, stellt man sehr leicht fest, daß man hilflos und bar jeder Orientierung ist. Man kann bis zur Erschöpfung laufen, bevor man merkt, daß man einen großen und leider sinnlosen Kreis beschrieben hat.

Wenn man das weiß, überrascht es einen längst nicht mehr so, daß die Wälder manchmal ganze Flugzeuge verschlucken oder Menschen nicht mehr freigeben, die das Pech haben, in ihrem Dickicht die Orientierung zu verlieren. New Hampshire ist so groß wie Wales und zu fünfundachtzig Prozent von Wald bedeckt. Wirklich eine Menge Wald zum Verirren. Jedes Jahr werden mindestens ein oder zwei Wanderer vermißt und bisweilen nie mehr gesehen.

Doch eines ist interessant: Vor einem Jahrhundert und in manchen Gebieten vor nicht einmal so langer Zeit existierten diese Wälder noch gar nicht. Fast das ganze ländliche Neuengland – einschließlich des Gebiets in unserem Teil New Hampshires – war offenes Acker- und Weideland.

Mit aller Macht deutlich wurde mir das mal wieder, als unser Stadtrat uns als Neujahrpräsent einen Kalender mit alten Fotos aus dem Stadtarchiv zukommen ließ. Eines der Bilder, ein 1874 von dem Gipfel eines Hügels aus aufgenommenes Panorama, zeigte eine Ansicht, die mir, wenn ich auch nicht hätte sagen können, warum, vage vertraut vorkam: eine Ecke des Universitätscampus und eine Schotterstraße, die in entfernte Berge führte, ansonsten ausgedehnte Äcker und Weiden.

Ich brauchte ein paar Minuten, bis ich begriff, daß ich die zukünftige Stätte meines Wohnviertels betrachtete. Das war komisch, weil unsere Straße mit ihren Schindeldächern im Schatten großer, schön gewachsener Bäume wie eine traditionelle neuenglische Straße aussieht, in Wirklichkeit aber komplett aus den frühen Zwanzigern stammt, also ein halbes Jahrhundert jünger als das Foto ist. Den Hügel, von dem aus das Bild aufgenommen war, überzieht nun ein circa acht Quadratkilometer großer Wald, und fast das gesamte Land von hinter unseren Häusern bis zu den fernen Bergen ist von dichten, hohen Waldungen bedeckt, von denen 1874 kaum ein Zweiglein existierte.

Die Farmen verschwanden, weil die Farmer nach Westen in fruchtbarere Landstriche, nach Illionois und Ohio, oder in die aufsprießenden Industriestädte zogen, wo die Löhne verläßlicher und üppiger waren. Die Höfe, die sie hier hinterließen, und manchmal die dazugehörigen Dörfer verfielen und verwandelten sich allmählich wieder in Wildnis. Auf Wanderungen in den Wäldern Neuenglands findet man, verborgen in Farn und Gebüsch, überall Reste alter Steinwände und die Grundmauern verlassener Scheunen und Bauernhäuser.

Nicht weit von unserem Haus ist ein Wanderweg, der der Route einer Poststraße aus dem achtzehnten Jahrhundert folgt. Neunundzwanzig Kilometer lang windet sich der Pfad durch dichte, dunkle, scheinbar uralte Wälder, aber es leben noch Menschen, die sich an die Zeiten erinnern, als sie noch Bauernland waren. Nur ein Stück abseits der alten Poststraße, etwa sechseinhalb Kilometer von hier entfernt, befand sich das Dorf Quinntown. Es hatte eine Mühle, eine Schule und mehrere Häuser und ist auf alten topographischen Karten noch verzeichnet.

Ein paarmal habe ich mich bei meinen Spaziergängen nach

Quinntown umgesehen, aber selbst mit einer guten Karte ist es offenbar unmöglich, den Standort zu finden, eben weil man sich umgeben von all den Bäumen so schlecht orientieren kann. Ich kenne einen Mann, der schon seit Jahren nach Quinntown sucht, es aber bisher nicht gefunden hat.

Am letzten Wochenende habe auch ich es wieder einmal probiert. Es hatte frisch geschneit, da ist es im Wald immer besonders schön. Natürlich hoffte ich insgeheim, daß ich auch auf eine Spur des verschwundenen Flugzeuges stoßen würde. Ich rechnete eigentlich nicht damit – ich war zehn, zwölf Kilometer von der mutmaßlichen Absturzstelle entfernt –, doch irgendwo da draußen mußte das Ding ja sein, und es war sehr wahrscheinlich, daß in dieser Gegend noch keiner gesucht hatte.

Also stapfte ich fröhlich los. Ich kriegte eine Menge frische Luft und viel Bewegung, und die zart verschneiten Bäume sahen phantastisch aus. Aber es war schon ein komischer Gedanke, daß in dieser unendlichen Stille irgendwo die Überbleibsel eines einst blühenden Dorfes und, noch komischer, außer mir hier draußen auch ein unauffindbares, zerschmettertes Flugzeug mit zwei Leichen an Bord war.

Ich hätte Ihnen ja liebend gern erzählt, daß ich Quinntown oder den vermißten Flieger oder beides gefunden hätte, aber leider muß ich passen. Das Leben hat manchmal unvollständige Schlüsse.

Kolumnen auch.

»Hail to the Chief« –
Es lebe der Boß!

Morgen ist Presidents Day in Amerika. Ja, ja! Ich halt's auch schon kaum noch aus vor Aufregung.

Presidents Day ist für mich ein neuer Feiertag. In meiner Kindheit und Jugend hatten wir zwei präsidiale Feiertage – am 12. Februar Lincolns und am 22. Februar Washingtons Geburtstag. Vielleicht habe ich die beiden Daten nicht genau getroffen, ja, liege sogar völlig daneben, aber meine Kindheit und Jugend sind, ehrlich gesagt, schon lange her, und die beiden Feiertage waren sowieso uninteressant. Man bekam keine Geschenke, und Picknicks oder Freßgelage wurden auch nicht veranstaltet.

Bei Geburtstagen besteht, wie Sie sicher selbst schon einmal festgestellt haben, das Problem, daß sie auf jeden Tag der Woche fallen können. Da die meisten Menschen aber einen Feiertag gern an einem Montag haben, weil sie dann ein schönes langes Wochenende kriegen, beging man eine Weile lang Washingstons und Lincolns Wiegenfest an den Montagen, die den korrekten Daten am nächsten lagen. Das wiederum störte gewisse Leute, und man beschloß, nur an einem Tag zu feiern, am dritten Montag im Februar, und das Ganze Presidents Day zu nennen.

Man wollte damit alle Präsidenten ehren, ob sie gut oder schlecht waren, was ich klasse finde, weil es uns die Möglichkeit verschafft, auch der eher unbekannten oder abstruseren Männer zu gedenken – wie Grover Clevelands, der nach der Legende die interessante Angewohnheit hatte, sich aus seinem Bürofenster zu erleichtern, oder Zachary Taylors, der niemals an einer Wahl teilnahm und nicht einmal sich selbst wählte.

Alles in allem genommen, hat Amerika eine erkleckliche Anzahl großer Präsidenten hervorgebracht – Washington, Lincoln, Jefferson, Franklin und Teddy Roosevelt, Woodrow Wilson, John F. Kennedy. Es hat auch etliche große Männer hervorgebracht, die außerdem noch Präsidenten geworden sind, unter anderem James Madison, Ulysses S. Grant und – für Sie vielleicht überraschend, wenn ich das sage – Herbert Hoover.

Für Hoover hege ich eine gewisse Achtung – Zuneigung wäre übertrieben –, denn er stammte aus Iowa und ich auch. Außerdem verdient der arme Kerl unser aller Mitleid. Er ist der einzige Mann in der Geschichte der USA, für den der Einzug ins Weiße Haus ein schlechter Karriereschritt war. Wenn die Leute heute überhaupt noch an Hoover denken, dann deshalb, weil er der Menschheit die Weltwirtschaftskrise bescherte. Kaum jemand erinnert sich an seine davorliegenden exorbitanten, ja heroischen Leistungen.

Betrachten Sie seinen Lebenslauf: Mit acht Waise, schaffte er es aus eigener Kraft, zu studieren (er war im ersten Examensjahrgang der Stanford University), und wurde ein erfolgreicher Bergbauingenieur im Westen der Vereinigten Staaten. Dann ging er nach Australien, wo er mehr oder weniger im Alleingang die westaustralische Bergwerksindustrie ankurbelte – immer noch eine der produktivsten der Welt –, und landete schließlich in London, wo er irrsinnig reich und ein großes Tier in der Wirtschaft wurde.

Ja, er war ein Mann von solchem Format, daß er beim Ausbruch des Ersten Weltkrieges gebeten wurde, der britischen Regierung beizutreten. Doch er lehnte ab und organisierte statt dessen die Hungerhilfe für Europa, ein Job, den er so hervorragend erledigte, daß er schätzungsweise zehn Millionen Menschen das Leben rettete. Am Ende des Krieges war er einer der bewundertsten und geachtetsten Männer der Welt und überall als einer der großen Wohltäter der Menschheit bekannt.

Nach Amerika zurückgekehrt, wurde er engster Berater Woodrow Wilsons und dann Handelsminister unter Harding und Coolidge. Unter seiner Ägide stiegen die US-amerikanischen

Exporte in acht Jahren um achtundfünfzig Prozent. Als er sich 1928 um die Präsidentschaft bewarb, wählte man ihn mit überwältigender Mehrheit.

Im März 1929 wurde er ins Amt eingeführt. Sieben Monate später gab es an der Wall Street den großen Börsenkrach, und die Wirtschaft trudelte in ein tiefes Loch. Entgegen landläufiger Meinung reagierte Hoover sofort. Er gab mehr Geld für den öffentlichen Bausektor und die Erwerbslosenunterstützung aus als alle seine Vorgänger zusammen, stellte fünfhundert Millionen Dollar Hilfe für in Bedrängnis geratene Banken zur Verfügung und spendete sogar sein eigenes Gehalt für wohltätige Zwecke. Aber er hatte nichts Populistisches und machte sich bei der Wählerschaft unbeliebt, weil er immer wieder behauptete, daß die wirtschaftliche Erholung unmittelbar bevorstehe. Die Niederlage, die er 1932 erlitt, war ebenso haushoch wie sein Wahlsieg vier Jahre zuvor, und man erinnert sich seitdem an ihn als erbärmlichen Versager.

Na, wenigstens erinnert man sich überhaupt an ihn, was mehr ist, als man über viele unserer ehemaligen Staatsoberhäupter sagen kann. Von den einundvierzig Männern, die es ins Amt des Präsidenten schafften, hat sich mindestens die Hälfte derart wenig ausgezeichnet, daß sie nun beinahe vollkommen vergessen sind. Meiner Ansicht nach verdienen sie aber wärmstes Lob. Als Präsident der Vereinigten Staaten überhaupt nichts zu leisten ist schließlich auch eine Leistung.

Nach fast einhelliger Auffassung war der obskurste und ineffizienteste aller unserer Führer Millard Fillmore, der nach dem Tod von Zachary Taylor ins Amt kam und die nächsten drei Jahre demonstrierte, wie das Land regiert worden wäre, wenn man Taylors Leiche einfach nur in Kissen in einen Sessel gepackt hätte. Jetzt wird Fillmore wegen seiner Obskurität so gefeiert, daß er gar nicht mehr obskur ist, was ihn indes für weitere ernsthafte Betrachtungen disqualifiziert.

Ich persönlich finde den großen Chester A. Arthur viel bemerkenswerter. Er wurde 1881 als Präsident vereidigt, posierte für das offizielle Foto, und dann hat man, soweit ich in Erfahrung bringen konnte, nie wieder etwas von ihm gehört. Wenn Arthurs Lebensziel darin bestand, sich prächtiges Gesichtshaar wachsen zu lassen und in den Geschichtsbüchern viel Platz für die Leistungen anderer Männer freizulassen, dann kann man seine Präsidentschaft als Bombenerfolg verbuchen.

Auf ihre Art bewundernswert waren auch Rutherford B. Hayes und Franklin Pierce. Ersterer, Präsident von 1877 bis 1881, sah sein Hauptanliegen darin, unermüdlich für »hartes Geld« einzutreten und den Bland-Allison-Erlaß aufzuheben, beides so sinnlos und abstrus, daß heute keiner mehr weiß, um was es sich dabei handelte. Pierce' Amtszeit von 1853 bis 1857 war ein unbedeutendes Zwischenspiel zwischen zwei längeren Perioden der Anonymität. Er verbrachte buchstäblich seine gesamte Amtszeit sinnlos betrunken, was zu dem netten Bonmot führte: »Franklin Pierce, der Held, der sich mit so mancher Flasche tapfer geschlagen hat.«

Meine Top-Favoriten sind indes die beiden Präsidenten mit Namen Harrison. William Henry Harrison weigerte sich 1841 bei seiner Amtseinführung heldenhaft, einen Mantel zu tragen, holte sich eine Lungenentzündung und segnete mit liebenswürdiger Promptheit das Zeitliche. Er war gerade einmal dreißig Tage Präsident, davon die meiste Zeit bewußtlos. Sein vierzig Jahre später gewählter Enkel Benjamin Harrison war bei dem anspruchsvollen Ziel erfolgreich, in vier Jahren genausowenig zu schaffen wie sein Großvater in einem Monat.

Meiner Ansicht nach verdienen alle diese Männer einen eigenen Feiertag. Sie können sich also meine Bestürzung vorstellen, als ich hörte, daß man im Kongreß dabei ist, den Presidents Day abzuschaffen und Lincolns und Washingtons Geburtstag wieder separat zu feiern, mit der Begründung, daß die beiden wirklich große Männer waren und darüber hinaus auch nicht aus dem Fenster gepinkelt haben. Ist denn das zu fassen? Manche Leute haben kein Geschichtsbewußtsein.

Kälteexperimente

In der kalten Jahreszeit wage ich immer gern etwas Tollkühnes: Ohne Mantel, Handschuhe oder andere schützende Hüllen gegen die Unbilden der Elemente gehe ich die etwa dreißig Meter bis vorn zu unserer Hauseinfahrt und hole die Morgenzeitung aus der kleinen Kiste an dem Pfosten.

Nun sagen Sie vielleicht: Was ist denn daran tollkühn? Und in einer Hinsicht hätten Sie ja auch recht: Hin und zurück dauert es nicht länger als zwanzig Sekunden. Aber manchmal lungere ich noch ein wenig herum, um zu sehen, wie lange ich die Kälte aushalten kann. Und das ist das Tollkühne.

Ich will ja nicht prahlen, aber ich widme einen großen Teil meines Lebens der Erprobung dessen, wie weit der menschliche Körper Extremsituationen gewachsen ist, und denke dabei selten über die langfristigen, potentiellen Gefahren für mich selbst nach. Zum Beispiel erlaube ich einem meiner Beine im Kino, fest einzuschlafen, und schaue dann, was passiert, wenn ich aufstehe, um Popcorn zu kaufen, oder ich schlinge ein Gummiband um meinen Zeigefinger und sehe, ob ich ihn zum Platzen bringen kann. Bei derlei Einsätzen habe ich einige bedeutende Entdeckungen gemacht, so etwa, daß sehr heiße Oberflächen nicht unbedingt heiß aussehen und daß man zeitweiligen Gedächtnisverlust zuverlässig hervorrufen kann, wenn man seinen Kopf unmittelbar unter eine herausgezogene Schublade plaziert.

Sie betrachten ein solches Verhalten wahrscheinlich instinktiv als närrisch, aber ich möchte Ihnen in Erinnerung rufen, wie oft Sie selbst schon den Finger in eine kleine Flamme gehalten haben, um zu sehen, was passierte (und he, was ist denn passiert?), oder erst auf dem einen Bein und dann auf dem anderen im kochendheißen Badewasser gestanden und gewartet haben, daß kaltes Wasser zufloß und die Temperatur herunterging, oder an einem Küchentisch gesessen und sich still damit beschäftigt haben, schmelzendes Kerzenwachs auf Ihre Finger tropfen zu lassen. (Ich könnte natürlich noch vieles andere mehr auflisten.)

Wenn ich mich solchen Experimenten widme, dann zumindest von ernsthafter wissenschaftlicher Neugierde getrieben. Und deshalb hole ich, wie eingangs erwähnt, gern die Morgenzeitung in der leichtesten Bekleidung, die Sitte und Anstand und Mrs. Bryson erlauben.

Als ich heute morgen aufbrach, herrschten minus 28 Grad Celsius – eine Temperatur, bei der einem der Allerwerteste und alles mögliche andere abfriert, wie man wohl scherzhaft zu behaupten pflegt. Wenn Sie keine lebhafte Phantasie haben oder das hier nicht in einer Gefriertruhe sitzend lesen, fällt es Ihnen eventuell schwer, sich eine solche Kälte vorzustellen. Darum will ich Ihnen sagen, wie kalt es ist: saukalt.

Wenn Sie bei dieser Temperatur hinaustreten, sind Sie im ersten Augenblick überrascht, wie erfrischend es ist – nicht unähnlich dem Gefühl, wie wenn man in kaltes Wasser springt, es ist eine Art Weckruf für alle Blutkörperchen. Aber die Phase ist schnell vorbei. Noch ehe Sie ein paar Meter gelaufen sind, fühlt sich Ihr Gesicht an wie nach einer saftigen Ohrfeige, Ihre Extremitäten schmerzen, und jeder Atemzug tut weh. Wenn Sie dann wieder ins Haus zurückkehren, pochen Ihre Finger und Zehen sanft, aber hartnäckig und schmerzhaft, und Sie stellen mit Interesse fest, daß Ihre Wangen überhaupt keines Gefühls mehr mächtig sind. Das bißchen Wärme, das Sie aus dem Haus mitgebracht haben, ist lange geschwunden, und von einer isolierenden Wirkung Ihrer Kleidung kann längst keine Rede mehr sein. Es ist entschieden ungemütlich.

Minus 28 Grad Celsius ist selbst für das nördliche Neuengland außergewöhnlich kalt, deshalb interessierte es mich, wie lange ich es im Freien aushalten konnte, und die Antwort lautet: neununddreißig Sekunden. Damit meine ich nicht, daß es so lange dauert, bis mich das Experiment langweilte oder ich dachte:»Liebe Güte, es ist doch ziemlich kühl, ich geh wohl besser wieder rein.« Ich meine, daß ich diese Zeit benötigte, um derartig zu frieren, daß ich über meine eigene Mutter geklettert wäre, um ins Haus zu kommen.

New Hampshire ist für seine strengen Winter berühmt, aber es gibt viele Gegenden, in denen es noch viel kälter wird. Die tiefste Temperatur, die hierzulande verzeichnet wurde, betrug 1925 minus 43 Grad Celsius, aber zwanzig andere Bundesstaaten – also fast die Hälfte – erreichten noch niedrigere. Das trostloseste Ergebnis, das je von einem Thermometer in den USA abgelesen wurde, war 1971 in Prospect Creek, Alaska; da fiel die Temperatur auf minus 62 Grad Celsius.

Jede Gegend kann natürlich einen Kälteeinbruch erleben. Der Härtetest für einen Winter aber ist die Dauer. In International Falls, Minnesota, sind die Winter so lang und grimmig, daß die mittlere jährliche Temparatur nur 2,5 Grad Celsius beträgt. In der Nähe liegt eine Stadt, die (ehrlich!) Frigid heißt, wo es vermutlich noch schlimmer ist, die Leute jedoch zu deprimiert sind, die Meßwerte aufzuzeichnen.

Den Rekord als bedauernswertester bewohnter Ort hält aber Langdon, North Dakota, wo man im Winter 1935/36 einhundertundsechsundsiebzig Tage registrierte, an denen die Temperatur ununterbrochen unter dem Gefrierpunkt lag, einschließlich siebenundsechzig aufeinanderfolgender Tage, in denen sie zumindest einen Teil des Tages unter minus 18 Grad Celsius fiel (das heißt, in den Bereich, in dem man nur noch kreischt angesichts dessen, was einem alles abfriert), plus einundvierzig aufeinanderfolgender Tage, an denen sie nicht über minus 18 Grad stieg.

Führen Sie sich einfach mal vor Augen, was das heißt: Einhundertundsechsundsiebzig Tage sind die Zeitspanne zwischen Neujahr und dem nächsten Juli. Ich persönlich fände es hart, überhaupt einhundertundsechsundsiebzig Tage hintereinander in North Dakota zu verbringen, einerlei, zu welcher Jahreszeit. Aber das ist wieder eine ganz andere Geschichte.

Ich kriege ohnehin alles, was ich aushalten kann, hier in New Hampshire geboten. Ich hatte Angst vor den langen, grausamen Wintern in Neuengland, aber zu meiner Überraschung genieße ich sie. Zum Teil, weil sie so gewaltig sind. Die scharfe Kälte und die reine Luft haben wirklich etwas Berauschendes. Und alles wird hinreißend hübsch. Die Dächer und Briefkästen tragen monatelang ein keckes Schneekäppi, fast jeden Tag scheint die Sonne. Die bedrückende, graue Düsternis des Winters, die in so vielen anderen Gegenden herrscht, gibt es hier nicht. Und wenn man auf dem Schnee herumtrampelt oder er schmutzig wird, fällt gleich wieder neuer, und alles ist wieder schön pluderig.

Die Leute freuen sich sogar auf diese Jahreszeit. Auf dem Golfplatz kann man Schlitten fahren, Ski und Schlittschuh laufen. Einer unserer Nachbarn überflutet seinen Garten hinter dem Haus und verwandelt ihn in eine Eisbahn für die Kinder in der Straße. Das College veranstaltet einen Winterkarneval mit Eisskulpturen auf der Campuswiese. Und überall herrscht eitel Freude und Wonne.

Am allerbesten ist, daß der Winter nur ein Teil eines endlosen Zyklus verläßlicher, wohldefinierter Jahreszeiten ist. Wenn einem die Kälte doch langsam auf die Nerven geht, hat man die sichere Gewißheit, daß bald ein schöner, heißer Sommer folgt. Und abgesehen von allem anderen bedeutet der wiederum ganz neue spannende experimentelle Herausforderungen. Ich will nur einige Stichworte nennen: Sonnenbrand, kletternder Giftsumach, Zecken, die Krankheiten übertragen, elektrische Heckenscheren und – natürlich – Brennspiritus zum Grillanzünden. Ich kann's kaum abwarten.

In der Behördenmühle

Ich kann Ihnen nicht mal ansatzweise erzählen, wie frustrierend es ist, wenn man für eine im Ausland geborene Gattin oder andere geliebte Anverwandte in den Vereinigten Staaten eine unbegrenzte Aufenthaltsgenehmigung haben möchte. Erstens reicht der Platz hier nicht, zweitens ist es sterbenslangweilig, drittens kann ich nicht darüber reden, ohne Rotz und Wasser zu heulen, und viertens würden Sie ohnehin denken, ich hätte alles nur erfunden.

Ich sehe Sie schon verächtlich schnauben, wenn ich Ihnen berichte, daß ein Bekannter von uns – ein hochrangiger Akademiker – mit offenem Mund dasaß, als seiner Tochter von der Einwanderungsbehörde Fragen gestellt wurden wie: »Haben Sie sich jemals eines gesetzwidrigen Wirtschaftsvergehens schuldig gemacht, einschließlich, aber nicht beschränkt auf, illegales Glücksspiel?« und »Sind Sie jemals Mitglied der kommunistischen Partei gewesen, oder haben Sie ihr oder einer anderen totalitären Partei auf sonst eine Weise nahegestanden?« und – meine Lieblingsfrage – »Haben Sie die Absicht, in den Vereinigten Staaten Polygamie zu praktizieren?« Ich sollte vielleicht darauf hinweisen, daß das Kind fünf Jahre alt war.

Sehen Sie, ich könnte schon losheulen.

Mit einem Land, das, ganz einerlei, wem, derartige Fragen stellt, stimmt gewaltig etwas nicht. Nicht nur, weil sie schlicht aufdringlich und irrelevant sind, und auch nicht, weil Fragen nach der politischen Orientierung eines Menschen in krassem Widerspruch zur amerikanischen Verfassung stehen, sondern weil sie eine kolossale Verschwendung von jedermanns Zeit sind. Wer erwidert schon auf die Frage, ob er die Absicht hat, Genozid oder Spionage zu betreiben, ein Flugzeug zu kapern, sich bigamistisch zu verheiraten oder irgendeiner anderen unerwünschten Tätigkeit von dieser langen, eigenartig paranoiden Liste zu frönen: »Ja, selbstverständlich! Schmälert das etwa meine Chancen einzureisen?«

Wenn es alles nur bedeuten würde, eine Reihe sinnloser Fragen unter Eid zu beantworten, dann würde ich ja noch seufzen und Ruhe geben. Aber es geht um unendlich viel mehr. Wenn man legal in den USA leben will, muß man Fingerabdrücke abgeben, sich ärztlichen Untersuchungen und Bluttests unterziehen sowie Affidavit-Briefe, Geburts- und Heiratsurkunden, Nachweis der Beschäftigungsverhältnisse, Belege zur wirtschaftlichen Situation und vieles andere mehr beibringen. Und alles muß auf eine vorgeschriebene Weise gesammelt, beglaubigt, vorgelegt und bezahlt werden. Meine Frau mußte kürzlich eine Vierhundertkilometer-Rundreise machen, um eine Blutprobe in einer Klinik abzugeben, die von der Ausländerbehörde anerkannt ist, obwohl sich eine der besten Lehrkliniken der Vereinigten Staaten in ebender Stadt befindet, in der wir wohnen.

Man muß endlose Formulare ausfüllen, jedes mittels ellenlanger Anweisungen, die sich oft gegenseitig widersprechen und fast immer dazu führen, daß man noch mehr Formulare braucht. Ganze Tage bringt man damit zu, eine Telefonnummer anzurufen, die besetzt ist. Falls man doch endlich durchkommt, wird man angewiesen, eine andere Nummer zu wählen, die man aber nicht ganz mitkriegt, weil die Person am anderen Ende sie einem vornuschelt und dann sofort auflegt. So ist es bei jedem Kontakt mit jeder x-beliebigen Abteilung einer US-amerikanischen Behörde. Nach einer Weile versteht man allmählich, warum selbst knallharte Cowboys in Gegenden wie Montana ihre Ranchen zu Festungen ausbauen und damit drohen, jeden Regierungsbeamten zu erschießen, der so dumm ist, ihnen ins Fadenkreuz zu laufen.

Es nützt auch gar nichts, die Formulare nach bestem Wissen und Gewissen auszufüllen, denn wenn auch nur die geringste Kleinigkeit nicht in Ordnung ist, kriegt man den ganzen Kladdaradatsch zurück. Meine Frau bekam einmal ihre Unterlagen wieder, weil der Abstand zwischen Kinn und Haaransatz auf ihrem Paßfoto um drei Millimeter von der Norm abwich.

Bei uns dauert das Ganze schon zwei Jahre. Und bitte verstehen Sie, meine Frau will hier weder als Gehirnchirurgin praktizieren noch Spionage betreiben, noch mit Drogen dealen, und sie will auch nicht beim Sturz der amerikanischen Regierung oder sonst einer verbotenen Aktion mitwirken (wobei ich ihr, ehrlich gesagt, nun nicht mehr im Wege stehen würde). Sie will hier nur ein wenig einkaufen und legal mit ihrer Familie wohnen. Das ist doch nicht zuviel verlangt!

Weiß der Himmel, wo es hakt. Gelegentlich bittet man uns um ein zusätzliches Dokument, und alle paar Monate frage ich nach, was los ist, aber ich bekomme nie eine Antwort. Vor drei Wochen erhielten wir einen Brief von dem Londoner Außenbüro der Einwanderungsbehörde und dachten schon, das sei endlich die offizielle Genehmigung. Guter Scherz! Es war ein Computerbrief, in dem stand, mit dem Antrag sei seit zwölf Monaten nichts passiert und deshalb sei er nun ungültig.

All das habe ich Ihnen aber nur so weitschweifig erzählt, weil ich eine Geschichte loswerden muß, die ein paar britischen Freunden von uns hier in Hanover widerfahren ist. Der Mann ist seit etlichen Jahren Professor an der hiesigen Universität. Vor achtzehn Monaten flogen er und seine Familie zurück nach England, weil er ein Sabbatjahr hatte. Als sie in Heathrow ankamen und sich freuten, wieder zu Hause zu sein, fragte der Grenzbeamte, wie lange sie zu bleiben gedächten.

»Ein Jahr«, erwiderte mein Freund frohgemut.

»Und was ist mit dem amerikanischen Kind?« fragte der Beamte mit hochgezogener Braue.

Der Jüngste, müssen Sie wissen, war hier geboren, und sie hatten sich nie die Mühe gemacht, ihn als britischen Staatsbürger eintragen zu lassen. Er war erst vier, also würde er in England nicht auf Jobsuche oder dergleichen gehen.

Sie erklärten die Sachlage. Der Beamte hörte ernst zu und ging dann fort, um einen Vorgesetzten zu konsultieren.

Meine Freunde hatten Großbritannien vor acht Jahren verlassen. Und weil sie nicht genau wußten, um wieviel ähnlicher es in der Zeit den Vereinigten Staaten geworden war, warteten sie mit einer gewissen Bangigkeit. Nach einer Minute kam der Beamte, gefolgt von seinem Vorgesetzten, zurück und sagte leise zu ihnen. »Mein Vorgesetzter fragt sie jetzt, wie lange Sie in Großbritannien bleiben wollen. Sagen Sie: ›Zwei Wochen‹.«

Also fragte der Vorgesetzte, und sie antworteten: »Zwei Wochen.«

»Gut«, sagte der Vorgesetzte und fügte dann, als sei es ihm gerade eingefallen, hinzu: »Falls Sie sich entscheiden sollten, Ihren Aufenthalt zu verlängern, wäre es vielleicht keine schlechte Idee, wenn Sie Ihr Kind in den nächsten Tagen als britischen Staatsbürger registrieren lassen.«

»Stimmt«, sagte mein Freund.

Und drin waren sie. Deshalb liebe ich Großbritannien. Deshalb und wegen der Pubs und HP-Sauce und der Landfriedhöfe und noch vielem anderen, aber am meisten, weil es dort immer noch einen öffentlichen Dienst gibt, der zu echter Menschlichkeit fähig ist und sich nicht so verhält, als hasse er einen.

Und mit diesen Worten verabschiede ich mich. Ich muß meinen Munitionsvorrat auffüllen.

Verschlagen in die
Fernsehödnis

Neulich habe ich einen Film mit dem Titel *Die wunderbare Macht* gesehen. Er wurde 1954 gedreht, und die Hauptrollen spielen Rock Hudson und Jane Wyman. Er gehört zu diesen grandios mittelmäßigen Filmen, die in den frühen Fünfzigern en masse gedreht wurden, als die Leute immer noch fast alles anschauten. (Im Gegensatz dazu muß man heute schon reichlich feuersprühende Explosionen und wenigstens eine Szene hineinpacken, in der sich der Held in einem Aufzugschacht abseilt.)

Wie dem auch sei, wenn ich es recht verstanden habe, geht es in der *Wunderbaren Macht* um einen schönen jungen Rennfahrer, Rock Hudson, der aus purem Leichtsinn einen Autounfall verursacht, bei dem Ms. Wyman erblindet. Rock verzehrt sich so in Schuld, daß er losgeht und an der »Universität von Oxford, England« oder einer ähnlichen noblen Bildungsstätte Medizin studiert, unter einem angenommenen Namen als Augenarzt nach Perfectville zurückkehrt und sein Leben der Aufgabe weiht, Jane ihr Augenlicht wiederzugeben. Sie weiß natürlich nicht, wer er ist. Sie ist ja nicht nur blind, sondern auch ein bißchen schwer von Kapee, wenn es um die Stimme von Leuten geht, die sie verstümmelt haben.

Selbstverständlich verlieben sich Rock und Jane ineinander, und Jane bekommt ihr Sehvermögen zurück. Die beste Szene ist, wenn er ihr den Verband abnimmt und sie mit den Worten »Nanu, das bist… *du!*« in eine gnädige Ohnmacht fällt. Leider schlägt sie sich nicht den Kopf auf und wird wieder blind, was die Story, wenn Sie mich fragen, erheblich aufgepeppt hätte.

Jane hat übrigens eine zehnjährige Tochter, die von einer dieser zuckersüßen, bezopften, ekelerregend altklugen Kinderschauspielerinnen aus den Fünfzigern gemimt wird, bei denen es einen immer in den Fingern juckt, sie aus einem Fenster im obersten Stockwerk zu schmeißen. Ich glaube, auch Lloyd Nolan mischt irgendwo mit, denn Lloyd Nolan tritt in Fünfziger-Jahre-Filmen immer in Ärzterollen auf.

Vielleicht habe ich nicht alle Einzelheiten richtig wiedergegeben, aber ich habe den Film auch noch nie ordentlich von vorn bis hinten gesehen, und das nicht einmal mit Absicht. Ich habe ihn gesehen, weil einer unserer Kabelsender ihn in den letzten beiden Monaten mindestens vierundfünfzigmal gezeigt hat und ich ihn jedesmal auf den Bildschirm kriege, wenn ich rumzappe, weil ich was suche, das ich wirklich sehen will.

Sie können sich nicht vorstellen – wirklich nicht! –, wie öde, wie gähnend langweilig das amerikanische Fernsehen ist. Ach, ich weiß, auch das britische kann ziemlich schauderhaft sein. Mir ist die Verzweiflung wohlvertraut, die sich einstellt, wenn man in ein englisches Programmheft schaut und entdeckt, daß als Highlights des Abends *Glotz weiter, Der besondere Naturfilm* (»heute: Eiswürmer im Baikalsee«) oder eine neue Serie mit dem Titel *Ooh, ich glaub, ich muß gleich reihern* angepriesen werden. Doch selbst in den allerübelsten Momenten – selbst wenn ich nur zwischen *Der Gefangene in Block H* und Peter Snow, der sich brennend für Agrarsubventionen in Europa interessierte, wählen konnte – hat das britische Fernsehen noch nie den Wunsch in mir geweckt, hinauszugehen und mich vor den nächsten Lkw zu werfen.

In unserem Haus können wir rund fünfzig Sender empfangen – mit manchen Systemen bekommt man meines Wissens jetzt bis zu zweihundert. Also denkt man doch spontan erst mal, daß man die Qual der Wahl hat. Aber langsam schwant einem, daß das amerikanische Fernsehen seine Aufgabe lediglich darin sieht, jeden alten Mist in den Äther zu schicken.

Selbst Sendungen, derer sich sogar Sky One schämen würde

(ich weiß, das scheint kaum möglich, aber so ist es), bekommen hier großzügige Sendezeiten eingeräumt. Es ist, als zögen die Programmgestalter einfach nur eine Kassette aus dem Regal und schmissen sie in die Geräte. Ich habe »Sendungen zum Zeitgeschehen« gesehen, die zehn Jahre alt waren, und langweilige Interviews mit Leuten, die inzwischen schon seit längerem unter der Erde liegen.

Man hat hier so gut wie keinen Begriff davon, daß Fernsehen manchmal sogar innovativ und gut sein könnte. Heute abend führt meine Fernsehzeitschrift unter der Rubrik »Schauspiel« als feinste und fesselndste Angebote *Matlock* und *Unsere kleine Farm* auf. Für morgen empfiehlt es *Die Waltons* und *Dallas*. Übermorgen wieder *Dallas* und *Mord ist ihr Hobby*.

Da fragt man sich doch allmählich, wer das alles guckt. Auf einem Kanal kriegen wir einen Vierundzwanzigstunden-Trickfilmsender. Daß es irgendwo Leute gibt, die die ganze Nacht Cartoons glotzen wollen, ist ja schon bemerkenswert genug, aber wahrhaft erstaunlich finde ich, daß es bei dem Sender auch Werbung gibt. Was kann man wohl Zuschauern verkaufen, die nachts um halb drei freiwillig *Yogi-Bär und Bubu* gucken? Schlabberlätzchen?

Aber das hirnverbrannteste an unserem Fernsehen ist, daß dieselben Sendungen immer und immer wieder jeden Abend zur gleichen Zeit laufen. Heute um halb zehn können wir auf Kanal 20 *Die Munsters* sehen. Gestern um halb zehn gibt es auf Kanal 20 – Sie haben recht geraten – *Die Munsters*. Vor jeder *Munster*-Folge gibt es eine Episode von *Happy Days* und danach eine Episode der *Mary-Taylor-Moore-Show*. Meines Wissens ist es so seit Jahren und wird auch ewig so bleiben. Und zwar auf jedem Sender zu jeder beliebigen Sendezeit.

Bei derart vielen, derart hoffnungslos uninteressanten Kanälen zur Auswahl guckt man am Ende eigentlich nichts mehr richtig. Doch eins ist erschreckend: Obwohl das Fernsehen hier komplett schwachsinnig ist, obwohl man anfängt zu heulen und sich die Haare zu raufen und weiche Speisen auf den Bildschirm wirft, ist es gleichzeitig seltsam unwiderstehlich. Wie mir ein Freund einmal erklärt hat, sieht man nicht fern, um zu sehen, was läuft, sondern um zu sehen, was außerdem noch läuft. Und das einzige, was man zugunsten des amerikanischen Fernsehens sagen kann, ist, daß dauernd was anderes läuft. Man kann nach Herzenslust zappen. Wenn man beim fünfzigsten Sender anlangt, hat man vergessen, was im ersten war, und fängt wieder von vorne an in der lächerlich optimistischen Hoffnung, daß man diesmal was Fetziges findet.

Das ist natürlich noch längst nicht mein letztes Wort zu diesem Thema. Fernsehen ist mein Leben, also werden wir in den kommenden Monaten noch oft darauf zurückkommen. Jetzt muß ich Sie verlassen. Gleich fängt *Die wunderbare Macht* an, und ich möchte endlich miterleben, wie Jane Wyman ihr Augenlicht verliert. Das ist die beste Stelle. Außerdem meine ich immer noch, wenn ich nur lange genug zuschaue, schubst Lloyd Nolan das Mädelchen aus dem Fenster im obersten Stock.

Und nun folgt eine kleine
Werbeunterbrechung

Im Moment läuft ein Werbespot über den Bildschirm, der verkündet: »Der neue Dodge Fehlzündung! Nummer eins im Vergleichtest mit dem Chrysler Inaktiv bei Lenkeigenschaften. Nummer eins im Vergleich zum Plymouth Penetrant im Benzinverbrauch. Nummer eins im Vergleich zum Ford Ekzem bei Reparaturkosten.«

Wie Sie bemerkt haben – weil Ihr Hirn Gott sei Dank vom jahrelangen Beschuß der amerikanischen Schnellfeuerwerbung noch nicht verbeult und funktionsfähig ist –, wird der Dodge in jeder Kategorie immer nur mit einem anderen Konkurrenten verglichen, was das Ganze tendenziell sinnlos, ja sogar suspekt macht. Ich meine, wenn der Dodge in einer dieser Kategorien im Vergleich zu zehn, zwölf oder fünfzehn anderen Mitbewerbern als Nummer eins bewertet worden wäre, hätte man das in dem Spot ja wohl gesagt. Weil aber davon nicht die Rede ist, muß man daraus schließen, daß der Dodge bis auf den einen erwähnten schlechter als alle anderen Bewerber abgeschnitten hat. Ergo fordert die Werbung einen im Endeffekt dazu auf, es sich noch einmal gut zu überlegen, bevor man einen Dodge kauft.

Mir bleibt oft nur noch die Spucke weg, wie wenig fundiert hier in der Werbung argumentiert wird. Letztes Jahr rühmte sich ein Hersteller stolz, daß seine Fahrzeuge, was die »Zuverlässigkeit« betreffe, »an der Spitze unter den Autos stehen, die in den Vereinigten Staaten produziert oder zusammengebaut werden«. Also, das verstand ich eindeutig als Aufforderung an die potentiellen Käufer, loszuziehen und ein ausländisches Auto zu erwerben. Aber offenbar sehen diese es anders.

Selektiv mit der Wahrheit umzugehen ist eine altehrwürdige Tradition in der amerikanischen Werbung. Meine besondere Liebe gilt einer Serie von Spots einer Versicherungsgesellschaft, in denen »echte Menschen in echten Situationen« ihre »persönlichen« Finanzen diskutieren. Auf die Nachfrage eines Journalisten, wer diese »echten Menschen« seien, antwortete ein Sprecher, sie seien in Wirklichkeit natürlich Schauspieler und in »diesem Sinne keine echten Menschen«. Na bitte, das sagt Ihnen alles, was Sie über die hiesigen Werbepraktiken wissen müssen.

Fairerweise muß man aber zugeben, daß nicht alle Werbefilme nichtssagend und irreführend sind. Ziemlich viele – na ja, zwei – sind putzig und originell. Im Moment hat es mir insbesondere der Spot eines Pizzalieferdienstes angetan. Darin nietet ein Lieferbursche mit einer überlangen Pizza alles um, was ihm in die Quere kommt. (Der Vollständigkeit halber: In der Werbung, die ich am wenigsten mag, dreht sich eine bildschöne, sich dessen auch voll bewußte junge Frau zur Kamera um und sagt: »Hassen Sie mich nicht, weil ich schön bin.« Worauf ich jedesmal erwidere: »Tu ich ja auch gar nicht. Ich hasse dich, weil du mir auf den Keks gehst.«)

Denn das Problem mit den Werbespots ist ihre Allgegenwärtigkeit. Die meisten Sender haben alle fünf, sechs Minuten eine Werbeunterbrechung. CNN hat, soweit ich sehe, nur Werbeunterbrechungen.

Weil mir letzteres doch ein ziemlich pauschales Urteil zu sein schien, habe ich mir eben eine halbe Stunde genommen – ohne zusätzlich Kosten für Sie –, um eine typische CNN-Sendung zu überprüfen, und hier sind meine Ergebnisse: In einer einzigen halben Stunde hat CNN das Programm fünfmal unterbrochen und zwanzig Werbespots gezeigt. Insgesamt liefen in dreißig Minuten Sendezeit zehn Minuten Werbung. Abgesehen von sieben Minuten am Anfang betrug die längste Phase ohne Werbung vier Minuten und neunundfünfzig Sekunden, die kürzeste zwei Minuten. Für die Zuschauer, die während der Sendung einen ernsthaften Hirnschaden erlitten hatten, wurden drei Spots wiederholt.

Das, muß ich schnell hinzufügen, ist absolut die Norm. Gestern abend lief auf einem anderen Sender *Auf der Flucht,* und ich habe eine ähnliche Übung veranstaltet. Um ungefähr einhundert Minuten Film zu sehen, mußte man fast fünfzig Minuten Werbung ertragen, die auf etwa zwanzig Unterbrechungen verteilt war. (Im Durchschnitt kam alle sieben Minuten ein Spot.)

Neil Postman berichtet in seinem Buch *Wir amüsieren uns zu Tode,* daß der Durchschnittsamerikaner pro Woche über eintausend Fernsehwerbespots über sich ergehen lassen muß. Wenn das normale amerikanische Kind achtzehn wird, hat es nicht weniger als dreihundertundfünfzigtausend Fernsehwerbungen angeglotzt.

Doch selbst wenn man gar nicht mehr hinschaut, wird man heutzutage zunehmend mit Quasiwerbung berieselt. ABC brachte kürzlich eine Sondersendung über die Entstehung des Disney-Films *Der Glöckner von Notre Dame.* Laut *New York Times* widmeten mehrere ABC-Stationen einen Teil ihrer Hauptabendnachrichten »einer Gala, die Disney für den Film in New Orleans veranstaltete«. Zufällig ist ABC Eigentümer der Firma Disney.

Zwischenzeitlich verkündete der History Channel Pläne für eine Serie *Die großen Unternehmer,* in dem Geschichte und Leistungen von Firmen wie Boeing, Du Pont und General Motors gefeiert werden sollten. Die Sendungen sollten von – halten Sie die Luft an! – den Unternehmen selbst hergestellt werden. Als man die Programmgestalter dieses »Geschichts«-Kanals darauf aufmerksam machte, daß das ganze Unterfangen doch bei weitem zu anrüchig sei, verzichteten sie darauf.

Weniger getrübt von Überlegungen zu Glaubwürdigkeit und Objektivität war CNBC, ein weiterer Kabelsender, der den Start einer neuen wöchentlichen Informationssendung namens *Scan* verkündete. Darin sollte über die neuesten technologischen

Entwicklungen berichtet werden – oder, um es einen Tick präziser auszudrücken, über die neuesten Entwicklungen, die dem Sponsor IBM genehm waren, der die redaktionelle Kontrolle innehatte. »Es sind ja keine harten Nachrichten«, erklärte ein CNBC-Sprecher. »Es sind Features.« Ach ja, dann geht das wohl in Ordnung.

Kurz und gut, vor der Werbung hier gibt's kein Entrinnen – und zwar nicht nur im eigenen Heim. Zu meinem Entsetzen muß ich berichten, daß viele tausend Schulen überall in den Vereinigten Staaten nun zumindest teilweise mit Lehrmaterial arbeiten, das von Firmen zur Verfügung gestellt wird. Über Ernährung lernen die Schüler etwas von McDonald's und über Natur- und Umweltschutz von Exxon. Seit 1989 strahlt eine Firma namens Channel One Unterrichtsprogramme über schulinterne Fernsehanlagen aus. Die Filme kosten nichts, aber sie strotzen von Werbung, die besonders auf junges Publikum zielt. Also, ich würde das ja als offenkundigen, vollkommen inakzeptablen Mißbrauch bezeichnen, aber damit scheine ich einer Minderheit anzugehören. Channel One ist der Hit; seine Geräte stehen in dreihundertundfünfzigtausend Klassenzimmern.

Selbst *Sesamstraße* – und das ist wahrhaft herzzerreißend – ist nun, um den *Boston Globe* zu zitieren, eine »ununterbrochene dreißigminütige Werbesendung«. Laut Angaben des *Globe* umfaßt das Sesamstraßenmerchandising ein Volumen von über achthundert Millionen Dollar im Jahr, und die Chefs der Sendung streichen Jahresgehälter von bis zu zweihunderttausend Dollar ein. Weil *Sesamstraße* aber vom öffentlichen Fernsehen ausgestrahlt wird, erhält sie von der Regierung jährlich sieben Millionen Dollar Subvention.

Ich wollte schon sagen, was würde passieren, wenn sie die sieben Millionen statt dessen für Schulen in Problembezirken ausgäben, doch dann fiel mir ein, daß natürlich folgendes der Fall sein würde: Sie würden noch mehr Fernseher kaufen, um noch mehr Klassen mit Channel One zuzudröhnen.

Mittlerweile habe ich natürlich doch rasende Kopfschmerzen, also nehme ich ein Tylenol. Soweit ich weiß, hat eine Umfrage ergeben, daß es Amerikas beliebtestes Schmerzmittel ist. Oder vielleicht war es auch Pepsi.

Freundliche Menschen

Eigentlich wollte ich auch diese Woche über das eine oder andere Ärgernis im amerikanischen Leben berichten. Aber da brachte mir Mrs. Bryson (die, nebenbei bemerkt, eine Seele von Mensch ist) eine Tasse Kaffee, las die ersten paar Zeilen auf dem Computerbildschirm, grummelte: »Mecker, mecker, mecker!« und schlurfte von dannen.

»Wie bitte, meine taubenetzte englische Rose!« rief ich.

»Immer nur meckerst du in der Kolumne.«

»Aber die Welt braucht es, daß man sie zurechtrückt, meine wonnige, kirschwangige Tochter Albions«, erwiderte ich gelassen. »Außerdem ist Meckern mein Job.«

»Sonst kannst du ja auch nichts!«

Also, Entschuldigung bitte, so stimmt das nun auch wieder nicht. Meines Wissens habe ich auf ebendiesen Seiten einmal ein paar Lobesworte über amerikanische Müllentsorgeapparaturen verloren, und ich weiß auch ganz genau, daß ich unsere hiesige Post empfohlen haben, weil sie mir am Kundentag einen Donut spendiert hat. Doch vielleicht hat Mrs. B. doch nicht ganz unrecht.

Es gibt viele wunderbare Dinge in diesem Land, die Lob verdienen – wobei mir natürlich sofort die Bill of Rights, der Grundrechtekatalog, der Freedom of Information Act, das Recht jeden Bürgers auf Akteneinsicht, und selbstverständlich Gratisstreichholzbriefchen einfallen. Doch nichts übertrifft die Freundlichkeit der Menschen.

Als wir in diese kleine Stadt in New Hampshire gezogen sind, empfingen uns die Einwohner, als sei unsere Anwesenheit das einzige, was ihnen bisher zum vollkommen Glück noch gefehlt habe. Sie brachten uns Kuchen und Pasteten und Wein. Keiner sagte: »Ach, Sie sind es, die für die Bruchbude von den Millers ein Vermögen bezahlt haben«, was, glaube ich, die traditionelle Begrüßung in England ist. Als die Nachbarn direkt neben uns hörten, daß wir zum Essen ausgehen wollten, protestierten sie und meinten, es sei doch zu traurig, daß wir am ersten Abend in einer neuen Stadt in einem fremden Restaurant essen müßten, und bestanden darauf, daß wir sofort zu ihnen zum Abendbrot kamen, als sei es ein Klacks, sechs Extramäuler zu füttern.

Und als sich die Nachricht verbreitete, daß unsere Möbel auf einem Containerschiff waren, das von Liverpool offenbar via Port Said, Mombassa und die Galapagosinseln nach Boston tuckerte, und daß wir vorläufig nichts hatten, auf dem wir schlafen, sitzen oder essen konnten, kam ein Strom freundlicher Fremder (von denen ich viele nie wiedergesehen habe) mit Stühlen, Lampen, Tischen und sogar einer Mikrowelle unseren Eingangsweg hochgetrapst.

Es war phantastisch und ist es immer noch. Letztes Jahr Weihnachten waren wir zehn Tage in England, und als wir spätabends hungrig von unserer Reise nach Hause kamen, stellten wir fest, daß ein Nachbar unseren Kühlschrank nicht nur mit dem Notwendigen, sondern sogar mit Leckereien gefüllt und frische Blumen in Vasen gestellt hatte. So was ist hier gang und gäbe.

Neulich ging ich mit einem meiner Kinder zu einem Basketballspiel der hiesigen Universitätsmannschaft. Wir kamen kurz vor Spielbeginn und stellten uns in eine Schlange vor einem Kartenschalter. Nach einer Minute trat ein Mann auf mich zu und sagte: »Warten Sie, um eine Eintrittskarte zu kaufen?«

Nein, wollte ich schon antworten, ich stehe hier, damit die Schlange eindrucksvoller wird, doch dann sagte ich nur: »Ja.«

»Sie können die haben«, erwiderte er und schob mir zwei Karten in die Hand.

Auf Grund jahrelangen dämlichen Mißverstehens von derlei Situationen war mein erster Gedanke, daß er Schwarzhändler und irgendwo ein Haken an der Sache war. »Wieviel?« fragte ich mißtrauisch.

»Nichts, nein, Sie können sie haben. Umsonst. Wir können nicht.« Er zeigte auf ein Auto mit laufendem Motor; eine Frau saß auf dem Beifahrersitz.

»Wirklich?« sagte ich. »Na, vielen Dank.« Und dann fiel mir etwas auf. »Sind Sie extra hierhergefahren, um zwei Eintrittskarten zu verschenken?«

»Sonst wären sie verfallen«, sagte er entschuldigend. »Viel Spaß beim Spiel.«

Von solchen Sachen könnte ich endlos erzählen – von dem jungen Mann, der die verlorene Brieftasche meines Sohnes, in der sich fast der gesamte Lohn von dessen Sommerjob befand, zurückbrachte und keine Belohnung annehmen wollte; von den Angestellten des Kinos, die, wenn es zu regnen anfängt, hinausgehen und die Fenster der in den umliegenden Straßen parkenden Autos zumachen, weil sicher einige der Wagen den Kinogästen gehören, die ja nicht wissen können, daß es regnet; von den Polizisten in unserer Stadt, die sich, als die Frau des Polizeichefs während der Chemotherapie ihre Haare verlor, aus Solidarität mit ihr auch den Kopf kahlscheren ließen und Geld für eine Krebsstiftung sammelten.

Daß die Leute ihre Autos unverschlossen und mit offenen Fenstern stehenlassen, spricht natürlich auch Bände über unser Gemeinwesen. Tatsache ist, es gibt hier keine Kriminalität. Keine. Die Leute stellen ganz locker ihr Fünfhundertdollarfahrrad an einen Baum und gehen einkaufen. Und wenn es jemand stehlen würde, würde der Bestohlene garantiert hinter dem Dieb herlaufen und rufen: »Können Sie es bitte in die Wilson Avenue 32 zurückbringen, wenn Sie es nicht mehr brauchen? Und passen Sie beim dritten Gang auf – er klemmt.«

Niemand schließt irgend etwas ab. Ich weiß noch, wie erstaunt ich anfangs war, als eine Maklerin Häuser mit mir besichtigte (Übrigens: in den USA tun die Makler was für ihr Geld.) und nie ihr Auto abschloß, selbst als wir zum Mittagessen in ein Restaurant gingen und ihr Handy sowie Einkäufe auf dem Rücksitz lagen.

Bei einem Haus stellte sie fest, daß sie den falschen Schlüssel mitgenommen hatte. »Die Hintertür ist bestimmt offen«, verkündete sie zuversichtlich, und so war es auch. In der Folgezeit lernte ich, daß das nichts Ungewöhnliches war. Wir kennen Leute, die, ohne die Türen abzuschließen, in Ferien fahren, nicht wissen, wo der Haustürschlüssel ist, ja, manchmal nicht einmal sicher sind, ob sie noch einen besitzen.

Nun fragen Sie sich gewiß und mit Recht, warum unsere Stadt kein Diebesparadies ist. Ich glaube, aus zwei Gründen. Erstens, weil hier kein Markt für Hehlerware ist. Wenn Sie sich in New Hampshire an irgend jemanden heranschlichen und sagten: »He, brauchste 'n günstiges Autoradio? Stereo?«, würde der Sie anstarren, als hätten Sie nicht alle Tassen im Schrank, und antworten: »Nein, ich hab schon eins. Ist auch stereo.« Dann würde er Sie der Polizei melden, und – das kommt als zweites hinzu –, die Polizei wäre sofort zur Stelle und würde Sie erschießen.

Aber natürlich erschießt die Polizei hier niemanden, weil es nicht nötig ist. Denn es gibt keine Kriminialität. Es ist das rare, herzerwärmende Beispiel eines umgekehrten Teufelskreises. Wir haben uns schon daran gewöhnt, aber als wir neu in der Stadt waren und ich mein Erstaunen über diese Dinge einer Frau gegenüber zum Ausdruck brachte, die in New York City aufgewachsen ist, doch seit mehr als zwanzig Jahren hier lebt, legte sie mir die Hand auf den Arm, als vertraue sie mir ein großes Geheimnis an. »Honey, Sie sind nicht mehr in der realen Welt. Sie sind in New Hampshire.«

Rufen Sie unsere Hotline an

Neulich habe ich in unserem Badezimmer etwas liegen sehen, das mich in Gedanken die ganze Zeit beschäftigt. Es war ein kleiner Zahnseidenbehälter.

Nicht die Zahnseide selbst interessierte mich, sondern die Tatsache, daß auf dem Behälter eine gebührenfreie Telefonnummer aufgedruckt ist. Vierundzwanzig Stunden am Tag kann man die Zahnseidenhotline der Firma anrufen. Doch jetzt kommt meine Frage: Warum sollte man? Ich stelle mir immer wieder vor, wie ein Typ anruft und mit banger Stimme sagt: »Okay, die Zahnseide hab ich. Was nun?«

Nach meiner bescheidenen Erfahrung würde ich behaupten, wer seinen Zahnseidenlieferanten – aus welchem Grund auch immer – kontaktieren muß, ist womöglich noch nicht soweit, Mundhygiene auf diesem hohen Niveau zu betreiben.

Doch da meine Neugierde nun geweckt war, unterzog ich alle unsere Schränke einer gründlichen Inspektion und stellte überrascht fest, daß fast alle Haushaltsprodukte in den USA Hotlinenummern haben. Offenbar kann man anrufen und um Anweisungen zum Gebrauch von Seife und Shampoo bitten, hilfreiche Tips einholen, wie man Speiseeis lagert, ohne daß es sich in Suppe verwandelt und aus der Packung fließt, und um professionellen Rat ersuchen, welche Teile seines Körpers man am effektivsten und schicksten mit Nagellack verschönt. (»… damit ich das richtig verstanden habe. Sie sagen, *nicht* auf die Stirn?«)

Für diejenigen, die keinen Zugang zu einem Telefon oder vielleicht ein Telefon, aber dessen Gebrauch noch nicht gemeistert haben, sind auf fast allen Produkten auch nützliche Ratschläge aufgedruckt: »Entfernen Sie vor dem Essen die Schalen« (auf Erdnüssen) oder »Achtung! Benutzen Sie den Behälter nicht noch einmal für Getränke!« (auf einer Flasche Domestos). Kürzlich haben wir uns ein elektrisches Bügeleisen gekauft, anläßlich dessen wir unter anderem ermahnt wurden, es nicht zusammen mit entzündlichen Stoffen zu benutzen. Und vor ein paar Wochen habe ich tatsächlich gelesen, daß Computersoftwarefirmen erwägen, die Anleitung »Beliebige Taste drücken« neu abzufassen, weil so viele Leute anrufen, die die Taste »Beliebig« nicht finden können.

Bis vor wenigen Tagen hätte ich über Menschen, die dieser Art elementarer Beratung bedürfen, laut losgewiehert, aber dann haben mich drei Dinge veranlaßt, meine Ansichten zu ändern.

Zuerst las ich in der Zeitung, daß John Smoltz, Pitcher im Atlanta-Braves-Baseballteam, eines Tages mit einem schmerzhaft aussehenden roten Striemen um die Brust beim Training aufkreuzte, und – auf drängende Nachfragen – kleinlaut zugab, daß er versucht habe, ein Hemd zu bügeln, während er es am Leibe trug.

Dann wurde mir klar, daß ich selbst etwas so Beklopptes einzig und allein aus dem Grund noch nie angestellt habe, weil es mir nicht eingefallen ist.

Drittens, und das war ausschlaggebend, verließ ich vor zwei Tagen abends das Haus, um zwei Kleinigkeiten zu erledigen – Pfeifentabak kaufen und ein paar Briefe einstecken. Ich kaufte den Tabak, nahm ihn mit über die Straße zum Briefkasten, öffnete die Klappe und warf ihn hinein. Ich erzähle Ihnen nicht, wie weit ich schon wieder gelaufen war, bis mir dämmerte, daß das nicht die hundertprozentig korrekte Ausführung meines ursprünglichen Vorhabens war.

Sie merken schon, worum's geht. Jemand, der auf Briefkästen Schilder mit der Warnung braucht »Keinen Tabak oder andere persönliche Gegenstände hineinwerfen!«, kann sich ja

108

wohl schlecht über andere Leute lustig machen, selbst wenn sie ihren Brustkorb bügeln oder sich über ihre Shampooinfonummer Orientierungshilfe fürs Schaumschlagen holen.

All das erwähnte ich neulich abends beim Essen und war entsetzt, mit welchem Eifer und Enthusiasmus meine Angehörigen begannen, Schilder vorzuschlagen, die besonders geeignet für mich wären. »Bitte beachten! Wenn auf Tür ›Ziehen‹ steht, ist es absolut zwecklos zu drücken«, »Warnung! Versuchen Sie nicht, Pullover über dem Kopf auszuziehen, während Sie zwischen Tischen und Stühlen herumlaufen«, »Vorsicht! Stellen Sie sicher, daß sich Hemdknöpfe in korrekten Löchern befinden, bevor Sie das Haus verlassen«, fanden stürmischen Anklang. Und des Scherzens war kein Ende.

Ich räume ein, daß ich manchmal ein wenig zerstreut bin und mich reichlich ungeschickt anstelle, wenn es um ein adrettes Äußeres geht oder darum, durch niedrige Türen zu laufen. Aber es liegt an meinen Genen. Erlauben Sie mir zu erklären.

Neulich habe ich einen Artikel über eine Studie an der Universität von Michigan oder vielleicht auch der Universität von Minnesota (es war jedenfalls wo Kaltes und hatte »Universität« in der Überschrift) aus der Zeitung ausgerissen. Darin stand, daß Zerstreutheit eine Veranlagung ist, die vererbt wird. Ich steckte den Zeitungsausschnitt in einen Ordner mit der Bezeichnung »Zerstreutheit« und verlegte den Ordner natürlich sofort.

Als ich ihn jedoch heute morgen gesucht habe, fand ich einen anderen, der das verheißungsvolle Etikett »Gene etc.« trug. Der und – das war Glück im Unglück – stellte sich als genauso interessant heraus. Ich entdeckte darin die Kopie eines Berichts aus der Zeitschrift *Science* vom neunundzwanzigsten November 1996. Titelzeile: »Beziehung angstbezogener Persönlichkeitsstrukturen zu Polymorphismus in der Genregulation des Serotonintransports«.

Ich will gleich ehrlich zugeben, daß ich Polymorphismus im Serotonintransport nicht so gewissenhaft verfolge, wie ich sollte, jedenfalls nicht während der Basketballsaison. Doch als ich mir das Ganze zu Gemüte führte, dachte ich gleich: Hey, die Jungs sind auf einer heißen Spur!

Sie haben nämlich ein Gen lokalisiert (und zwar Gen Nummer SLC6A4 auf Chromosom 17q12, für den Fall, daß Sie zu Hause experimentieren wollen), das entscheidet, ob man von Natur aus Pessimist ist oder nicht. Um es präzise zu sagen: Wenn man eine lange Version des Gens SLC6A4 hat, ist man höchstwahrscheinlich locker und ausgeglichen; doch wenn man die kurze hat, kann man nicht von zu Hause weggehen, ohne irgendwann panisch zu verkünden: »Haltet mal an! Ich glaube, ich habe das Badewasser laufen lassen.«

In der Praxis heißt das: Wenn Sie kein geborener Pessimist sind, brauchen sie sich keine Sorgen zu machen (würden es aber sowieso nicht). Wenn Sie freilich von Natur aus Schwarzseher sind, können Sie absolut nichts daran ändern und bräuchten sich eigentlich auch keine Sorgen mehr zu machen. Doch das wiederum schaffen Sie ja nicht. Wenn Sie diese Überlegungen jetzt mit den vorher erwähnten Befunden über Zerstreutheit an der Universität von Irgendwo Kaltes zusammenbringen, dann glaube ich, begreifen Sie, daß unsere Gene für eine Menge verantwortlich sind.

Hier noch ein interessanter Fakt aus meinem »Gene etc.«-Ordner. Laut Richard Dawkins, *Der blinde Uhrmacher,* enthält jede der zehn Billionen Zellen im menschlichen Körper mehr genetische Informationen als die gesamte *Encyclopaedia Britannica* (und schickt nicht mal einen Vertreter an die Tür), aber anscheinend tun neunzig Prozent unseres gesamten genetischen Materials überhaupt nichts. Sie sitzen nur da wie Onkel Fred und Tante Muriel, wenn sie sonntags zum Kaffeetrinken kommen.

Ich glaube, daß wir daraus vier wichtige Schlüsse ziehen können, nämlich erstens: Obwohl unsere Gene nicht viel tun, können sie uns in alle möglichen peinlichen Situationen bringen; zweitens: Wir sollten immer zuerst unsere Briefe einstekken und dann den Tabak kaufen; drittens: Man sollte nie vier Dinge versprechen, wenn man sich an das vierte nicht erinnert; und viertens…

Ausländer? Gibt's die?

In einem Satz, den ich mir zu eigen machen will, sobald der rechte Moment gekommen ist, bemerkt der englische Schriftsteller Julian Barnes, daß jeder Ausländer, der die Vereinigten Staaten besucht, einen leichten Zaubertrick vorführen kann: »Kaufen Sie eine Zeitung und zeigen Sie, wie Ihr Land verschwindet.«

Eigentlich brauchen Sie sich gar keine Zeitung zu kaufen. Sie können eine Illustrierte lesen oder Fernsehen gucken oder einfach nur mit Leuten reden. Kürzlich berichtete mir mein Sohn, daß in seiner High-School-Klasse in einem Test mit Fragen zum Zeitgeschehen nur ein Schüler den Namen des britischen Premierministers kannte, und der Schüler war er. Ich bin ziemlich überzeugt, daß von fünfhundert Amerikanern nicht einer mitkriegt, wenn im Vereinigten Königreich eine Parlamentswahl ansteht.

Seien wir nicht ungerecht. Natürlich wissen die meisten Menschen in den meisten Ländern kaum etwas über den Rest der Welt. Ich meine, könnten Sie die Regierungschefs von Dänemark oder den Niederlanden oder etwa Irland nennen? Selbstverständlich nicht. Aber warum sollten Sie die Namen auch kennen? Es gibt schließlich so viel, worüber man auf dem laufenden sein müßte. Allein die täglichen Soaps sind belastend genug. Das verstehe ich ja.

Aber einen Unterschied gibt es. *Sie* sind sich durch Zeitunglesen oder Nachrichtenhören und -sehen wenigstens vage bewußt, daß jenseits Ihrer Landesgrenzen die Welt nicht zu Ende ist.

Früher zeigte man sich auch hier etwas interessierter am Weltgeschehen. Die *Time* fand wacklige Koalitionsregierungen in Italien oder Korruptionsskandale in Südamerika allemal der Erwähnung wert, und in den Abendnachrichten gab es wenigstens hin und wieder eine Einspielung, in der ein Korrespondent im Burberry mit ernster Miene und Mikrofon vor einer Börse oder einem Sampan oder einem Palast der Volksrevolution stand – jedenfalls irgendwo, das definitiv nicht Nebraska war. Selbst wenn man diese Auslandsnachrichten nicht weiter beachtete, erinnerten sie einen wenigstens daran, daß man in einer größeren Welt existierte.

Das war einmal. In den ersten drei Monaten dieses Jahres hatte die US-Ausgabe der *Time* keinen einzigen Artikel über Frankreich, Italien, Spanien oder Japan, um nur ein paar der Länder zu nennen, die ihrer Aufmerksamkeit entgangen zu sein schienen. Großbritannien schaffte es nur wegen Dolly, dem geklonten Schaf, ins Blatt zu gelangen und Deutschland wegen des Streits der Regierung mit den Scientologen. Ansonsten liegt ein Schleier der Dunkelheit über Westeuropa. Auf den Seiten »Internationales« kann man heutzutage in der *Time* vielleicht eine einzige Story oder allerhöchstens zwei lesen. Paradoxerweise enthüllt ein Blick ins Impressum, daß das Blatt überall Korrespondenten hat – in Paris, London, Rom, Wien, in aller Herren Länder. Einen der Jobs dort nähme ich mit Kußhand.

Die Fernsehnachrichten sind nicht besser. Nur um sicherzugehen, daß ich hier keinen Quatsch rede (Vorsicht ist die Mutter der Porzellankiste), habe ich mir gestern abend die NBC-Abendnachrichten genau angeschaut. Es handelt sich um eine vielgesehene landesweite Nachrichtensendung, bei der zwischendurch minutenlang Werbung für Haftpulver für dritte Zähne, Hämorrhoidensalben und Abführmittel gemacht wird. (Offenbar neigen die Leute, die in den USA die Abendnachrichten sehen, zum Kränkeln.)

Die NBC-Sendung bestand aus elf Berichten, von denen sich zehn ausschließlich mit den Vereinigten Staaten befaßten. Nur einer, und zwar der über den Besuch des Vizepräsidenten Gore in China, erkannte in gewisser Weise an, daß es jenseits unserer Küsten Leben gibt. In Wirklichkeit ging der Beitrag um die Perspektiven des US-amerikanischen Außenhandels und dauerte ohnehin nur zweiundzwanzig Sekunden. Doch weil auch zwei Sekunden lang gezeigt wurde, wie Heerscharen von Menschen vor einem pagodenähnlichen Gebäude herradelten, sollte er zählen, finde ich.

Später unterzog ich die Hauptnachrichten bei CNN einer ähnlichen Prüfung. Sie dauerten eine Stunde, boten also noch mehr Werbespots für Schmerztabletten, Mentholbalsam und Salben aller Art (irgend jemand sollte die Zuschauer ins Krankenhaus verfrachten!), hatten aber sage und schreibe zweiundzwanzig Nachrichtenschnipsel hineingequetscht, von denen alle zweiundzwanzig die Vereinigten Staaten betrafen. Und diese Sendung nennt sich *Die Welt heute!*

Weil den Leuten hier so selten nicht-US-amerikanische Dinge präsentiert werden, werden sie oft regelrecht unduldsam gegenüber allem, das sie nicht sofort erkennen. Vor mir liegt die *New York Times*-Rezension eines Buches des britischen Journalisten Stephen Fay über Nick Leeson und den Zusammenbruch der Barings-Bank. Und die Rezensentin moniert zutiefst verärgert, daß das Buch »vor unnötig verwirrenden britischen Ausdrücken strotzt«. Nun stellen Sie sich das mal vor – das Buch eines britischen Autors über den britischen Angestellten einer britischen Bank enthält einige britische Ausdrücke. Ey, das ist doch kraß unfair! Demnächst sollen wir auch noch wissen, wie der britische Premierminister heißt.

Ich finde es betrüblich. Als ich in meiner Jugend britische Bücher gelesen oder britische Filme gesehen habe, gefiel mir ja nicht zuletzt so gut, daß ich oft keine Ahnung hatte, was ablief, und mich ständig fragen mußte, was die Gentlemen meinten, wenn sie sagten: »Donnerwetter, da hat Bomber Harris die Krauts naß gemacht. Mit den frommen Wünschen, die die Tüftler in der Hunnenabteilung vor vierzehn Tagen beim

High-Tea ausgeheckt haben, haben wir sie eiskalt ins Abseits gebombt, was?« Ich grübelte auch gern darüber nach, was wohl Marmite war (und wäre nie im Leben darauf gekommen, daß es eßbares Schmieröl ist, das die Engländer als gesunde Hefepaste verzehren). An derlei Rätselraten haben US-Amerikaner heute keinen Spaß mehr.

Kürzlich habe ich mir in unserem hiesigen Kino den *Englischen Patienten* angesehen. Da wandte sich eine Frau hinter mir bei jedem Satz, den Juliette Binoche von sich gab, an ihren Partner und fragte mit lauter, schmerzlich näselnder Stimme: »Was hat sie gesagt?« Ich mußte meine Jacke über die Frau werfen und sie zum Schweigen bringen, so sehr störte es mich.

In derselben Woche las ich die Besprechung eines Jackie-Chan-Films, in der der Autor, auch er voller Groll, mäkelte, daß er nichts von dem verstanden habe, was Chan gesagt hatte. (Heißer Tip für den Rezensenten: Der Reiz von Jackie-Chan-Filmen liegt nicht in der Qualität der Dialoge). Ähnliche, zumindest punktuelle Klagen kenne ich über fast jeden Film, der aus der nicht amerikanisches Englisch sprechenden Welt zu uns kommt.

Ich könnte ewig fortfahren, aber leider wird der Platz knapp, und ich merke schon, daß Sie es gar nicht abwarten können, Ihr Radio anzuschalten und sich die Ergebnisse der belgischen Nachwahlen anzuhören. Ich werde in der Zwischenzeit die britischen Angelegenheiten, so intensiv es mir von hier aus möglich ist, verfolgen. Aber um eines bitte ich Sie: Wenn Mrs. Thatcher endlich aus dem Amt scheidet, geben Sie mir sofort Bescheid.

Die Becherhalterrevolution

Angeblich ist folgende Geschichte wahr.

Ein Mann ruft bei seiner Computerinfonummer an, beschwert sich, daß der Becherhalter an seinem PC abgebrochen ist, und will wissen, wie er ihn reparieren lassen kann.

»Becherhalter?« fragte der Mensch von der Computerhotline. »Verzeihung, mein Herr, aber ich verstehe Sie nicht recht. Haben Sie den Becherhalter bei einer Computerausstellung gekauft oder als Werbegeschenk bekommen?«

»Nein, der gehört zur Standardausrüstung an meinem Gerät.«

»Aber unsere Computer haben keine Becherhalter.«

»Tut mir leid, mein Freund, aber das seh ich anders«, sagt der Mann ein wenig echauffiert. »Meiner steht ja jetzt vor mir, und wenn ich unten am Gehäuse auf einen Knopf drücke, gleitet er heraus.«

Was war passiert? Der Mann hatte die CD-Schublade in seinem Computer dazu benutzt, den Kaffeebecher abzustellen!

Soviel zur Einstimmung auf unser Thema der Woche: Becherhalter. Ich weiß nicht, ob es bei Ihnen schon Becherhalter gibt. Wenn nicht, glauben Sie, bald sind sie da. Becherhalter erobern die Welt.

Falls Sie nicht damit vertraut sind – es handelt sich um kleine Tabletts, Deckel oder andere Halter mit Löchern für Tassen und sonstige Trinkgefäße, die man an den verschiedensten Stellen in jedem modernen amerikanischen Auto findet. Oft sind sie auf Rückenlehnen montiert oder in Armlehnen eingebaut, an denen Sie niemals nach einer Vorrichtung zur Getränkeaufbewahrung suchen würden. Wenn Sie hier irgendwo in einem Auto auf einen unbekannten Knopf drücken, setzen Sie meiner Erfahrung nach entweder die Heckscheibenwischer in Gang, die, sosehr Sie auch versuchen, sie anzuhalten, für alle Ewigkeit alle sechs Sekunden mit einem schweren Schleifgeräusch über das Glas schrappen, oder aber ein Becherhalter gleitet heraus, kommt hoch, fällt herab oder tritt sonstwie durch Zauber in Ihr Leben.

Die Bedeutung von Becherhaltern in amerikanischen Autofahrerkreisen ist heutzutage gar nicht hoch genug zu bewerten. Neulich brachte die *New York Times* einen langen Artikel über ein Dutzend getesteter Familienwagen. Sie wurden nach zehn Merkmalen beurteilt – Motorgröße, Kofferraumplatz, Lenkeigenschaften, Stoßdämpfung und ... ja, auch der Anzahl der Becherhalter. Ein uns bekannter Autohändler sagt, sie gehören zum ersten, wonach die Leute fragen, womit sie spielen oder was sie kommentieren, wenn sie sich ein Auto anschauen. Die Anzahl der Becherhalter ist eins der Kriterien, nach dem sie sich für den Kauf eines Wagens entscheiden! Fast alle Autoanzeigen erwähnen die Dinger im Text an prominenter Stelle.

Es gibt Wagen, wie zum Beispiel der neue Dodge Caravan, die siebzehn Becherhalter haben. Siebzehn! In den größten Kleinbus passen sieben Leute. Man muß kein Atomphysiker und nicht einmal hellwach sein, um auszurechnen, daß das 2,428 Periode Becherhalter pro Fahrgast sind. Warum, werden Sie sich mit Recht fragen, braucht jeder Insasse eines Fahrzeugs 2,43 Becherhalter? Darüber lohnt es sich nachzudenken.

Sicher, Amerikaner konsumieren wahrhaft erschütternde Mengen an Flüssigkeit. In einer unserer Tankstellen hier, habe ich gehört, wird ein künstlich aromatisiertes Gesöff namens Slurpee in Behältern bis zu eindreiviertel Litern verkauft. Es handelt sich dabei um eine widerwärtig süßliche Plörre, die einem die Zunge blau färbt. Aber selbst wenn jeder Insasse des Autos ein Slurpee *und* eine Flasche Magnesiamilch abstellen würde, mit der man die Nebenwirkungen bekämpfen muß, blieben drei Becherhalter leer.

Doch es gibt eine lange Tradition, das Innere amerikanischer Kraftfahrzeuge mit allem möglichen, Komfort bietenden Chichi auszustatten; der Überfluß an Becherhaltern ist wohl ein Auswuchs dieser Tradition.

Die Leute wollen, daß ihre Autos schön bequem sind, weil sie darin leben. Für fast vierundneunzig Prozent aller Privatfahrten wird das Auto benutzt. (In Großbritannien beträgt der Anteil etwa sechzig Prozent, was schon schlimm genug ist.) Hier fahren die Leute nicht nur zum Einkaufen generell mit dem Auto, sondern sogar von einem Laden zum anderen. Die meisten Geschäfte haben eigene Parkplätze. Wenn also jemand sechs Besorgungen machen muß, wird er bei einem einzigen Trip das Auto sechsmal bewegen, selbst um in zwei Läden zu gelangen, die einander gegenüberliegen.

In den Vereinigten Staaten gibt es zweihundert Millionen Autos – das sind vierzig Prozent der Gesamtzahl auf der Erde für etwa fünf Prozent der Weltbevölkerung –, und jeden Monat rollen zwei Millionen mehr vom Band. (Nicht wenige werden auch buchstäblich aus dem Verkehr gezogen). Trotzdem gibt es heute etwa doppelt so viele Autos in den USA wie vor zwanzig Jahren, und sie fahren auf doppelt so vielen Straßen und kommen gewiß auf doppelt so viele Fahrkilometer.

Ergo: Weil die Amerikaner viele Autos besitzen und viel Zeit darin verbringen, möchten sie es auch schön wohnlich haben. Es gibt freilich eine Grenze, bis zu der man ein Wageninneres mit allerlei Fisimatenten ausstaffieren kann. Was ist da besser, als es mit flotten Becherhaltern zu schmücken, besonders, wenn die Leute darauf stehen? Das ist jedenfalls meine Theorie.

Auf alle Fälle ist es ein gravierender Fehler, auf den Einbau von Becherhaltern zu verzichten. Vor einigen Jahren habe ich gelesen, daß Volvo genau deshalb alle seine Wagen für den hiesigen Markt umrüsten mußte. Die Ingenieure bei Volvo hatten dummerweise angenommen, daß die Käufer auf zuverlässige Motoren, Seitenaufprallschutz und heizbare Sitze Wert legen, in Wirklichkeit aber wollten sie nichts sehnlicher als kleine Halter, in die sie ihre Slurpees stecken konnten. Also setzte man zwei Burschen namens Nils Nilsson und Lars Larsson ans Werk, damit sie die Ausstattung mit Becherhaltern abrundeten, und Volvo wurde die Schande, nichts von Getränken zu verstehen, wenn nicht sogar der ökonomische Ruin, erspart.

Aus dem bisher Gesagten können wir eine wichtige Schlußfolgerung ziehen – einerlei, wie sehr man sich bemüht, eine Kolumne nur mit der Erörterung des Für und Wider von Becherhaltern zu füllen, ganz schafft man es nicht.

Aber ich kann Ihnen ja noch erzählen, warum ich zufällig weiß, daß die Jungs bei Volvo Nils Nilsson und Lars Larsson hießen.

Als ich vor etlichen Jahren in Stockholm war und eines Abends (es war nach neunzehn Uhr, müssen Sie wissen, und die Bürgersteige waren schon lange hochgeklappt) nichts Besseres zu tun hatte, vertrieb ich mir die Stunden bis zum Schlafengehen damit, in aller Muße das Telefonbuch der Stadt durchzublättern und verschiedene Namen zu zählen. Ich hatte gehört, daß es in Schweden nur eine Handvoll Familiennamen gibt, und im wesentlichen bestätigte sich das auch. Für Eriksson, Svensson, Nilsson und Larsson zählte ich jeweils mehr als zweitausend Eintragungen. Es gab so wenige Namen (oder die Schweden sind schlichtweg ungeheuer phantasielos), daß viele denselben gleich doppelt benutzten. Im Stockholmer Telefonbuch standen also zweihundertundzwölf Erik Erikssons, einhundertundsiebzehn Sven Svenssons, einhundertundsechsundzwanzig Nils Nilssons und zweihundertundneunundfünfzig Lars Larssons. Die Namen sowie die Anzahl notierte ich mir damals auf einem Zettel und überlegte in der Folgezeit immer mal wieder, wo ich Gebrauch davon machen konnte.

Womit wir, glaube ich, zwei weitere Lektionen lernen. Erstens: Bewahren Sie alle Papierschnipsel mit nutzlosen Informationen auf, denn eines Tages freuen Sie sich vielleicht darüber, und zweitens: Wenn Sie nach Stockholm fahren, nehmen Sie was zu trinken mit.

Ihre Steuererklärung erklärt

Sehr geehrte/r Steuerzahler/in! In der Anlage finden Sie Ihr Formular 1040-ES OCR »Geschätzte Steuern für Einkünfte aus freiberuflicher Tätigkeit«. Sie können dieses Formular benutzen, um Ihre Steuern für das Steuerjahr 1997 zu veranschlagen, *wenn:*

1. Sie Haushaltsvorstand sind *und* die Summe des Alters Ihrer Ehefrau und übrigen Familienangehörigen minus des Alters bestimmte Voraussetzung erfüllender Haustiere (siehe Verzeichnis 12G) durch eine ganze Zahl teilbar ist. (Benutzen Sie Ergänzungsformular 142C, falls Haustiere verstorben, jedoch auf Ihrem Grundstück begraben sind.)

2. Ihr brutto festgestelltes Einkommen Ihr festgestelltes Bruttoeinkommen nicht übersteigt (außer wo zutreffend) *und* Sie keine steuerpflichtigen Zinsen auf Dividendeneinkommen vor dem Jahre 1903 gezahlt haben.

3. Sie keine Befreiung wegen im Ausland gezahlter Steuern außer ausländischer Steuerbefreiung beantragen. (Achtung: eine Steuerbefreiung wegen im Ausland gezahlter Steuern für eine ausländische Steuerbefreiung zu beantragen, außer da, wo im Ausland Steuern entrichtet worden sind, wird mit einer Geldbuße von 125 000 Dollar oder fünfundzwanzig Jahren Haft geahndet.)

4. Sie zu einem der folgenden Personenkreise gehören: verheiratet und gemeinsam veranlagt; verheiratet und nicht gemeinsam veranlagt; nicht verheiratet und nicht gemeinsam veranlagt; gemeinsam, aber nicht veranlagt; andere.

Tippen Sie alle Antworten in Tinte mit einem Bleistift No 2. Kreuzen Sie nichts durch. Benutzen Sie weder Abkürzungen noch Wiederholungszeichen. Schreiben Sie »diverse« nicht falsch. Geben Sie Ihren Namen, Adresse und Sozialversicherungsnummer sowie Namen, Adresse und Sozialversicherungsnummer Ihrer Ehefrau und Angehörigen zweimal vollständig auf jeder Seite an. Versehen Sie ein Kästchen mit der Angabe »ankreuzen« nicht mit einem Häkchen, oder kreuzen Sie ein Kästchen mit der Angabe »Häkchen« nicht an, wenn Sie nicht wünschen, das Ganze noch einmal zu machen. Schreiben Sie in leere Spalten nicht »Leck mich«. Schwindeln Sie nicht.

Füllen Sie zuerst die Abschnitte 47 bis 52 aus, gehen Sie dann zu den Abschnitten mit den geraden Ziffern über, und füllen Sie diese in umgekehrter Reihenfolge aus. Benutzen Sie dieses Formular *nicht,* wenn Ihre Pensionen und Einkünfte aus Renten insgesamt höher sind als die im voraus in Anspruch genommenen Einkommenssteuerfreibeträge *oder* umgekehrt.

Unter »Einkommen« geben Sie an: alle Löhne, Gehälter, steuerpflichtige Nettoeinkommen aus ausländischen Quellen, Honorare, Trinkgelder, Sonderzuwendungen, steuerpflichtige Zinsen, Kapitalgewinne, Flugmeilen, spendierte halbe Biere sowie Geld, das Sie in den Sofapolstern gefunden haben. Wenn Sie Ihre Einkünfte vollständig oder teilweise, aber nicht in erster Linie, oder vollständig *und* teilweise, aber nicht in erster Linie aus anderen Ländern als den Vereinigten Staaten beziehen (falls unsicher, siehe Faltblatt USIA 212 W: »Länder, die nicht die Vereinigten Staaten sind«) *oder* wenn Ihr turnusmäßiges Bruttoeinkommen aus Formblatt H höher ist als Ihre Steuerbefreiung auf nichtsteuerpflichtige Nettozahlungen, müssen Sie eine beeidete Zedent-Indossant-Verzichtserklärung beifügen. Im Unterlassungsfalle wird das mit einer Geldbuße von 1 500 000 Dollar und der Beschlagnahme eines Kindes geahndet.

Im Abschnitt 890f führen Sie das gesamte Einkommen aus

landwirtschaftlicher Tätigkeit auf. (Falls keines vorhanden, nähere Erläuterungen beifügen.) Wenn Sie nach dem 1. Januar 1897 geboren und *nicht* verwitwet sind, fügen Sie außerordentliche Unfallverluste bei, und tragen Sie Rückstellungen für steuerliche Abschreibung in Zeile 27iii ein. Es ist auch die Anzahl der für den Export geschlachteten Puter aufzulisten. Ziehen, jedoch setzen Sie nicht ab Nettobruttodividende von anteiligen Zinszahlungen, multiplizieren Sie diese mit der Gesamtzahl der Treppenstufen in Ihrem Haus, und tragen Sie das Ergebnis in Zeile 356d ein.

In Verzeichnis F1001, Zeile c, listen Sie den Inhalt Ihrer Garage auf. Einschließlich aller elektrischen und nichtelektrischen Geräte in Verzeichnis 295D, jedoch ausschließlich der elektrischen und nichtelektrischen Geräte, die nicht auf dem Ergänzungsformular 243d aufgeführt sind.

Unter »Persönliche Angaben« spezifizieren Sie Posten für Posten alle Barausgaben von mehr als 1 Dollar und fügen Belege bei. Wenn Sie sich die Zähne haben richten lassen *und* keine Erstattung auf den staatlichen Ölverspritzfreibetrag beantragen, tragen Sie alle Ihre Schuhgrößen seit Geburt ein und fügen Belegschuhe bei (nur vom rechten Fuß). Multiplizieren Sie mit 1,5 oder 1,319 (je nachdem, was größer ist), und teilen Sie Zeile 3f durch 3d. In Abschnitt 912g tragen Sie staatliche Einkommenssubventionszahlungen für die Produktion von Alfalfa, Gerste (aber nicht Sorghum, es sei denn, für den persönlichen Verbrauch) und Okra ein, *unabhängig davon, ob Sie diese erhalten haben oder nicht.* Im Versäumnisfalle wird es mit einer Geldbuße von 3 750 000 Dollar und Tod durch Giftspritze geahndet.

Wenn Sie unterhaltspflichtige Kinder haben, die nicht zu Hause leben, oder unterhaltspflichtige Kinder, die zu Hause leben, aber kaum je dort sind, *und* Sie keine Befreiung für das Mieten von Schiffahrzeugen über 12 000 Tonnen Totgewicht (wenn Sie in Guam geboren sind, 15 000 Tonnen) beantragt haben, *müssen* Sie ein Schiffahrzeug-Befreiungsformular ausfüllen und beilegen. Im Unterlassungsfalle wird das mit einer Geldbuße von 111 000 000 Dollar und einem Atomschlag gegen ein kleines neutrales Land geahndet.

Auf den Seiten 924–926, Formblatt D, tragen Sie die Namen der Ihnen persönlich bekannten Personen ein, die Kommunisten sind oder Drogen nehmen. (Benutzen Sie zusätzliche Seiten, falls erforderlich.)

Wenn Sie Zinseinkünfte aus Sparkonten, Wertpapieren, Inhaberschuldverschreibungen, Depoteinlagen oder anderen treuhänderischen Instrumenten haben, jedoch Ihre Hutgröße *nicht* wissen, füllen Sie Ergänzungsformblätter 112d und 112f aus, und senden Sie alle relevanten Aufstellungen mit (Sie selbst müssen sich dazu nicht aufstellen). Geben Sie an, jedoch bündeln Sie nicht fortlaufende Verluste aus Bergwerksinvestitionen, Warentransaktionen oder Organtransplantationen, dividieren Sie diese mit der Gesamtzahl der Motelübernachtungen, die Sie 1996 getätigt haben, und fügen Sie sie in alle verbleibenden Spalten ein. Wenn Ihnen Aufwandsentschädigungen noch nicht erstattet worden sind, Ihr Pech!

Um Ihre geschätzte Steuer zu errechnen, addieren Sie die Zeilen 27 bis 964, subtrahieren Sie die Zeilen 45a und 699f aus Formblatt 2F (falls höher oder geringer als 2,2 % der durchschnittlichen geschätzten Mindeststeuer der letzten fünf Jahre), multiplizieren Sie diese mit der Zahl der Umdrehungen pro Minute, die Ihr Auto anzeigt, wenn es im Eis steckenbleibt, und addieren Sie 2. Falls Zeile 997 kleiner ist als 998, fangen Sie von vorn an. In die Spalte mit der Bezeichnung »Zu zahlende Steuer« schreiben Sie eine sehr große Zahl.

Stellen Sie einen Scheck aus, zahlbar an das »Finanzamt der Vereinigten Staaten von Amerika und die Republik, für die es steht«, zu Händen Patty. Vermerken Sie auf der Rückseite Ihres Schecks Ihre Sozialversicherungsnummer, Einkommenssteuernummer, Steuernummer-Revisionsnummer, Bundesfinanzamtregionalbüro-Unterabteilungsbereichsnummer *(falls Sie nicht eine T/45 Unterabteilung-Bereichsausschließung beantragt*

123

haben), sexuelle Orientierung und Rauchgewohnheiten (ob Raucher oder Nichtraucher), und schicken Sie ihn an:

Finanzamt der Vereinigten Staaten von Amerika
Steuerempfangs- und Orientierungszentrum
Gebäude D/Anbau G78
Suite 900
Inkassozone 12
Kiste 132677-02
Schublade 2, ungefähr Mitte hinten
Bundesstadt
Maryland 10001

Falls Sie zum Ausfüllen noch Fragen haben oder Hilfe bei der Abgabe brauchen, rufen Sie 1-800-BESETZT an. Danke schön. Wir hoffen, Sie haben 1998 ein erfolgreiches Geschäftsjahr. Im Versäumnisfalle wird das mit einer Geldbuße von 125 000 Dollar und einem langen Spaziergang zum Knast geahndet.

Warnung! Wer sich amüsiert, wird angezeigt

In einer der Kneipen hier in unserem schmucken, ordentlichen Städtchen steht seit neuestem plötzlich auf jedem Tisch ein Plastikständer mit bedrucktem Zettelchen. Normalerweise sollen einen ja solche Schilder animieren, eine Karaffe Piña Colada zum Sonderpreis zu bestellen oder die Wirtsleute Chip und Tiffany täglich zu ihrer gemütlichen Happy hour zu beehren.

Doch weit davon entfernt, zu derart hedonistischem Treiben aufzufordern, verkünden diese Schildchen: »Wir nehmen unsere Verantwortung für das Gemeinwesen ernst und schenken von nun an jedem Gast prinzipiell nur noch drei Getränke aus. Wir danken Ihnen für Ihr Entgegenkommen und Verständnis.«

Wenn man Ihnen in einer Kneipe (noch dazu in einer Universitätsstadt) erzählt, daß Sie nach nur drei mickrigen Fläschchen Bier gehen müssen, dann wissen Sie, da braut sich sozusagen was zusammen. Nicht etwa deshalb, weil die braven Bürger von Hanover über die Stränge geschlagen haben. Nein, es geht darum, daß sie sich vielleicht über das bescheidene Ausmaß hinaus amüsieren, das in diesem unserem schwierigen Zeitalter als gesellschaftlich akzeptabel erachtet wird.

Der amerikanische Essayist und Schriftsteller H. L. Mencken hat den Puritanismus einmal als die »alles beherrschende Angst« definiert, »daß irgend jemand irgendwo glücklich sein könnte«. Das war vor siebzig Jahren, aber es gilt heute noch. Wo immer Sie sich nun in den USA aufhalten, treffen Sie auf diese seltsame Art aufdringlicher Bevormundung, wofür diese idiotischen neuen Schilder in unserer Kneipe nur ein weiterer Beweis sind.

Dabei sind sie eh vollkommen überflüssig. Wenn einen nämlich ein amerikanischer Freund auf ein Bier einlädt, meint er genau das, habe ich zu meiner Bestürzung lernen müssen – ein Bier! Man nippt vornehm daran, bis es nach einer Dreiviertelstunde alle ist, und dann sagt der Freund: »Hey, das hat Spaß gemacht! Das müssen wir nächstes Jahr wiederholen.« Ich kenne niemanden – niemanden –, der so verwegen ist, bei einem Kneipenbesuch drei Getränke zu sich zu nehmen. Alle meine Bekannten rühren Alkohol kaum und Tabak nie an, meiden Cholesterin, als sei es HIV-positiv, joggen zweimal am Tag nach Kanada und zurück und gehen früh zu Bett. Das ist ja auch alles sehr vernünftig, und ich weiß, daß sie mich um Jahrzehnte überleben werden, aber Spaß bringt es nicht.

Heutzutage machen sich Amerikaner über die phantastischsten Dinge Sorgen. Filmbesprechungen in Zeitungen enden zum Beispiel fast immer mit einem Absatz, in dem aufgelistet wird, was der Zuschauer verstörend finden könnte – Gewalt, sexuelle Freizügigkeit, eine derbe Sprache und dergleichen. Prinzipiell scheint ja auch nichts dagegen einzuwenden zu sein, interessant ist nur, was die Zeitungen eines Kommentars für wert erachten. Neulich schloß die *New York Times* die Rezension eines neuen Chevy-Chase-Film mit dieser düsteren Warnung: »*Viva Las Vegas* wird eingestuft als Film, den Kinder nur in Begleitung Erwachsener sehen sollten. Außer sexuellen Anzüglichkeiten zeigt er Klapperschlangen und Glücksspiel.«

Ach ja, dann ist der wohl auch tabu.

Die *Los Angeles Times* warnt ihre Leser unterdessen, daß *Besser geht's nicht* eine »derbe Sprache und thematische Elemente« (was immer das ist) enthält, während bei *Mäusejagd* auf »schwere Körperverletzung, komische Sinnlichkeit und Sprache« hingewiesen wird. Weder derbe Sprache noch anzügliche Sprache, sondern schlicht und ergreifend »Sprache«. Mein Gott, ist denn das zu fassen? Sprache in einem Film! Ganz zu schweigen von schwerer Körperverletzung. Wenn ich daran denke, daß ich fast mit den Kindern hineingegangen wäre.

Kurz und gut, im Land herrscht eine riesige groteske Angst

vor fast allem. Die Buchläden und Bestsellerlisten sind voller Titel wie *Auf Abwegen nach Gomorrha* von Robert Bork, der so tut, als seien die Vereinigten Staaten am Rande eines katastrophalen Zusammenbruchs jeglicher Moral. Unter den buchstäblich Hunderten Übeln, die Bork Kummer bereiten, sind »die wütenden Kämpfer für Feminismus, Homosexualität, Umweltschutz und Tierrechte«. Bitte nein!

Dinge, die in anderen Ländern kaum ein Wimpernzucken hervorrufen, werden hier als gefährlich unmoralisch betrachtet. In Hartford, Connecticut, drohte man neulich einer Frau mit Verhaftung, weil ein Sicherheitsbeamter sie ertappt hatte, wie sie ihr Kind stillte – diskret mit einer Babydecke über der Schulter und der Welt den Rücken zukehrend, in ihrem Auto in einer abgelegenen Ecke eines Restaurantparkplatzes. Sie war aus dem Restaurant zu ihrem Auto gegangen, um das Baby zu stillen, weit weg von der Öffentlichkeit – aber offenbar nicht weit genug. Jemand mit einem Fernglas hätte ja erspähen können, was sie da trieb, und die Konsequenzen eines solchen Tuns für eine ordentliche, stabile Gesellschaft, na, die können Sie sich ja ausmalen.

In Boulder, Colorado, das eine der strengsten Antiraucherverordnungen der USA hat (d. h. wer qualmt, wird erschossen), drohte man derweil einem Schauspieler in einer Laienvorführung mit Arrest, weil er, Sie glauben es nicht, auf der Bühne während der Vorstellung eine Zigarette geraucht hatte, wie es seine Rolle erforderte. Das Rauchen ist heutzutage natürlich ein Kapitalverbrechen. Zündet man sich eine Zigarette an, wird man fast überall in den USA als Paria betrachtet. Erglüht sie in einem öffentlichen Gebäude, stürzt sich mit an Sicherheit grenzender Wahrscheinlichkeit eine Phalanx von Wachmännern auf den Missetäter.

Viele Staaten – Vermont und Kalifornien, um nur zwei zu nennen – haben Gesetze, nach denen es praktisch in allen Gebäuden, außer in Privathäusern, verboten ist zu rauchen, und oft sogar im Freien. Ich bin ja völlig dafür, daß man die Leute vom Rauchen abbringt, aber hier betreibt man es so exzessiv, daß es neurotisch, ja geradezu bedrohlich wird. Eine Firma in New Hampshire verfährt neuerdings dergestalt, daß jeder Angestellte, der im Verdacht steht, innerhalb der letzten fünfundvierzig Minuten, bevor er zur Arbeit kommt, eine Zigarette geraucht zu haben, mit Entlassung rechnen muß, selbst wenn er in der Privatheit seines eigenen Heims, in seiner eigenen Zeit ein staatlich genehmigtes Kraut geschmaucht hat.

Erstaunlich, daß selbst junge Menschen freiwillig auf Spaß verzichten. Eine der wunderlichsten Geschichten, die ich jüngst gelesen habe, stand im *Boston Globe*. Zwei Studentenverbindungen verbieten ab sofort alkoholische Getränke aller Art in ihren Verbindungshäusern.

Ja, schon wenn ein Student auf dem Gelände mit einer einzigen Dose Bier erwischt wird – unerachtet dessen, ob er von Alter und Gesetz her das Recht hat, sie zu besitzen und zu trinken –, wird er hinausgeschmissen. Und wagt man es im Verbindungshaus selbst, eine Veranstaltung zu organisieren, bei der auch nur ein Tropfen Sherry fließt, wird es umgehend geschlossen, ohne daß dagegen Widerspruch eingelegt werden kann.

In meiner Jugend bestanden Sinn und Zweck von Verbindungen einzig und allein darin, die amerikanischen Brauereien am Brummen zu halten. Die Qualität einer Verbindung wurde danach beurteilt, wie viele Bierleichen Samstag nachts auf dem Rasen lagen. Ich möchte nun keineswegs ungezügeltem Alkoholgenuß an Universitäten das Wort reden (natürlich doch, aber wir tun mal so, als ob nicht), die Meinung allerdings, daß die Jungs und Mädels bei der Abschlußfeier oder nach einem großen Footballsieg oder den Schlußexamina oder wann immer zum Teufel sie wollen, nicht ein paar Bier kippen dürfen, scheint mir absurd puritanisch.

Zu meiner Verblüffung waren bis auf eine Ausnahme alle Studenten, die in dem *Globe*-Artikel zitiert wurden, für die neue Regelung.

»Es wird Zeit, daß wir so verfahren«, sagte ein tugendhafter junger Studiosus vom Massachusetts Institute of Technology, der meiner Ansicht nach eine ordentliche Tracht Prügel bräuchte.

Bezeichnen Sie mich als herzlos, aber ich hoffe, der nächste Film, den er anschaut, enthält Szenen mit Klapperschlangen, Glücksspiel, thematischen Elementen und Sprache und verstört ihn nachhaltig. Geschähe ihm das nicht recht?

Staaten im Staat

Mein Vater, der wie alle Väter bisweilen für den Wettbewerb
»Größter Langweiler der Welt« zu üben schien, hatte, als ich
klein war, die Angewohnheit, auf jedem Highway, den wir ent-
langtuckerten, den Herkunftsstaat der Autos zu identifizieren
und uns den jeweiligen Namen nach hinten weiterzusagen.

Wie Sie sicher wissen, hat hier jeder Bundesstaat seine eigenen Nummernschilder, so daß man auf einen Blick sagen kann,
woher die Autos kommen. Was wiederum meinen Vater stets in
den Stand versetzte, treffsichere Bemerkungen zu landen wie
»He, noch ein Auto aus Wyoming. Das sind schon drei heute
morgen.« Oder »Mississippi. Ich frage mich, was der hier oben
will?« Dann sah er sich hoffnungsvoll um, ob sich einer von uns
frei assoziierend dazu auslassen wollte, aber das wollte nie
jemand, und er laberte in dem Stil weiter, oft den ganzen Tag.

In einem meiner Bücher habe ich mich ob der vielen interessanten und ungewöhnlichen Talente, die mein alter Herr hinter
dem Steuer entfaltete – in aller Gutmütigkeit –, lustig gemacht.
In jeder Stadt verfuhr er sich todsicher; durch eine Einbahn-
straße gondelte er so oft in der falschen Richtung, daß die Leute
schließlich aus den Häusern traten und uns von der Tür aus dabei zusahen; einen ganzen Nachmittag kurvte er in Sichtweite
um einen Vergnügungspark oder eine andere sehnlichst erwartete Attraktion, ohne daß er den Eingang fand. Eines meiner
halbwüchsigen Kinder las das Buch neulich zum erstenmal,
kam damit in die Küche, wo meine Frau kochte, und sagte voll
staunender Entdeckerfreude: »Aber das ist *Dad!*«, womit natürlich ich gemeint war.

Ja, ich muß es zugeben. Ich bin wie mein Vater geworden. Jetzt lese ich sogar schon Nummernschilder. Mein besonderes Interesse gilt allerdings den Slogans. Viele Staaten geben einem nämlich auf den Nummernschildern Zusatzinformationen wie »Das Land Lincolns« für Illinois, »Urlaubsland« für Maine, »Sonnenstaat« für Florida und das flott hirnrissige »Shore Thing« für New Jersey, das – klaro doch! »sure thing!« – eine lange Küste hat.

Ich mache auch gern Witze darüber. Wenn wir zum Beispiel »In Pennsylvania haben Sie einen Freund« sehen, drehe ich mich zu meinen Fahrgästen um und sage tief beleidigt: »Und warum ruft er dann nie an?« Aber ich bin der einzige, der das lustig findet und meint, es helfe, eine lange Fahrt auf dem Highway hinter sich zu bringen.

Spannend – na ja, vielleicht nicht gerade spannend, aber Fakt ist –, daß sich viele Staaten mit Slogans schmücken, die so gut wie nichts bedeuten. Ich habe nie verstanden, was Ohio sich dabei gedacht hat, als es sich für »Buckeye State – Roßkastanienstaat« entschied; und was New York mit »Empire State« ausdrücken will, ist mir ebenso schleierhaft. Meines Wissens hat der Staat zwar unbestritten viele Schönheiten, ist aber kein Imperium und hat keine überseeischen Besitzungen.

Indiana nennt sich dagegen »Hoosier State – Gefängniswärterstaat«, und zwar seit einhundertundfünfzig Jahren. Bisher hat noch niemand befriedigend erklären können, wieso und weshalb. (Wahrscheinlich interessiert es eh kein Schwein.) Doch ich kann Ihnen aus Erfahrung sagen, wenn man das in einem Buch erwähnt, schreiben einem zweihundertfünfzig Leute aus Indiana mit zweihundertfünfzig verschiedenen Interpretationen, aber dem einhelligen Verdikt, daß man ein Dummkopf ist, wenn man das nicht begreift.

Mit all dem will ich unsere wichtige Lektion für den Tag ankündigen, nämlich die, daß die Vereinigten Staaten weniger ein Land sind als vielmehr eine Ansammlung von fünfzig kleinen unabhängigen Staaten. Und Ihr Pech, wenn Sie das verges-

sen! Nach dem Unabhängigkeitskrieg wurde zwar eine Zentral-
regierung geschaffen, aber die bisherigen Kolonien trauten sich
gegenseitig nicht über den Weg. Damit sie als nunmehrige Bundesstaaten nicht aufmuckten, erhielten sie außergewöhnliche
Machtkompetenzen. Selbst heute noch haben sie in vielen, das
Privatleben ihrer Bürger betreffenden Bereichen das Sagen –
wo, wann und in welchem Alter man Alkohol trinken darf; ob
man eine Waffe tragen, Feuerwerkskörper besitzen oder legal
dem Glücksspiel frönen darf; wie alt man zum Autofahren sein
muß; ob man auf dem elektrischen Stuhl, durch eine Giftspritze
oder überhaupt nicht exekutiert wird und wie böse man sein
muß, um sich so in die Bredouille zu bringen, und dergleichen
mehr.

Wenn ich unsere Stadt Hanover verlasse und über den
Connecticut River reise, bin ich jählings bis zu fünfhundert vollkommen anderen Gesetzen unterworfen. Ich muß zum Beispiel
im Auto meinen Sicherheitsgurt anlegen, eine Genehmigung
einholen, wenn ich als Zahnarzt arbeiten will, und alle Hoffnung
fahren lassen, daß ich an der Straße Plakatwände aufstellen darf,
da Vermont einer von nur zwei Staaten ist, die Straßenwerbung
verbieten. Andererseits kann ich straffrei ein Gewehr am Körper tragen, und wenn ich wegen Trunkenheit am Steuer verhaftet werde, darf ich mich von Rechts wegen weigern, mir eine
Blutprobe abnehmen zu lassen.

Da ich mich aber ohnehin immer anschnalle, kein Gewehr
besitze und nicht den leisesten Wunsch verspüre (auch nicht für
sehr gutes Geld), anderen Leuten mit den Fingern im Mund
herumzufummeln, empfinde ich diese Gesetze nicht als Ein-
schränkung. Woanders jedoch können sich die Unterschiede
dramatisch, sogar gefährlich bemerkbar machen.

Die Bundesstaaten entscheiden, was in ihren Schulen unterrichtet oder nicht unterrichtet wird, und in vielen Gegenden,
besonders im tiefen Süden, müssen sich die Lehrpläne nach
sehr engstirnigen religiösen Überzeugungen richten. In Alabama zum Beispiel ist es verboten, die Evolution als etwas an-

deres denn als »nicht bewiesenen Glauben« zu lehren. In allen Biologiebüchern muß eine Gegendarstellung folgenden Inhalts stehen: »In diesem Schulbuch wird die Evolution behandelt, eine kontroverse Theorie, die manche Wissenschaftler als wissenschaftliche Erklärung für die Entstehung der Arten präsentieren.« Die Lehrer sind gesetzlich gezwungen, die Auffassung, daß die Erde in sieben Tagen erschaffen worden und alles darauf – Fossilien, Kohlenflöze, Dinosaurierknochen – nicht älter als siebentausendfünfhundert Jahre alt ist, gleichrangig zu behandeln. Ich weiß nicht, was Alabama auf seine Nummernschilder schreibt. Aber »Stolz, rückständig zu sein« scheint mir angemessen.

Ich sollte den Mund nicht zu voll nehmen, denn auch New Hampshire hat ein paar reichlich reaktionäre Gesetze. Es ist der einzige Staat, der sich weigert, den Martin-Luther-King-Tag zu begehen (King hat sich mit Kommunisten eingelassen, müssen Sie wissen), und einer der wenigen, der Homosexuellen nicht wenigstens ein paar grundsätzliche Rechte einräumt. Schlimmer noch, New Hampshire hat einen total abartigen Nummernschildslogan, das seltsam kämpferische »Lebe frei oder stirb!«. Vielleicht nehme ich es zu wörtlich, aber ich fahre wirklich nicht gern durch die Gegend mit dem ausdrücklichen Schwur, mir die Kugel zu geben, wenn es mal nicht so läuft. Mir wäre etwas Vageres und weniger Endgültiges lieber – »Lebe frei oder ärgere dich!« vielleicht oder »Wenn es dir nichts ausmacht, lebe frei. Schönen Dank und auf Wiedersehn!«

Andererseits ist New Hampshire der einzige Staat, in dessen Verfassung das Recht des Volkes verankert ist, sich zu erheben und die Regierung zu stürzen. Ich habe gewiß nicht die Absicht, von diesem Recht Gebrauch zu machen, aber es in der Hinterhand zu haben ist doch ein gewisser Trost, besonders wenn sie anfangen, in unseren Schulbüchern herumzupfuschen.

Der Krieg gegen die Drogen

Neulich hat mir ein alter Freund in Iowa erzählt, wenn man in meinem Heimatstaat im Besitz einer winzigen Menge LSD erwischt wird, muß man mit einer Gefängnisstrafe von nicht unter sieben Jahren rechnen und darf auch nicht auf Bewährung entlassen werden.

Einerlei, daß man vielleicht erst achtzehn Jahre alt ist und sich bisher nie etwas hat zuschulden kommen lassen; egal, daß einem ein solches Urteil das Leben ruiniert und es den Staat fünfundzwanzigtausend Dollar pro Jahr kostet, um einen hinter Gitter zu halten. Auch unerheblich, daß man nicht einmal wußte, daß man LSD hatte – daß ein Freund es einem ins Handschuhfach des Autos gelegt oder vielleicht bei einer Party gesehen hat, daß die Polizei durch die Tür kommt und es einem in die Hand gedrückt hat, bevor man noch Zeit hatte zu reagieren. Mildernde Umstände gelten hier nicht. Wir befinden uns in den Vereinigten Staaten in den neunziger Jahren des zwanzigsten Jahrhunderts, und wenn es um Drogen geht, gibt es kein Pardon. Tut mir leid, aber so ist es. Der Nächste bitte.

Die Brutalität, mit der man in den Vereinigten Staaten nun Drogenbenutzer verfolgt, kennt keine Grenzen. In fünfzehn Staaten kann man zu lebenslanger Haft verurteilt werden, wenn man eine einzige Marihuanapflanze besitzt. Newt Gingrich, Sprecher des Repräsentantenhauses, hat jüngst vorgeschlagen, daß jeder, der auch nur zwei Unzen Marihuana, das sind 56,70 Gramm, in die Vereinigten Staaten einführt, ohne Möglichkeit der vorzeitigen Entlassung lebenslang eingesperrt und jeder, der mehr mitbringt, hingerichtet werden soll. Eine dementsprechende Gesetzesvorlage wird im Moment im Kongreß behandelt.

Laut einer Studie aus dem Jahr 1990 wurden neunzig Prozent aller Ersttäter bei Drogenmißbrauch von Bundesgerichten zu durchschnittlich fünf Jahren Gefängnis verurteilt. Im Gegensatz dazu wurden Gewaltverbrecher, ebenfalls Ersttäter, weniger häufig eingesperrt und erhielten Haftstrafen von durchschnittlich vier Jahren. Man wandert also eher in den Knast, wenn man im Besitz einer illegalen Droge erwischt wird, als wenn man eine alte Dame die Treppe hinunterschubst. Sie können ruhig sagen, ich spinne, aber da scheint mir doch die Verhältnismäßigkeit der Mittel nicht gewahrt zu sein.

Verstehen Sie mich bitte recht, es liegt mir auch nicht im entferntesten daran, dem Gebrauch von Drogen das Wort zu reden. Ich bin mir bewußt, daß man sich mit Drogen ganz gewaltig kaputtmachen kann. Ich habe einen alten Schulkameraden, der ungefähr im Jahre 1977 einen LSD-Trip zuviel gemacht hat und seitdem auf der Veranda seiner Eltern im Schaukelstuhl sitzt, seine Handrücken untersucht und in sich hineingrinst. Ich weiß, was Drogen anrichten können. Ich kann mich nur noch nicht zu der Überzeugung durchringen, daß man jemandem vom Leben zum Tode befördern sollte, weil er eine Dummheit begangen hat.

Nur wenige meiner Landsleute stimmen mir da zu. Es ist der klare und inbrünstige Wunsch der meisten US-Bürger, Drogenkonsumenten und -dealer hinter Gitter zu bringen, und um das zu erreichen, sind sie bereit, fast jeden Preis zu zahlen. Die Leute in Texas stimmten kürzlich gegen einen Vorschlag, für siebenhundertfünfzig Millionen Dollar neue Schulen zu bauen, billigten aber mit überwältigender Mehrheit einen Beschluß, für eine Milliarde Dollar neue Knäste einzurichten, hauptsächlich für Leute, die wegen Drogenvergehens verurteilt worden sind.

Seit 1982 hat sich die Zahl der Gefängnisinsassen in den Vereinigten Staaten fast verdoppelt. 1 630 000 Menschen sitzen hier hinter Gittern. Und sechzig Prozent aller Gefangenen sind nicht wegen Verbrechen gegen Leib und Leben inhaftiert, sondern wegen Drogendelikten. Die Strafanstalten sind vollgestopft mit nicht gewalttätigen Kleinkriminellen, deren Problem eine Schwäche für illegale Rauschmittel ist.

Weil die meisten Drogensünder Strafen verbüßen, die nicht zur Bewährung ausgesetzt werden können, müssen andere Gefangene früher entlassen werden, um all den hereinströmenden, neu des Drogenmißbrauchs überführten Massen Platz zu machen. Folglich brummt der rechtskräftig verurteilte Mörder in den Vereinigten Staaten nun im Durchschnitt weniger als sechs Jahre ab und der Vergewaltiger durchschnittlich fünf. Und wenn sie wieder draußen sind, haben sie sofort Anspruch auf Sozialfürsorge, Essensmarken und andere staatliche Hilfen. Entlassenen Drogensündern wird die Unterstützung, einerlei, wie verzweifelt ihre Lebensumstände sind, bis zum Ende ihrer Tage verweigert.

Bis dahin macht man ihnen das Dasein aber noch so schwer man kann. Mein Freund in Iowa hat einmal wegen eines Drogenvergehens vier Monate in einem staatlichen Gefängnis verbracht. Vor fast zwanzig Jahren. Er hat seine Zeit abgesessen und ist seitdem vollkommen clean. Als er sich neulich um einen Job als Aushilfe bei der Post bewarb (zum Briefe sortieren) – wohlgemerkt, als einer von vielen in der Armee von Zeitarbeitern, die jedes Jahr eingestellt werden, um der Weihnachtspostberge Herr zu werden –, hat er nicht nur den Job nicht bekommen, sondern auch etwa eine Woche später eine gerichtliche Abmahnung, in der man ihm mit Strafverfolgung drohte, weil er auf seiner Bewerbung nicht angegeben hatte, daß er wegen eines schweren Drogenverbrechens vorbestraft sei.

Die Post hatte sich wahrhaftig die Mühe gemacht, jemanden auf Vorstrafen wegen Drogenmißbrauchs hin zu überprüfen, der sich für einen Aushilfsjob bewarb und Briefe sortieren wollte. Offenbar tut sie das routinemäßig – aber nur bei Drogengeschichten. Hätte mein Freund vor fünfundzwanzig Jahren seine Großmutter umgebracht und seine Schwester vergewaltigt, hätte er den Job sicher gekriegt.

Es kommt aber noch dicker. Der Staat kann Ihr Haus konfiszieren, wenn darin ein Drogenvergehen begangen wurde, selbst wenn Sie davon nichts wußten. Die Zeitschrift *Atlantic Monthly* berichtete vor kurzem, daß sich in Connecticut eine Staatsanwältin namens Leslie C. Ohta einen Namen machte, indem sie den Besitz beinahe eines jeden einziehen ließ, der auch nur am Rande mit einem Drogendelikt zu tun gehabt hatte – unter anderem bestrafte sie so ein über achtzig Jahre altes Ehepaar, dessen Enkel beim Marihuanadealen ertappt worden war. Das Paar hatte nicht etwa mitgedealt (lassen Sie mich wiederholen: Sie waren beide weit über achtzig), sondern natürlich keine Ahnung, daß der Enkel Gras im Haus hatte. Trotzdem verloren die alten Leutchen ihr Haus.

(Kurz danach wurde Ohtas eigener achtzehnjähriger Sohn verhaftet, weil er LSD aus dem Auto seiner Mutter und angeblich auch Drogen in ihrem Haus verkauft hatte. Und hat die liebenswerte Ms. Ohta ihr Haus und ihr Auto eingebüßt? Von wegen! Sie wurde nur auf einen anderen Posten versetzt.)

Das Traurigste an dieser fanatischen Rachsucht ist, daß sie absolut nichts bewirkt. Die USA geben im Jahr fünfzig Milliarden Dollar für den Kampf gegen Drogen aus, und trotzdem werden immer mehr konsumiert. Hilflos mit ihrem Latein am Ende, sorgt die Regierung für immer drakonischere Gesetze, und wir befinden uns nun in der haarsträubenden Situation, daß der Sprecher des Repräsentantenhauses allen Ernstes vorschlagen kann, Menschen hinzurichten – sie auf eine Bahre zu schnallen und abzumurksen –, weil sie das pflanzliche Äquivalent von zwei Flaschen Wodka besitzen. Und keiner äußert auch nur die zaghaftesten Bedenken.

Ich dagegen habe gleich zwei Problemlösungsvorschläge parat. Erstens würde ich es zu einer strafbaren Handlung erklären, Newt Gringrich zu sein. Das würde das Drogenproblem nicht verringern, aber mir persönlich ginge es gleich viel besser. Dann würde ich den Großteil der fünfzig Milliarden Dollar nehmen und sie für Rehabilitation und Prävention ausgeben.

Ich würde zum Beispiel die Kids in Bussen zu meinem alten Schulkameraden in Iowa karren. Nach einem Blick auf ihn wären sie garantiert so geschockt, daß sie Drogen gar nicht mehr erst probieren würden, und es wäre ganz gewiß weniger brutal und sinnlos, als sie alle für den Rest ihres Lebens einzuknasten.

Warum niemand mehr zu Fuß geht

Was ich Ihnen jetzt erzähle, bleibt strikt unter uns. Versprochen? Also: Nicht lange, nachdem wir hierhergezogen waren, haben wir die Leute neben uns zum Abendessen eingeladen, und – ich schwöre, es stimmt! – sie sind mit dem Auto vorgefahren.

Ich war total verblüfft und weiß noch, daß ich mich scherzhaft erkundigte, ob sie für den Weg zum Supermarkt ein Leichtflugzeug benutzten. (Das hatte aber nur verständnislose Blicke zur Folge, und in Gedanken haben sie sicher meinen Namen von allen zukünftigen Einladungslisten gestrichen.) Heute weiß ich, es war gar nicht komisch, daß sie die weniger als hundert Meter bis zu uns mit dem Auto zurücklegten. In den Vereinigten Staaten geht nämlich niemand mehr zu Fuß.

Ein Forscher an der University of California in Berkeley untersuchte kürzlich die Laufgewohnheiten der Nation und kam zu dem Schluß, daß fünfundsechzig Prozent der Bewohner in den Vereinigten Staaten eine »im wesentlichen« sitzende und fünfunddreißig eine »vollkommen« sitzende Lebensweise haben. Der Durchschnittsbürger geht weniger als einhundertundzwanzig Kilometer im Jahr zu Fuß – etwas mehr als zwei Kilometer in der Woche, kaum dreihundert Meter am Tag. Trägheit ist auch mir nicht fremd, aber das finde ich doch entsetzlich wenig. Da reiße ich schon mehr Kilometer herunter, wenn ich nur die Fernbedienung für die Glotze suche.

Als wir in die USA zogen, wollten wir gern in eine Stadt, in der die Läden in Laufweite waren. Hanover, wo wir uns nun niedergelassen haben, ist eine angenehm gemächliche, typische kleine Universitätsstadt in Neuengland, und man hat alles am

Ort. Eine große Parkanlage, eine altmodische Hauptstraße, hübsche Universitätsgebäude mit weiten Rasenflächen und grüne Wohnstraßen. Kurz und gut, es ist ein reizendes Städtchen, in dem man nett spazierengehen kann, und fast alle Einwohner wohnen so, daß sie zu den Läden nicht länger als fünf Minuten laufen müssen. Doch soweit ich sehe, läuft keiner.

Wenn ich nicht verreist bin, gehe ich fast jeden Tag ins Zentrum. Entweder zur Post oder zur Bücherei oder in unseren Buchladen, und wenn ich mich besonders kosmopolitisch fühle, besuche ich Rosey Jekes Café und gönne mir einen Cappuccino. Alle paar Wochen suche ich den Friseursalon auf und lasse einen von den Jungs dort etwas Unbesonnenes und Dynamisches mit meinen Haaren anstellen. All das nimmt einen Großteil meines Lebens in Anspruch, und ich würde nicht im Traum daran denken, es anders als zu Fuß zu erledigen. Mittlerweile haben sich die Leute an mein kurioses, exzentrisches Verhalten gewöhnt, aber am Anfang fuhren die Nachbarn langsam an den Bordstein und fragten, ob sie mich mitnehmen sollten.

»Ich fahre in Ihre Richtung«, erwiderten sie immer, wenn ich höflich ablehnte. »Wirklich, das macht keine Mühe.«

»Aber ich gehe gern zu Fuß.«

»Na, wenn Sie meinen«, sagten sie dann und fuhren zögernd, ja sogar schuldbewußt weiter, als begingen sie Fahrerflucht.

Die Leute hier haben es sich derartig angewöhnt, stets das Auto zu benutzen, daß sie nie auf die Idee kommen würden, mal ihre Beine in Bewegung zu setzen und zu sehen, was die alles können. Manchmal ist es geradezu grotesk. Neulich war ich in der kleinen Stadt Etna hier in der Nähe und wartete auf eines meiner Kinder, das ich von der Klavierstunde abholen wollte. Da hielt ein Auto vor der Post, und ein Mann in etwa meinem Alter sprang heraus, eilte hinein und ließ den Motor laufen – auch etwas, das mich immer auf die Palme bringt. Nach ungefähr drei oder vier Minuten kam er wieder heraus, stieg in den Wagen und fuhr genau vier Meter achtzig (da ich nichts Besseres zu tun hatte, habe ich es abgeschritten) zum Tante-Emma-

Laden daneben, lief wieder hinein und stellte den Motor natürlich wieder nicht ab.

Dabei sah der Mann total fit aus. Ich bin sicher, er joggt kilometerlange Strecken, spielt Squash und macht allerlei irrsinnig gesunde Dinge. Aber ich bin genauso sicher, daß er zu all diesen Aktivitäten mit dem Auto fährt. Es ist verrückt. Neulich klagte eine Bekannte von uns über die Schwierigkeit, vor der hiesigen Sporthalle einen Parkplatz zu finden. Sie geht mehrere Male die Woche dorthin, um auf einem Laufband zu joggen. Die Sporthalle ist allerhöchstens sechs Minuten Fußweg von ihrer Haustür entfernt. Ich fragte sie, warum sie nicht zu Fuß dorthin gehe und sich sechs Minuten weniger auf dem Laufband schinde.

Woraufhin sie mich anschaute, als sei ich ein tragischer Fall von Minderbemitteltheit, und sagte: »Aber ich habe ein Programm für das Laufband. Es zeichnet die zurückgelegte Strecke und die Geschwindigkeit auf, und ich kann es auf verschiedene Schwierigkeitsgrade einstellen.« Wie gedankenlos und unzulänglich die Natur in dieser Hinsicht ist, war mir bis dato noch gar nicht aufgefallen.

Laut einem besorgten und leicht entsetzten Leitartikel im *Boston Globe* geben die Vereinigten Staaten weniger als ein Prozent ihres jährlich fünfundzwanzig Milliarden Dollar umfassenden Straßenbaubudgets für Fußgängereinrichtungen aus. Mich überrascht, daß es so viel ist. Geht man durch die in den letzten dreißig Jahren entstandenen städtischen Vororte – und man kann unter Tausenden wählen –, findet man fast nirgendwo einen Bürgersteig. Oft nicht einmal einen einzigen Fußgängerüberweg. Und ich übertreibe nicht.

Letzten Sommer mußte ich das wieder einmal am eigenen Leibe erleben, als wir durch Maine fuhren und in einer dieser endlosen Anlagen mit Einkaufszentren, Motels, Tankstellen und Fast-food-Buden, die heutzutage überall in den USA aus dem Boden schießen, einen Kaffee trinken wollten. Als ich auf der anderen Staßenseite eine Buchhandlung sah, beschloß ich, den

Kaffee zu lassen und hinüberzuspringen. Ich brauchte ein bestimmtes Buch und wollte meiner Frau die Chance geben, ein wenig wertvolle Freizeit mit ihren vier widerspenstigen, aufgedrehten Sprößlingen zu verbringen.

Obwohl der Buchladen nicht weiter entfernt war als fünfzehn, zwanzig Meter, gab es keine Möglichkeit, ihn zu Fuß zu erreichen. Eine Abfahrt für Autos war da, aber keinerlei Weg für Fußgänger, das heißt, keine Chance, die dreispurige Staße zu überqueren, ohne daß man hakenschlagend durch rasch fließenden Verkehr springen mußte. Ich mußte ins Auto steigen und hinüberfahren! Ich ärgerte mich und fand es lächerlich, doch hinterher begriff ich, daß ich vermutlich der einzige Mensch war, der je in Erwägung gezogen hatte, diese Kreuzung zu Fuß zu überwinden. Tatsache ist, Amerikaner laufen nicht nur nirgendwohin, sondern sie wollen es auch nicht, und wehe dem, der versucht, sie dazu zu bringen!

Die Stadt Laconia hier in New Hampshire mußte das aus bitterer Erfahrung lernen. Vor ein paar Jahren gab sie fünf Millionen Dollar dafür aus, das Stadtzentrum mit einer Fußgängerzone auszustatten, in der man schön einkaufen konnte. Ästhetisch war es ein voller Erfolg – von überall her strömten die Stadtplaner herbei, staunten und machten Fotos –, aber kommerziell war es eine Katastrophe. Als die Leute gezwungen waren, vom Parkplatz aus einen ganzen Block zu laufen, kamen sie nicht mehr in die Innenstadt, sondern gingen in die Einkaufszentren am Stadtrand.

1994 grub Laconia die hübsche Ziegelsteinpflasterung aus, nahm die Ruhebänke und Geranienkübel und schmucken Bäume weg und legte die Straße wieder dort an, wo sie vorher gewesen war. Nun, da die Leute erneut unmittelbar vor den Läden parken können, gehen die Geschäfte prächtig. Und wenn das nicht traurig ist, weiß ich nicht, was es ist.

Gärtnern mit meiner Frau

Ich muß mich beeilen, denn heute ist Sonntag und das Wetter herrlich, und Mrs. Bryson nimmt ein großes ehrgeiziges Gartenbauprojekt in Angriff. Schlimmer noch: Sie trägt, was ich ängstlich ihre Nike-Miene nenne – die Miene, die mir sagt: »Just do it.«

Verstehen Sie mich bitte nicht falsch. Mrs. Bryson ist ein selten reizendes Geschöpf, und ich brauche weiß Gott jemanden, der mein Leben ein wenig strukturiert und den Überblick behält, aber wenn sie am Wochenende Block und Stift zückt und die gefürchteten Worte »Bitte erledigen« darauf schreibt (und mehrmals heftig unterstreicht), dann weiß ich, daß ich bald nichts sehnlicher wünsche, als daß es Montag wird.

Ich liebe den Garten – aus irgendeinem Grunde kommt mir die Kombination von geistlosem Vor-sich-Hinwerkeln und beharrlichem Ausbuddeln von Würmern entgegen –, aber ich reiße mich, ehrlich gestanden, nicht darum, mit meiner Frau zu gärtnern. Sie ist nämlich Engländerin, und wenn sie mich fragt: »Hast du die Stecklinge der *Dianthus chinensis* gesetzt?« oder »Hast du auch daran gedacht, die vergreisten Teile an dem *Phlox subulata* herauszuschneiden?«, dann bin ich schon immer ganz eingeschüchtert.

Es ist typisch britisch und – schrecklich. Furchterregend! Selbst jetzt erinnere ich mich noch, wie erstaunt ich war, als ich in England zum erstenmal *Gardeners' Question Time,* die Fragestunde für den Gartenfreund auf BBC, gehört habe und zu meinem geheimen Entsetzen begriff, daß ich unter ein Volk gefallen war, das sich nicht nur bestens bei echtem und falschem Mehltau, Pfirsichblatt-Kräuselkrankheit, optimalem pH-Wert oder dem Unterschied zwischen *Coreopsis verticillata* und *Coreopsis grandiflora* auskannte, sondern das Ganze auch noch todernst nahm – ja, eine tiefe Befriedigung darin fand, über solche Themen lange und lebhafte Diskussionen zu führen.

Ich komme aus einer Gegend, wo es heißt, man hat einen grünen Daumen, wenn man einen Kaktus auf dem Fenstersims am Leben erhält; meine Herangehensweise an die Gärtnerei ist also seit jeher weniger akademisch. Ich verfahre nach folgender – übrigens gut funktionierender Methode: Alles, was bis zum August nicht geblüht hat, wird als Unkraut behandelt, der Rest mit Knochenmehl, Schneckenkörnern und was ich sonst noch im Gartenschuppen herumliegen sehe, eingedeckt. Ein-, zweimal im Sommer kippe ich den Inhalt sämtlicher Behälter mit einem Schädel und verkreuzten Knochen auf dem Etikett in einen Sprühkanister und neble den Garten ordentlich ein. Die Methode ist unorthodox, und ich gebe gerne zu, daß ich gelegentlich einem jäh umstürzenden Baum, der auf meine Fürsorge nicht anspricht, aus dem Wege springen muß, aber im allgemeinen ist sie erfolgreich, und ich habe einige interessante, neuartige Mutationseffekte erzielt, wie zum Beispiel einmal einen Zaunpfahl zum Fruchttragen gebracht.

Jahrelang und besonders, als die Kinder noch klein waren und allen möglichen Unfug anstellten, hat meine Frau mir den Garten überlassen. Ab und zu trat sie heraus und fragte, was ich da machte. Aber genau dann, wenn ich gestehen mußte, daß ich ein paar unkrautähnlich aussehende Gewächse mit einer unbekannten pulvrigen Stubstanz bestäubte, die ich in der Garage gefunden hatte, und die, da war ich einigermaßen sicher, entweder Stickstoff oder Mörtel war, kamen gottlob die Kinder aus dem Haus gerannt und verkündeten, daß Klein-Jimmys Haare in Flammen standen oder Ähnliches. Jedenfalls mußte meine bessere Hälfte, derart abgelenkt, ins Haus zurückstürmen, und ich konnte in aller Ruhe mit meinen Experimenten fortfahren. Es war ein gutes Arrangement, und unsere Ehe blühte und gedieh.

Doch seit die Kinder so groß sind, daß sie sich selbst um ihre Schädelfeuersbrünste kümmern können, und wir in den USA leben, taucht Mrs. B. ständig hier draußen bei mir auf. Das heißt, ich bei ihr, denn offenbar habe ich längst die Nebenrolle übernommen, die im wesentlichen beinhaltet, im Trab die Schubkarre herbei- oder wegzubringen. Ich war ein passionierter Gärtner, jetzt bin ich Rikschaboy.

Aber das Gärtnern ist hier ohnehin anders als in England. In Großbritannien ist die Natur mild und fruchtbar. Eigentlich ist das ganze Land ein Garten. Das sieht man ja daran, wie an den Straßenrändern die wilden Blumen sprießen und sich allüberall auf den Auen wiegen. Die Landwirte müssen sie sogar vernichten. (Also, sie müssen nicht, aber sie machen es verdammt gern.) In den Vereinigten Staaten will die Natur instinktiv eine Wildnis sein. Hier gibt es dreizackige Blattgewächse, die von allen Seiten her angekrochen kommen und ständig mit Säbeln und Macheten zurückgehackt werden müssen. Ich bin überzeugt, wenn wir einen Monat lang weg wären, würden wir bei unserer Rückkehr feststellen, daß die Pflanzen das Haus geentert und in die Wälder verschleppt haben, um es dort langsam, aber sicher zu verschlingen.

Die Gärten hier bestehen meist aus Rasen, und die Rasen sind meist groß. Was bedeutet, daß man sein Leben lang mit der Harke zugange ist. Im Herbst fallen alle Blätter auf einmal mit einem einzigen großen Plumps herunter – in einer Art vegetativem Massenselbstmord –, und man verbringt etwa zwei Monate damit, sie zu Haufen zusammenzurechen, während der Wind sich nach Kräften bemüht, sie wieder dorthin zurückzubefördern, wo sie waren. Man recht und recht, karrt das Laub in den Wald, hängt dann den Rechen an die Wand und geht für die nächsten sieben Monate ins Haus.

Aber kaum hat man den Blättern den Rücken zugekehrt, schleichen sie sich wieder an. Ich weiß nicht, wie sie das schaffen, aber wenn man im Frühling aus dem Haus tritt, sind sie, knöcheltief über den Rasen verteilt, alle wieder da und ersticken

Dornenbüsche und verstopfen Abflußrohre. Also recht man sie in wochenlanger schweißtreibender Fron erneut zusammen und karrt sie in die Wälder. Wenn man den Rasen dann endlich picobello in Ordnung hat, hört man einen lauten Plumps, und begreift, daß es wieder Herbst ist. Ach, es ist entmutigend!

Und um alldem die Krone aufzusetzen, hat meine liebe Frau nun plötzlich an sämtlichen, den häuslichen Gartenbau betreffenden Tätigkeiten ein überwältigendes Interesse entwickelt. Es ist mein Fehler, muß ich zugeben. Letztes Jahr habe ich den Rasensprenger mit einer selbstangerührten Mixtur gefüllt – hauptsächlich aus Dünger, Moosvernichter, Kaninchenfutter (anfangs aus Versehen, aber dann dachte ich: »Was soll's?« und warf den Rest auch noch dazu) – und mit einem Spritzer von etwas Kräftigem namens Buprimat oder Triforin versetzt. Zwei Tage später erglühte der Rasen vor dem Haus in solch faszinierenden, unverwüstlich leuchtenden orangefarbenen Streifen, daß die Leute von überall her kamen und es sich ansahen. Nun befinde ich mich also in einer Art permanenter Probezeit.

Apropos, Probezeit, ich muß gehen. Ich habe soeben das harte, klinische Flappen vernommen, wie Gartenhandschuhe angezogen werden, und das unheilverkündende Geräusch, wie Metallwerkzeuge von ihren Haken genommen werden. Jetzt ist es nur noch eine Frage der Zeit, bis ich den Befehl höre: »Los, bring die Schubkarre – aber ein bißchen dalli!« Und wissen Sie, was ich bei alldem am meisten hasse? Daß ich auch noch diesen blöden Kulihut aufsetzen muß.

Warum sich alle Sorgen machen

Das muß ich Ihnen erzählen! Im Jahre 1995 haben nach Angaben der *Washington Post* Hacker einhunderteinundsechzigtausendmal die Sicherheitssysteme des Pentagon geknackt. Im Klartext: Sie sind achtzehnmal pro Stunde rund um die Uhr, einmal alle 3,2 Minuten, illegal eingedrungen.

Ach, ich weiß, was Sie jetzt sagen. Daß so was jeder gigantischen Verteidigungsmacht passiert, die das Schicksal der Erde in Händen hält. Wenn man ein so gewaltiges Atomwaffenarsenal anlegt, ist es doch ganz normal, daß die Leute da mal hineingehen, sich ein wenig umschauen und vielleicht ausprobieren wollen, was die Knöpfe mit der Bezeichnung »Zünden« und »Alarmstufe Rot« bedeuten. Das liegt doch in der menschlichen Natur.

Aber Erbarmen mit dem Pentagon! Es hat schon so viel am Hals, wo es doch all die verschüttgegangenen Aufzeichnungen aus dem Golfkrieg suchen und finden muß. Ich weiß nicht, ob Sie davon gelesen haben, aber das Pentagon hat einhundertvierundsechzig der zweihundert Seiten offizieller Berichte seines kurzen, aber aufregenden Wüstenabenteuers verlegt – nein, verloren. Die Hälfte der fehlenden Dateien ist offenbar gelöscht worden, als – ich wünschte, ich hätte mir das ausgedacht, aber ich habe es nicht – ein Ofifzier im Oberkommando ein paar Videospiele falsch in einen Militärcomputer geladen hat. Die anderen sind ... na ja, perdu. Man weiß lediglich, daß zwei Packen ins Hauptquartier in Florida geschickt wurden und nun unauffindbar sind (waren wohl wieder die Reinemachefrauen), und ein drittes Set wurde auf einem Stützpunkt in Maryland irgendwie »aus einem Safe verloren«, was angesichts der Umstände ausgesprochen logisch erscheint.

Um dem Pentagon Gerechtigkeit widerfahren zu lassen – dort war man zweifellos von der beunruhigenden Tatsache abgelenkt, daß die Berichte, die die CIA immer liefert, sehr zu wünschen übrig lassen. Kürzlich wurde nämlich publik, daß die CIA trotz der Mordsausgaben von zwei Milliarden Dollar pro Jahr allein für die Überwachung der Sowjetunion den Zusammenbruch des Landes nicht vorhergesehen hat – ja, soweit ich weiß, versucht sie immer noch durch ihre Mittelsmänner im McDonald's in Moskau das dahingehende Gerücht zu bestätigen. Da war das Pentagon verständlicherweise genervt. Ich meine, wie kann man von den Leuten erwarten, den Überblick über ihre Kriege zu behalten, wenn sie keine zuverlässigen Berichte vom Außendienst bekommen?

Die CIA ihrerseits war gewiß durch die Nachricht abgelenkt – und ich muß wieder betonen, daß ich nichts davon erfinde –, daß das FBI jahrelang einen seiner Agenten, Aldrich Ames, filmte, wie er mit berstenden Aktenmappen in die sowjetische Botschaft in Washington hineinspazierte und mit leeren Händen wieder herauskam. Bloß kriegte es nie spitz, was er da im Schilde führte. Es wußte, daß Ames CIA-Mann war, wußte, daß er der sowjetischen Botschaft regelmäßig Besuche abstattete, und wußte, daß die CIA einen Maulwurf in ihren Reihen suchte, schaffte es aber nie, den einen notwendigen Gedankensprung zu machen und diese verführerischen Fäden miteinander zu verknüpfen.

Ames wurde schließlich erwischt und wegen Weitergabe geheimer Informationen zu einer Trillion Jahre Gefängnis verurteilt. Doch das war, weiß Gott, nicht das Verdienst des FBI. Der Fairneß halber sollte man allerdings erwähnen, daß das FBI ohnehin total überlastet damit war, alles zu versaubeuteln, was ihm übertragen wurde.

Zunächst einmal ließ es Richard Jewell, den Sicherheitsbeamten, der letztes Jahr verdächtigt wurde, die Bombe im olympischen Park in Atlanta gezündet zu haben, zu Unrecht inhaftieren. Das FBI war felsenfest davon überzeugt, daß Jewell die Bombe gelegt, die Behörden telefonisch gewarnt und dann mit einer Geschwindigkeit von etlichen Kilometern pro Sekunde zurückgerast war, um rechtzeitig am Schauplatz zu sein und sich als Held feiern zu lassen. Obwohl es nicht den geringsten Beweis dafür gab, daß er etwas mit der Bombe zu tun hatte, und unwiderleglich demonstriert worden war, daß er in der angegebenen Zeit den Anruf nicht getätigt haben und zum Park zurückgekehrt sein konnte, brauchte das FBI Monate, um zu begreifen, daß es den falschen Mann am Wickel hatte.

Im April wurde bekannt, daß die kriminaltechnischen Labors des FBI seit Jahren einen Großteil der entscheidenden Beweise, die ihm zufielen, verpfuscht, verbaselt, verschüttet, verdorben, zertreten oder sonstwie unbrauchbar gemacht hatte. Bei Bedarf erfanden sie statt dessen etwas. In einem Fall schrieb ein Kriminaltechniker einen belastenden Bericht, der auf mikroskopischen Untersuchungen basierte, ohne daß er sich je der Mühe unterzogen hätte, durch ein Mikroskop zu lugen. Dank der unermüdlichen, phantasievollen Arbeit der Labors sind nun mindestens eintausend Schuldsprüche und vielleicht noch viele tausend mehr anfechtbar geworden.

Zu den beständigen Hochleistungen des FBI zählt des weiteren, daß es bisher weder den Bombenattentäter von Atlanta gefunden noch die Anschläge auf Kirchen im Süden aufgeklärt hat. Es hat auch niemanden im Zusammenhang mit der mysteriösen, verheerenden Entgleisung eines Personenzugs in Arizona 1995 verhaftet, es nicht geschafft, den Unabomber dingfest zu machen (er wurde von seinem Bruder angezeigt), und ist immer noch außerstande zu sagen, ob der Absturz des TWA-Fluges 800 im letzten Jahr ein Verbrechen oder Unfall oder sonstwas war.

Woraus nicht wenige Zeitgenossen den Schluß ziehen, daß das FBI und seine Agenten gefährlich inkompetent sind. Obwohl das zweifellos so ist, sollte man für die niedrige Moral und schlechte Arbeit des FBI mildernde Umstände gelten lassen. Letztes Jahr hat sich nämlich wahrhaftig eine Behördenspezies als noch inkompetenter erwiesen. Ich meine die Sheriff's Departments in den USA.

Leider reicht der Platz hier nicht, damit ich Ihnen einen umfassenden Überblick über die einzigartigen Erfolge dieser Herren Polizisten geben kann, also will ich nur zwei nennen. Als erstes die Tatsache, daß das Sheriff's Department des Bezirks Los Angeles letztes Jahr sich selbst übertraf, als es fälschlicherweise dreiundzwanzig Gefangene entließ, von denen einige ziemlich gefährlich und durchgeknallt waren. Nach Entlassung des dreiundzwanzigsten erklärte ein Verantwortlicher der Presse, daß ein Angestellter schriftliche Order erhalten habe, den Gefangenen nach Oregon zu schicken, wo dieser eine lange Strafe wegen Einbruchdiebstahls und Vergewaltigung absitzen sollte. Der gute Mann hatte aber seine Order dahingehend interpretiert, daß er dem Übeltäter seine Besitztümer aushändigen, ihn zur Tür begleiten und ihm eine gute Pizzeria um die Ecke empfehlen sollte.

Getoppt wird das meiner Ansicht nach nur von den Sheriff's Deputies in Milwaukee, die mit einem Rudel Spürhunde zum Flughafen geschickt wurden, wo sie üben sollten, Sprengstoff aufzuspüren. Die Pfiffikusse versteckten ein Fünfpfundpaket scharfen Sprengstoff irgendwo auf dem Flughafen und – ist es nicht herrlich? – vergaßen, wo. Wen wundert es da, daß die Hunde es nicht fanden. Das war vor vier Monaten, und die Suche dauert an. Dabei gelang es dem Sheriff's Department in Milwaukee schon zum zweitenmal, auf dem Flughafen Sprengstoff zu »verlegen«.

Ich könnte stundenlang weitererzählen, aber ich breche hier ab, weil ich sehen will, ob ich in den Computer des Pentagon komme. Sie finden vielleicht, daß ich Kopf und Kragen riskiere, aber es hat mich schon immer in den Fingern gejuckt, ein kleines Land in die Luft zu jagen, und es würde eh das perfekte Verbrechen. Denn die CIA merkt es überhaupt nicht, das Pentagon merkt es, verdödelt aber die Unterlagen, das FBI ermittelt acht Monate und arretiert dann Mr. Ed, das sprechende Pferd, und das Sheriff's Department in Los Angeles County läßt Mr. Ed laufen. Wenn auch sonst nichts damit ereicht wäre, würde es die Leute wenigstens von all den Dingen ablenken, um die sie sich eigentlich sorgen müßten.

Kein Anschluß unter dieser Nummer

Von all den Einrichtungen auf Gottes weitem Erdboden, die meine Geduld auf die Probe stellen sollen – und Herr im Himmel, sind das viele! –, war über die Jahre keine erfolgreicher als die AT & T, die Telefongesellschaft.

Wenn ich vor der Wahl stünde, mir ein Becherglas Salzsäure auf den Schoß zu kippen oder mit der AT & T zu verhandeln, würde ich mich jederzeit für die Salzsäure als das weniger Schmerzhafte entscheiden. AT & T hat die unverwüstlichsten öffentlichen Telefone der Welt. Das weiß ich genau, weil ich noch nie von einem dieser Dinger aus telefoniert habe, ohne daß ich zum Schluß wie wild darauf eingedroschen habe.

Nun haben Sie vermutlich schon erraten, daß ich AT & T nicht besonders mag. Das geht aber in Ordnung, weil sie mich auch nicht mag. Sie mag ihre Kunden allesamt nicht, soweit ich sehe. Sie mag sie sogar so wenig, daß sie nicht einmal mit ihnen spricht. Für fast alles benutzt sie nun Computerstimmen, so daß man, einerlei, was alles schiefläuft – und natürlich läuft immer alles schief –, nie zu einem echten Menschen durchkommt. Das einzige, was man kriegt, ist eine seltsam metallische, eigenartig pampige, roboterhafte Stimme, die sagt: »Die Nummer, die Sie gewählt haben, befindet sich nicht innerhalb eines anerkannten Wählparameters.« Es ist ungeheuer frustrierend.

Wie frustrierend, mußte ich erst neulich wieder erleben, als ich am Flughafen Logan in Boston festsaß, weil mich die Minibusfirma, die mich abholen und nach Hause bringen sollte, vergessen hatte. Daß sie mich tatsächlich vergessen und nicht etwa einen Motorschaden oder Verkehrsunfall gehabt hatte, wußte

152

ich. Denn als ich an der vereinbarten Haltestelle stand, das vertraute »Dartmouth Mini Coach«-Gefährt sich näherte und ich mich bückte, um meine Taschen hochzunehmen, zog es elegant an mir vorbei und entschwand fröhlich in der Ferne, Richtung New Hampshire.

Also begab ich mich auf die Suche nach einem öffentlichen Telefon, um die Minibusfirma anzurufen – ich wollte artig guten Tag sagen und kundtun, daß ich da und bereit war loszufahren, wann immer der Fahrer eines ihrer Busse eine Tür aufschieben und so langsam fahren würde, daß ich aufspringen konnte. Da ich aber die Nummer nicht dabeihatte, mußte ich AT & T anrufen. Bei der Aussicht entfuhr mir ein gequälter Seufzer. Ich hatte einen langen Flug hinter mir, hing müde und hungrig auf einem reizlosen Flughafen fest, wußte, der nächste Minibus kam erst in drei Stunden und sollte mich nun mit AT & T auseinandersetzen. Böses ahnend, schritt ich auf eine Reihe öffentlicher Telefone außerhalb des Flughafengebäudes zu.

Dort studierte ich die Anweisungen, wie man die Auskunft anruft, und wählte. Nach einer Minute kam eine synthetische Stimme dran und instruierte mich barsch, eine Anzahlung von einem Dollar und fünf Cent in dem Apparat zu deponieren. Das verblüffte mich. Früher war die Auskunft immer gebührenfrei. Ich suchte in meinen Taschen, fand aber nur siebenundsechzig Cents. Da unterzog ich den Hörer einem kurzen Elastizitätstest – jawohl, immer noch unverwüstlich –, schnappte meine Taschen und marschierte zurück in den Terminal, um mir Kleingeld zu besorgen.

Natürlich bekam ich es in den Läden nicht, ohne etwas zu kaufen. Also erstand ich eine *New York Times*, einen *Boston Globe* und eine *Washington Post* – jede einzeln und mit einem neuen Geldschein, da keine andere Vorgehensweise mir zu meinen Münzen verholfen hätte –, und hatte endlich einen Dollar und fünf Cent in diversen Silberstücken beisammen.

Dann ging ich zurück zum Telefon und fing wieder von vorn an. Doch es gehörte zu den Apparaten, die längst nicht jede

Münze nehmen. Es hatte insbesondere was gegen Zehncentstücke mit Roosevelt darauf. Leicht ist es nicht, Münzen in einen Schlitz zu stecken, wenn man den Hörer mit der Schulter ans Ohr drückt und drei Zeitungen unter den Arm geklemmt hat, und vor allem dann nicht, wenn jedes dritte Geldstück, das man hineinbugsiert, wieder ausgespuckt wird. Trotzdem meldete sich nach etwa fünfzehn Sekunden die Roboterstimme und begann mich zu schelten. Ich schwöre, sie beschimpfte mich! In verdrießlichem synthetischem Tremolo herrschte sie mich an, wenn ich nicht ruckzuck sagte, was ich wollte, würde sie mich abhängen. Und dann hängte sie mich ab. Einen Moment später purzelten die Münzen, die ich als Vorschuß gezahlt hatte, wieder aus dem Apparat. Aber nun kommt's. Er gab mir nicht alle zurück. Mit denen, die er mir zurückgab, und denen, die er nicht akzeptiert hatte, besaß ich nun genau neunzig Cents.

Also führte ich einen weiteren, etwas ausgiebigeren Elastizitätstest durch, trottete wieder in das Flughafengebäude, kaufte ein *Providence Journal* und einen *Philadelphia Inquirer* und kehrte zum Telefon zurück. Diesmal kam ich bis zur Auskunft durch, bat um die Nummer, die ich brauchte, und zückte rasch Stift und Block. Ich wußte ja aus Erfahrung, daß die Auskunft einem die Nummer nur einmal gibt und dann auflegt: Man muß also sofort mitschreiben. Ich hörte genau zu und wollte notieren… Der Stift war ausgetrocknet. Ich vergaß die Nummer sofort.

Zurück im Terminal kaufte ich eine *Bangor Daily News*, ein *Poughkeepsie Journal* und einen Plastikkugelschreiber und ging wieder zum Telefon. Diesmal bekam ich die Nummer, notierte sie gewissenhaft und wählte. Endlich Erfolg!

»Guten Morgen! Dartmouth College!« meldete sich am anderen Ende der Leitung eine fröhliche weibliche Stimme.

»Dartmouth College?« stotterte ich entsetzt. »Ich wollte die Dartmouth Mini Coach Company.« Dieser Anruf würde mich alle meine Geldstücke kosten, und ich konnte es nicht fassen, daß ich wieder zurück in den Terminal mußte, um mehr zu besorgen. Plötzlich fragte ich mich, wie viele der Leute in den USA, die an Straßenecken auf einen zutreten und um Kleingeld betteln, früher einmal einfach nur Menschen wie du und ich waren – ehrbare Bürger, die ein normales Leben geführt hatten, aber nun, bettelarm und obdachlos, in einem fort Münzen für ein öffentliches Telefon brauchten.

»Ich kann Ihnen die Nummer geben, wenn Sie wollen«, bot die Dame an.

»Wirklich? O ja, bitte!«

Sie ratterte – ganz klar auswendig – eine Nummer herunter, die der, die AT & T gegeben hatte, nicht im geringsten – wirklich keinen Deut – ähnelte. Ich dankte ihr überschwenglich.

»Keine Ursache«, sagte sie. »Das passiert dauernd.«

»Wie, AT & T gibt den Leuten Ihre Nummer, wenn sie nach der von Dartmouth Mini Coach fragen?«

»Ja, immer. Haben Sie sie auch von AT & T?«

»Ja.«

»Hab ich mir gedacht«, war ihr einziger Kommentar. Und als ich ihr noch einmal dankte, fügte sie hinzu: »Es war mir ein Vergnügen. Und he – vergessen Sie nicht, sich das Telefon noch einmal gründlich vorzuknöpfen, bevor Sie gehen.«

Das sagte sie natürlich nicht. Es war nicht nötig.

Ich mußte vier Stunden auf den nächsten Minibus warten. Aber es hätte schlimmer kommen können. Ich hatte wenigstens genug zum Lesen.

Kino? Das war einmal

Jedes Jahr um diese Zeit mache ich etwas Dummes. Ich sammle ein paar von den kleineren Kindern ein und gehe mit ihnen in einen der Sommerfilme.

Sommerfilme sind das große Geschäft in den Vereinigten Staaten. Zwischen Memorial Day und Labor Day – dem letzten Montag im Mai und dem ersten Montag im September – geben die Leute hier zwei Milliarden Dollar für Kinokarten aus, plus noch einmal die Hälfte davon, um sich Süßkram in den Mund zu stopfen, während sie mit großen Augen auf Bilder extrem kostspieligen Chaos starren.

Sommerfilme sind natürlich meistens schlecht, aber ich fürchte, in diesem Sommer sind sie schlechter denn je zuvor. Ich beziehe mich ausschließlich, aber vertrauensvoll auf eine Aussage, mit der Jan de Bont, Regisseur von *Speed 2*, in der *New York Times* zitiert wird. Er prahlte, daß ihm das Highlight des Films – ein Ozeandampfer mit Sandra Bullock an Bord gerät außer Kontrolle und kracht in ein Dorf in der Karibik – im Traum erschienen ist. »Das gesamte Drehbuch ist sozusagen von hinten, von diesem Bild aus, geschrieben worden«, enthüllte er stolz. Das, finde ich, sagt alles, was man über das intellektuelle Niveau des durchschnittlichen Sommerfilms wissen muß.

Ich ermahne mich immer wieder, meine Erwartungen nicht zu hoch zu schrauben und daran zu denken, daß Sommerfilme das cineastische Äquivalent zu Karussellfahrten sind, und von einer Achterbahn erwartet man ja auch nicht, daß sie einem einen plausiblen Handlungsverlauf bietet. Aber leider, leider sind die Sommerfilme so dämlich geworden – so abgrundtief dämlich –, daß sie kaum noch zu ertragen sind. Ganz einerlei, wieviel Geld sie gekostet haben – und es lohnt sich, hier anzumerken, daß in der Produktion dieses Jahres mindestens acht ein Budget von über einhundert Millionen Dollar hatten –, sie sind oft so hanebüchen unglaubwürdig, daß man sich fragt, ob das Drehbuch bei Kanapees in der Nacht vor Beginn der Dreharbeiten zusammengestümpert worden ist.

Dieses Jahr haben wir uns den neuen Jurassic-Park-Film, *Vergessene Welt*, angeschaut. Macht nichts, daß er weitgehend identisch mit dem ersten Jurassic-Park-Film ist – dieselben wummernden Schritte und zitternden Pfützen, wann immer T-Rex im Anmarsch ist, dieselben Leute, die verzagt von einer Tür wegkriechen, gegen die sich Velociraptoren werfen, und dann feststellen müssen, daß sich andere zähnefletschende Kreaturen bedrohlich hinter ihnen erheben, dieselben Szenen, in denen Fahrzeuge von einer dichtbewachsenen Dschungelklippe baumeln, während sich die Helden in Todesgefahr festklammern. Alles geschenkt. Die Dinosaurier sind phantastisch, und schon in der ersten Stunde wird etwa ein Dutzend Leute zermanscht oder aufgefressen. Deshalb sind wir schließlich hier!

Doch dann mutet man uns ein wenig zuviel zu. In einer entscheidenden Szene entkommt ein Tyrannosaurus auf völlig hirnrissige Weise von einem Schiff, läuft durch die Innenstadt von San Diego Amok, zerdrückt Busse, zerquetscht Tankstellen, und steht dann – urplötzlich! wie nur? – mutterseelenallein in einem tief verschlafenen Vorstadtviertel, und keiner hat's gemerkt. Also bitte, finden Sie das auch nur entfernt wahrscheinlich, daß ein seit fünfundsechzig Millionen Jahren nicht mehr auf Erden gesichtetes, sechs Meter großes prähistorisches Viech zuerst heillose Zerstörung in einem Stadtzentrum anrichtet und dann, ohne daß es jemand mitkriegt, in ein Wohngebiet entschlüpft?

Und dann wird es noch abstruser. Während Polizeiwagen durch die Gegend sausen und hilflos ineinanderkrachen, schaffen der Held und die Heldin es, den wehrlosen T-Rex – ohne daß es irgend jemand in dieser seltsam saumseligen Stadt sieht – zurück zu dem meilenweit entfernt ankernden Schiff zu locken und heim auf seine tropische Insel zu bringen, woraus sich zwangsläufig die glückliche, kommerziell vielversprechende Möglichkeit ergibt, ein *Jurassic Park 3* auszuhecken. *Vergessene Welt* ist allzu durchsichtig und schlampig gemacht, enthält trotz seines Einhundert-Millionen-Dollar-und-mehr-Budgets einen Gedankenreichtum im Wert von vielleicht zwei Dollar fünfunddreißig und ist deshalb auf dem besten Wege, alle Kassenrekorde zu brechen. Am ersten Wochenende hat er schon 92,7 Millionen Dollar eingespielt.

Im Grunde habe ich aber weder mit *Vergessene Welt* noch der übrigen Sommerfilmkost Probleme. Ich erwarte schon längst nicht mehr, daß mir Hollywood in den wärmeren Monaten ein intellektuell anregendes Erlebnis beschert. Mein Problem sind der Sony-6-Kinokomplex in West Lebanon, New Hampshire, und die Tausenden ähnlichen Vorstadtkinokomplexe, die dem Erlebnis eines Kinobesuchs in Amerika im wesentlichen das antun, was Steven Spielbergs Tyrannosaurus Rex San Diego antut.

Alle, die in den sechziger Jahren in den USA aufgewachsen sind, erinnern sich bestimmt an die Zeiten, da ein Kinobesuch in ein Etablissement mit einer einzigen Leinwand führte, das gewöhnlich riesig war und im Stadtzentrum lag. In meiner Heimatstadt Des Moines war das Hauptkino (phantasievoll *The Des Moines* genannt) ein Luxuspalast mit gespenstischer Beleuchtung und einem Dekor, das an das Innere eines ägyptischen Grabgewölbes gemahnte. Zu meiner Zeit war es zwar schon eine Müllhalde – weil es roch, als liege irgendwo ein totes Pferd herum, und weil es seit Theda Baras größten Triumphen nicht mehr gereinigt worden war –, doch einfach nur dort zu sein, vor einer riesigen Leinwand in dreihunderttausend Kubikmetern Dunkelheit zu sitzen war ein faszinierendes Erlebnis.

Außer in ein paar größeren Städten sind alle alten Innenstadtkinopaläste nun verschwunden. (*The Des Moines* verschwand Mitte der Sechziger.) Statt dessen kriegt man heute Vorstadt-Multiplexkinos mit viel zu vielen winzigen Vorführräumen. Obwohl *Vergessene Welt* im Moment der zugkräftigste Film ist, haben wir ihn in einer lächerlichen Minikammer gesehen, in die kaum neun Sitzreihen paßten, die wiederum äußerst sparsam gepolstert waren und so eng zusammenstanden, daß ich meine Knie mehr oder weniger an meinen Ohren verhaken mußte. Die Leinwand hatte die Ausmaße eines großen Strandhandtuchs und war so schlecht angebracht, daß die Leute in den ersten drei Reihen wie im Planetarium senkrecht hochschauen mußten. Der Sound war miserabel, die Bilder wackelten häufig, und bevor es begann, mußten wir dreißig Minuten lang Werbung über uns ergeben lassen. Das Popcorn und die Süßigkeiten waren skandalös teuer und die Verkäufer darauf abgerichtet, einem Sachen anzudrehen, die man weder bestellt hatte, noch wollte. Kurzum, alles in diesem Kino schien sorgfältig darauf ausgerichtet zu sein, einem den Besuch zutiefst zu vermiesen.

Ich zähle das nicht alles auf, weil ich um Mitleid heischen will, wenngleich ich es sehr zu schätzen wüßte, sondern weil ich darauf hinweisen möchte, daß zunehmend jeder normale amerikanische Kinobesucher diese Erfahrungen teilt. Ein wenig Idiotie im Bereich audiovisueller Kunst kann ich ja noch wegstecken, aber ich finde es unerträglich, wenn dem ganzen der Zauber genommen wird.

Neulich habe ich mit meiner älteren Tochter darüber gesprochen. Sie hörte aufmerksam, ja mitfühlend zu und sagte dann etwas Trauriges. »Dad«, meinte sie, »du mußt verstehen, daß die Leute kein totes Pferd riechen wollen, wenn sie ins Kino gehen.«

Sie hat natürlich recht. Aber wenn Sie mich fragen: Die Leute wissen nicht, was sie verpassen.

Der Risikofaktor

Heute muß ich Ihnen etwas erzählen, das ich entsetzlich ungerecht finde. Weil ich Amerikaner bin und Sie, meine lieben Leser, nicht, stehen für mich die Chancen doppelt so gut, daß ich eines unzeitigen und unnatürlichen Todes sterbe.

Das weiß ich, weil ich gerade *Das Buch der Risiken* gelesen habe. Untertitel: *Faszinierende Fakten über die Risiken, die wir tagtäglich eingehen,* von einem Statistikwichser (um das reizende Kosewort für einen bestimmten Typus des intellektuellen Fachidioten zu benutzen) namens Larry Laudan.

Es ist voller interessanter und nützlicher Statistiken hauptsächlich darüber, wie man sich in den Vereinigten Staaten um Kopf und Kragen bringen kann. Ich weiß nun zum Beispiel, daß ich, wenn ich mich dieses Jahr zufällig als Farmer betätigen will, dreimal mehr Gefahr laufe, eines meiner Gliedmaßen einzubüßen, und doppelt gefährdet bin, mich tödlich zu vergiften, als wenn ich einfach nur ruhig hier sitzen bleibe. Mir ist klar, daß meine Chancen, irgendwann in den nächsten zwölf Monaten ermordet zu werden, eins zu elftausend stehen; zu ersticken: eins zu einhundertfünfzigtausend; bei einem Talsperrendammbruch umzukommen: eins zu zehn Millionen; und von einem vom Himmel fallenden Gegenstand einen finalen Schlag auf den Schädel zu kriegen: eins zu zweihundertundfünfzig Millionen. Selbst wenn ich im Hause bleibe und mich von den Fenstern fernhalte, habe ich offenbar eine Chance von eins zu vierhundertundfünfzigtausend, das Zeitliche zu segnen, noch ehe der Tag sich seinem Ende zuneigt. Das finde ich höchst alarmierend.

Nichts indes ist bitterer als die Entdeckung, daß ich, nur weil ich US-Amerikaner bin, also beim »Star-Spangled-Banner« Habtachtstellung einnehme und das wichtigste Accessoire meiner Garderobe ein Baseballcap ist, doppelt so wahrscheinlich als zermanschter Haufen ende wie Sie. Also, wenn Sie mich fragen, ist das eine himmelschreiende Ungerechtigkeit.

Mr. Laudan erklärt nicht, warum Amerikaner gefährdeter sind als die Angehörigen anderer Völker. Zu fertig mit der Welt, vermute ich. Aber wie Sie sich unschwer vorstellen können, habe ich mir über die Frage den Kopf zerbrochen, und meine Antwort – sie liegt auf der Hand, wenn Sie auch nur einen Moment überlegen – lautet, daß die Vereinigten Staaten ein extrem gefährliches Land sind.

Bedenken Sie einmal folgendes: In New Hampshire kommen jedes Jahr ein Dutzend und mehr Leute um, weil sie mit ihren Autos mit Elchen zusammenstoßen. Korrigieren Sie mich ruhig, wenn ich mich irre, aber so etwas passiert Ihnen ja wahrscheinlich nicht auf dem Heimweg vom Supermarkt. Es ist auch unwahrscheinlich, daß Sie von einem Grisly oder einem Berglöwen gefressen, von einem Büffel auf die Hörner genommen oder von einer ernsthaft verstörten Klapperschlange am Knöchel gepackt werden – alles Umstände, unter denen mehrere Dutzend Unglücksraben hier jedes Jahr abtreten. Dann gibt es die Gewalttaten der Natur – Tornados, Erdrutsche, Lawinen, Überschwemmungen, verheerende Blizzards, gelegentlich ein Erdbeben –, die in friedlicheren kleinen Ländern kaum vorkommen, hier aber jedes Jahr Aberhunderte von Menschen das Leben kosten.

Schlußendlich und vor allem haben wir das Problem mit den Waffen. In den Vereinigten Staaten gibt es zweihundert Millionen Schußwaffen, und wir ballern einfach gern damit in der Gegend herum. Jedes Jahr sterben vierzigtausend US-Bürger an Schußwunden, die große Mehrheit aus Versehen.

Die Staaten sind, es stimmt, ein hochgefährliches Pflaster. Doch komischerweise regen wir uns über all die falschen Dinge auf. Belauschen Sie mal die Gespräche in Lou's Diner hier in Hanover, und fast immer dreht sich alles um Cholesterinspiegel und Natriumgehalt, Mammografien und Belastungs-EKGs. Zeigen Sie ein Eigelb, und die meisten US-Bürger zucken entsetzt zurück. Doch die offensichtlichsten und vermeidbarsten Risiken lassen sie kalt.

Vierzig Prozent benutzen immer noch keinen Sicherheitsgurt im Auto, was ich überaus erstaunlich finde, weil es nichts kostet, sich anzuschnallen, einen aber bei einem Unfall davor bewahrt, wie Superman durch die Windschutzscheibe zu schießen. Seit kürzlich in einer Flut von Zeitungsartikeln berichtet wurde, daß kleine Kinder bei Bagatellunfällen durch Airbags umgekommen sind, hatten die Leute nichts Eiligeres zu tun, als ihre Airbags funktionsunfähig zu machen. Völlig unerheblich, daß die Kinder in jedem einzelnen Fall umgekommen sind, weil sie auf dem Vordersitz gesessen haben, wo sie gar nicht erst hingehörten, und in fast allen Fällen nicht angeschnallt waren. Airbags retten Tausende von Leben, doch viele Leute machen sie in dem bizarren Glauben unbrauchbar, daß sie eine Gefahr darstellen.

Ebensowenig lassen sie sich von den Waffenunfallstatistiken beeindrucken. Vierzig Prozent der Amerikaner haben eine Schußwaffe im Haus, normalerweise in der Nachttischschublade neben dem Bett. Die Chancen, daß sie je eine dieser Knarren benutzen müssen, um einen Verbrecher zur Strecke zu bringen, stehen weit unter eins zu einer Million. Die Chancen, daß ein Familienmitglied damit erschossen wird – in der Regel ein Kind, das damit herumspielt –, sind mindestens zwanzigmal so groß. Doch über einhundert Millionen Menschen ignorieren diese Tatsache nach Kräften, ja drohen einem sogar, einen ihrerseits abzuknallen, wenn man nur darüber spricht.

Nichts spiegelt allerdings die Irrationalität der Leute gegenüber Risiken besser wider als eines der lebhaftest diskutierten Themen der letzten Jahre: das passive Rauchen. Vor vier Jahren veröffentlichte die Umweltschutzbehörde einen Bericht, in dem festgestellt wurde, daß Menschen, die über fünfunddreißig sind und nicht rauchen, aber regelmäßig dem Rauch anderer ausgesetzt sind, die Chance von eins zu dreißigtausend haben, irgendwann an Lungenkrebs zu erkranken. Die Reaktion folgte auf dem Fuß und war heftig. Landauf, landab wurde an Arbeitsplätzen und in Restaurants, Einkaufszentren und anderen öffentlichen Gebäuden das Rauchen verboten.

Dabei übersah man jedoch geflissentlich, wie mikroskopisch klein das Risiko des Passivrauchens tatsächlich ist. Eine Quote von eins zu dreißigtausend klingt ziemlich gravierend, aber so hoch ist sie nun auch wieder nicht. Wenn man ein Schweinekotelett in der Woche ißt, kriegt man statistisch gesehen eher Krebs, als wenn man regelmäßig in einem Raum voller Raucher sitzt. Desgleichen, wenn man alle sieben Tage eine Karotte, einmal alle zwei Wochen ein Glas Orangensaft oder alle zwei Jahre einen Salatkopf zu sich nimmt. Bei Ihrem Wellensittich holen Sie sich fünfmal eher Lungenkrebs als durch Passivrauchen.

Ich bin ja ganz und gar dafür, daß man das Rauchen unterbindet, weil es schmutzig, eklig und ungesund für den Raucher ist und häßliche Brandflecken auf dem Teppich hinterläßt. Aber es mutet mich doch einen Hauch komisch an, wenn man es wegen Gefährdung der öffentlichen Sicherheit verbietet und gleichzeitig nichts dagegen hat, daß jeder x-beliebige Narr ein Schießeisen besitzt oder unangeschnallt in der Gegend herumkutschiert.

Doch mit Logik hat das alles in den seltensten Fällen zu tun. Ich erinnere mich, wie ich vor ein paar Jahren im Auto meines Bruders saß und Zeuge wurde, wie er zuerst ausstieg und ein Lotterielos kaufte (Gewinnchancen: eins zu zwölf Millionen), und dann wieder einstieg und sich nicht anschnallte (Chancen, jährlich einen schweren Unfall zu haben: eins zu vierzig). Als ich ihn auf diese Widersprüchlichkeit hinwies, schaute er mich einen Moment lang an und sagte: »Und wie, meinst du, stehen die Chancen, daß ich dich sechs Kilometer, bevor wir zu Hause sind, an die Luft setze?«

Seither behalte ich meine Gedanken für mich. Ist längst nicht so riskant.

Ah, Sommer!

Neulich erklärte mir ein Freund, daß es in Neuengland drei Jahreszeiten gibt. Entweder ist der Winter gerade vorbei, oder der Winter kommt, oder es ist Winter.

Ich weiß, was er meinte. Die Sommer hier sind kurz – sie fangen am ersten Juni an und enden am letzten Augusttag, und den Rest der Zeit sollte man seine Wollhandschuhe besser nicht verlieren. Aber fast die gesamten drei Monate ist es schön warm, und es scheint auch fast immer die Sonne. Das beste ist, daß die Temperaturen im allgemeinen sehr angenehm bleiben. In Iowa, wo ich aufgewachsen bin, steigen Hitzegrade und Luftfeuchtigkeit kontinuierlich mit jedem Sommertag an, bis es Mitte August so heiß und stickig ist, daß sich selbst die Fliegen auf den Rücken legen und leise vor sich hin keuchen.

Die Schwüle macht einen fertig. Wenn man im August in Iowa ins Freie geht, erlebt man binnen zwanzig Sekunden etwas, das man Schweißdrüseninkontinenz nennen könnte. Es wird so heiß, daß man in den Kaufhäusern Schaufensterpuppen mit Schwitzflecken unter den Armen sieht. Ich habe die Sommer in Iowa besonders deshalb in so lebhafter Erinnerung, weil mein Vater der letzte im Mittleren Westen war, der eine Klimaanlage kaufte. Er hielt sie für unnatürlich. (Er hielt alles, was mehr als dreißig Dollar kostete, für unnatürlich.)

Ein wenig Erleichterung fand man einzig auf der Veranda mit den Fliegengittern. Bis in die Fünfziger hinein hatte fast jedes amerikanische Heim eine solche Veranda. Es handelt sich um eine Art Sommerzimmer an der Seite des Hauses mit Wänden aus feinem, aber robustem Maschendraht, der die Insekten

164

draußen hält, und man hat das Vergnügen, gleichzeitig draußen und drinnen zu sein. Veranden sind wunderbar und werden in meinen Erinnerungen immer mit den Freuden des Sommers verbunden sein – Maiskolben mit Butter, Wassermelonen, dem nächtlichen Zirpen der Grillen, dem Geräusch, wie Mr. Piper, der Nachbar meiner Eltern, spätnachts von seinen Logentreffen heimkommt, sein Auto mit Hilfe der Mülltonnen parkt, Mrs. Piper zwei Strophen der »Rose von Sevilla« als Abendständchen darbringt und sich dann für ein Nickerchen auf dem Rasen bettet.

Als wir also in die Staaten zogen, wünschte ich mir nichts glühender als ein Haus mit einer fliegenvergitterten Veranda, und wir fanden es auch. Im Sommer wohne ich dort draußen. Ich schreibe auch diesen Text jetzt hier, betrachte den sonnenbeschienenen Garten, lausche dem Vogelzwitschern und dem Brummen eines nachbarlichen Rasenmähers, lasse mich von einer leichten Brise umfächeln und bin mopsfidel. Und nachdem wir heute abend hier gegessen haben (falls Mrs. B., die Gute, nicht wieder über eine Falte im Teppich stolpert), strecke ich mich aus, lausche den Grillen, beobachte das fröhliche Flimmern der Glühwürmchen und lese, bis es Zeit ist, schlafen zu gehen. Ohne all das wäre der Sommer kein Sommer.

Kurz nach unserem Einzug bemerkte ich, daß über dem Boden eine Ecke des Fliegendrahts locker war. Weil unsere Katze die Öffnung aber als Katzentür benutzte und hereinkam, wann immer sie auf dem alten Sofa schlafen wollte, das wir hier draußen hingestellt haben, reparierte ich es nicht. Etwa einen Monat später hatte ich eines Abends ungewöhnlich lange gelesen und sah aus den Augenwinkeln heraus, daß die Miez hereinspazierte. Nur: Die Miez war schon da!

Ich schaute noch einmal hin. Und es war ein Stinktier! Ja mehr noch, das Stinktier befand sich zwischen mir und der einzigen Fluchtmöglichkeit. Es eilte schnurstracks zum Tisch, wo es vermutlich jede Nacht um diese Zeit hineilte und sich die Essensreste einverleibte, die zu Boden gefallen waren. (Es liegen immer jede Menge da, denn wenn Mrs. Bryson zum Telefon geht oder noch Bratensoße holt, spielen die Kinder und ich oft ein Spiel, das »Olympische Gemüsespiele« heißt.)

Von einem Stinktier besprüht zu werden ist so ungefähr das Schlimmste, was einem passieren kann, auch wenn man dabei nicht blutet oder ins Krankenhaus muß. Stinktierduft riecht von weitem gar nicht mal schlecht. Eher merkwürdig süß und anregend – nicht gerade verlockend, aber auch nicht ekelig. Jeder, der zum erstenmal ein Stinktier von weitem schnuppert, denkt: »Hm, ist doch halb so schlimm. Ich weiß gar nicht, warum immer so ein Trara darum gemacht wird.«

Aber wenn man näher kommt – oder noch gräßlicher, besprüht wird –, glauben Sie mir, dann dauert es lange, lange, bis man jemanden bittet, einen Schiebeblues mit einem zu tanzen. Der Duft ist nicht nur stark und unangenehm, sondern einfach nicht wieder wegzukriegen. Als wirksamstes Gegenmittel wird empfohlen, sich mit Tomatensaft abzuschrubben, aber selbst, wenn man das Zeug literweise verbraucht, kann man höchstens darauf hoffen, daß der Gestank ein wenig nachläßt.

In den Keller einer Schulfreundin meines Sohnes spazierte eines Nachts ein Stinktier. Es spritzte, und die Familie verlor praktisch ihren gesamten Hausrat – die Gardinen, das Bettzeug, Kleider, Polstermöbel. In einem Satz: Alles, was Gerüche absorbieren kann, mußte draußen im Garten verbrannt und das Haus selbst von oben bis unten gründlich geschrubbt werden. Obwohl die Schulkameradin meines Sohnes nicht einmal in die Nähe des Stinktiers gekommen war und sofort das Haus verlassen hatte, verbrachte sie das gesamte Wochenende damit, sich mit Tomatensaft abzubürsten. Doch erst nach Wochen ging jemand auf derselben Straßenseite wie sie. Wenn ich also sage, Sie wollen nicht von einem Stinktier besprüht werden, glauben Sie mir, dann wollen Sie auch wirklich nicht von einem Stinktier besprüht werden.

All das raste mir durch den Kopf, als ich, Mund und Nase aufgesperrt, dasaß und ungefähr ein Meter achtzig von mir entfernt ein Stinktier beobachtete. Das Vieh schnüffelte eine halbe Minute unter dem Tisch herum und tapste dann in aller Seelenruhe den Weg zurück, den es gekommen war. Beim Abgang drehte es sich zu mir um und schaute mich mit einem Blick an, als wolle es sagen: »Ich wußte die ganze Zeit, daß du da warst.« Aber es hat mich nicht besprüht, wofür ich ihm selbst jetzt noch dankbar bin.

Am nächsten Tag befestigte ich den Draht wieder an Ort und Stelle. Doch zum Beweis meiner Dankbarkeit legte ich eine Handvoll Katzenfutter auf die Treppe, und gegen Mitternacht kam das Stinktier und fraß es. Danach legte ich zwei Jahre lang regelmäßig ein bißchen Futter dorthin, und das Stinktier holte es sich immer pünktlich ab. Dieses Jahr ist es noch nicht dagewesen. Unter den Kleinsäugetieren hat es eine Tollwutepidemie gegeben; die Stinktier-, Waschbär- und sogar Eichhörnchenpopulationen sind erheblich reduziert worden. Das passiert offenbar etwa alle fünfzehn Jahre als Teil eines natürlichen Zyklus.

Scheint, als hätte ich mein Stinktier verloren. In einem Jahr oder so wird sich der Bestand erholt haben, und ich kann vielleicht ein neues adoptieren. Ich hoffe es doch sehr, denn Stinktier sein bedeutet eines auf alle Fälle: Man hat nicht viele Freunde.

Bis dahin spielen wir – teilweise zum Zeichen unserer Trauer und teilweise, weil Mrs. B. in einem unpassenden Moment einen aufs Auge gekriegt hat – keine Essensspiele mehr, obwohl ich, auch wenn Eigenlob stinkt (!), auf dem besten Wege war, olympisches Gold zu erringen.

Erbarmen mit der nicht
erfaßten Person

Neulich habe ich etwas so Unerwartetes, derart Überraschendes erlebt, daß ich mir eine Limo übers Hemd geschüttet habe. (Obwohl ich eigentlich keine Überraschungen brauche, um das zu bewerkstelligen.)

Grund dieser übersprudelnden Aktivität war, daß ich bei einer Behörde angerufen hatte, genauer gesagt, bei der amerikanischen Sozialversicherung – und jemand ging ans Telefon.

Ich war nämlich total darauf gefaßt gewesen, daß mir eine Stimme vom Band sagte: »Alle unsere Mitarbeiter sind beschäftigt. Bitte bleiben Sie dran, während wir Ihnen ein nerviges Gedudel vorspielen, das in Fünfzehnsekundenintervallen von einer Tonbandstimme unterbrochen wird, die Ihnen sagt: ›Alle unsere Mitarbeiter sind beschäftigt. Bitte bleiben Sie dran, während wir Ihnen ein nerviges Gedudel vorspielen ... ‹« und so weiter bis zur Abendbrotzeit.

Wie perplex ich war, als nach lediglich zweihundertsiebzigmal Klingeln ein echter Mensch an den Apparat kam, können Sie sich vorstellen. Er fragte nach einigen meiner persönlichen Daten und sagte dann: »Entschuldigen Sie, Bill, ich muß Sie eine Minute lang auf Warteschleife stellen.«

Haben Sie das mitgekriegt? Er nannte mich Bill! Nicht Mr. Bryson. Nicht Sir. Nicht oh, mächtiger Steuerzahler. Sondern Bill. Vor zwei Jahren hätte ich das noch als grobe Unverschämtheit betrachtet, aber mittlerweile mag ich es richtig.

Es gibt Situationen, in denen die Ungezwungenheit und oftmals plumpe Vertraulichkeit im Alltag hier meine Geduld auf eine harte Probe stellen. Wenn ein Kellner mir erzählt, er heiße

Bob und werde mich an dem Abend bedienen, muß ich immer noch an mich halten, um nicht zu sagen: »Ich will nur einen Cheeseburger, Bob, keine Liebesbeziehung.« Meistensfalls genieße ich es doch. Ich glaube, es liegt daran, daß es für etwas Grundsätzlicheres steht.

Hier macht man nämlich nicht ständig Kratzfüße vor anderen, sondern die Ansicht, daß kein Mensch besser ist als ein anderer, ist wirklich allgemein verbreitet. Das finde ich klasse. Mein Müllmann nennt mich Bill. Mein Arzt nennt mich Bill. Und der Schuldirektor meiner Kinder nennt mich Bill. Sie buckeln nicht vor mir, ich nicht vor ihnen. So sollte es sein, finde ich.

In England hatte ich mehr als ein Jahrzehnt dieselbe Steuerberaterin, und unser Umgang miteinander war immer höflich, aber geschäftsmäßig. Sie nannte mich nie anders als Mr. Bryson und ich sie nie anders als Mrs. Creswick. Als ich mir hier einen neuen Steuerberater suchte, einen Termin mit ihm ausmachte und in sein Büro kam, waren seine ersten Worte: »Ah, Bill, freut mich, daß Sie es geschafft haben.« Schon waren wir Kumpel. Wenn ich ihn jetzt sehe, frage ich, wie es seinen Kindern geht.

Man merkt es auch in anderen Situationen. Unser Wohnort Hanover ist, wie ja schon häufiger erwähnt, eine Universitätsstadt. Die Alma mater, Dartmouth College, ist privat und ziemlich exklusiv – sie gehört wie Harvard und Yale zu den Ivy League Colleges, den Eliteuniversitäten –, aber darauf würden Sie nie kommen.

Zu allen ihren Grünanlagen haben wir freien Zutritt. Ja, auch viele ihrer Einrichtungen sind den Bewohnern zugänglich. Wenn wir wollen, können wir die Bibliothek benutzen, die Konzerte besuchen, ja, sogar den Graduiertenabschlußfeiern beiwohnen. Eine meiner Töchter läuft auf der universitätseigenen Eisbahn Schlittschuh, mein Sohn trainiert im Winter mit der Leichtathletikmannschaft seiner High-School auf deren Hallenbahn. Der Uni-Filmclub veranstaltet regelmäßig Filmreihen, zu denen ich oft gehe. Erst gestern abend habe ich mit einer meiner Teenagertöchter auf einer großen Leinwand *Der unsichtbare Dritte* gesehen und danach Kaffee und Käsekuchen in der Studentencafeteria genossen. Man muß dort nirgendwo Ausweise zeigen oder eine besondere Erlaubnis einholen und bekommt auch nie das Gefühl vermittelt, man sei nicht willkommen.

Solche Dinge verleihen alltäglichen Begegnungen hier eine wunderbare Offenheit und Gleichheit, die man oberflächlich und künstlich nennen mag und manchmal sogar unangebracht, aber sie machen das Leben um ein Erkleckliches weniger steif.

Nur zu einem verhelfen sie einem nicht: zur Sozialversicherungsnummer einer nahen Anverwandten. Bitte lassen Sie mich erklären. Die Sozialversicherungsnummer ist hier lebenswichtig. Sie ist im Grunde das, was einen als Menschen ausweist. In völliger Unkenntnis dieser Tatsache hatte meine Frau leider ihre Karte verlegt. Für irgendein Steuerformular brauchten wir die Nummer aber ziemlich dringend. Was ich auch dem Sozialversicherungsbeamten erklärte, als er wieder an den Apparat kam. Schließlich hatte er mich ja eben erst Bill genannt, weshalb ich Grund zu der Hoffnung hatte, daß wir uns einigen würden.

»Wir sind nur befugt, diese Information der mittels dieser Kennziffer erfaßten Person mitzuteilen«, erwiderte er.

»Sie meinen der Person, die auf der Karte genannt wird?«

»So ist es.«

»Aber das ist meine Frau«, ereiferte ich mich.

»Wir sind nur befugt, diese Information der mittels dieser Kennziffer erfaßten Person mitzuteilen.«

»Damit ich das richtig verstehe«, sagte ich. »Wenn ich meine Frau wäre, würden Sie mir die Nummer am Telefon geben. Ohne weitere Umstände.«

»So ist es.«

»Aber was wäre, wenn jemand einfach nur so täte, als wäre er meine Frau?«

Kurzes Zögern. »Wir würden annehmen, daß die Person, die die Anfrage stellt, diejenige ist, die sich als die mittels dieser Kennziffer erfaßten Person bezeichnet.«

»Einen Moment, bitte.« Ich überlegte eine Minute. Meine Frau war nicht da, ich konnte sie nicht herbeirufen, aber ich wollte das Ganze später auch nicht noch einmal wiederholen. Ich sprach wieder in den Hörer und sagte in meiner normalen Stimme: »Hallo, hier ist Cynthia Bryson. Könnte ich bitte meine Sozialversicherungsnummer haben?«

Ein nervöses kleines Glucksen erklang. »Ich weiß, daß Sie es sind, Bill«, sagte die Stimme.

»Nein, ehrlich, ich bin Cynthia Bryson. Könnte ich bitte meine Nummer haben?«

»Die darf ich Ihnen nicht geben.«

»Dürften Sie es, wenn ich mit einer Frauenstimme spräche?«

»Leider nicht.«

»Darf ich dann eins fragen? Nur aus Neugierde. Steht die Nummer meiner Frau genau in diesem Moment vor Ihnen auf dem Computerbildschirm?«

»Ja.«

»Aber Sie sagen sie mir nicht?«

»Das darf ich leider nicht, Bill«, sagte er und klang, als sei das sein letztes Wort.

Aus jahrelangen schmerzlichen Erfahrungen weiß ich, daß nicht die geringste Chance besteht – null Komma null –, daß ein amerikanischer Beamter jemals eine Vorschrift frei auslegt, um einem zu helfen. Deshalb verfolgte ich mein Anliegen auch nicht weiter, sondern fragte ihn statt dessen, ob er wisse, wie man Erdbeerlimonadenflecken aus einem weißen T-Shirt herausbekäme.

»Mit Backpulver«, sagte er ohne Zögern. »Lassen Sie es über Nacht einweichen, und es geht alles raus.«

Ich bedankte mich, und wir schieden voneinander.

Es wäre natürlich schön gewesen, wenn ich es geschafft hätte, die Information zu bekommen, die ich brauchte, aber wenigstens hatte ich einen Freund gewonnen, und mit dem Backpulver hatte er recht. Das T-Shirt sieht aus wie neu.

Wo Schottland liegt und andere nützliche Reisetips

Als ich neulich mit einer amerikanischen Fluggesellschaft flog, blätterte ich durch das Bordmagazin und stieß auf ein Rätsel mit der Überschrift »Ihr kultureller IQ«.

Weil es mich interessierte, ob ich einen habe, machte ich mich daran, es zu lösen. Als allererstes wurde gefragt, in welchem Land es von schlechtem Geschmack zeuge, wenn man einen Menschen »Wo wohnen Sie?« fragt. Zu meiner Überraschung lautete die Antwort auf Seite 113 »England«.

»Engländer betrachten ihr Zuhause als Privatangelegenheit«, informierte mich die Zeitschrift pompös.

Mein Gott, ist mir das nun peinlich, wenn ich daran denke, wie oft ich in den vergangenen Jahren einen Engländer gefragt habe: »Und wo wohnen Sie, Clive?« (oder was immer, denn sie hießen ja nicht alle Clive). Ich habe ja nicht geahnt, daß ich einen ernsthaften gesellschaftlichen Fauxpas beging und daß Clive (oder wer auch immer) dachte: »Neugieriger Amidepp.« Also entschuldige ich mich nun bei allen Betroffenen, insbesondere bei Clive.

Ein paar Tage später stieß ich auf einen Artikel über brititsche Politik in der *Washington Post*, in dem ganz nebenbei und sehr hilfreich bemerkt wurde, daß Schottland »im Norden Englands« liegt. Dieses geografische Spezifikum, hatte ich immer angenommen, sei allgemein bekannt. Doch nun dämmerte mir, daß nicht ich ignorant war, sondern – war denn das die Möglichkeit? – meine gesamte Nation.

Neugierig geworden, hätte ich gern in Erfahrung gebracht, wie viel oder wenig meine Landsleute über das Vereinigte

172

Königreich wußten. Aber das ist leichter gesagt als getan. Genausowenig, wie man auf einen Engländer zutreten und fragen kann: »Wo wohnen Sie?«, kann man hier einfach jemanden – auch nicht jemanden, den man recht gut kennt – fragen: »Haben Sie einen Ahnung, was der Schatzkanzler macht?« oder »Schottland liegt im Norden von England. Richtig oder falsch?«. Es wäre unhöflich und aufdringlich und womöglich peinlich für den Befragten.

Dann kam ich auf die Idee, daß ich mir vielleicht auf diskretere Weise einen Eindruck verschaffen könnte, wenn ich in die Stadtbücherei ginge und mir Reiseführer für Großbritannien anschaute. Darin würde stehen, was für Informationen Amerikaner haben wollen, bevor sie sich zu einem Besuch der Insel aufmachen.

Also zog ich los und warf einen Blick in die Reiseabteilung. Es gab vier Bücher ausschließlich über Großbritannien plus weitere acht bis zehn über Europa im allgemeinen und mit einzelnen Kapiteln über Großbritannien. *Rick Steves' Europa 1996* wurde auf Anhieb zu meinem Lieblingswerk. Ich hatte von Rick noch nie gehört, aber laut Klappentext verbringt er mehrere Monate im Jahr damit, »die Fjorde zu erspüren und die Burgen zu liebkosen«, was mich schrecklich eifrig, wenn auch ein wenig sinnlos dünkt. Ich nahm die Bücher mit zu einem Tisch in einer Ecke und gab mich einen Nachmittag lang faszinierenden Studien hin.

Und bekam meine Antwort. Sie lautet: Wenn man diesen Büchern Glauben schenken darf, wissen Amerikaner so gut wie nichts über Großbritannien. Potentiellen Reisenden dorthin muß man offenbar erzählen, wie »Glasgow« ausgesprochen wird (»Es reimt sich nicht auf ›cow‹«), daß das Pfund Sterling in Schottland und Wales »ebenso bereitwillig akzeptiert wird wie in England«, daß das Land »gut ausgebildete Ärzte« und »alle neuesten Medikamente« hat, und ja, ja, daß Schottland im Norden Englands liegt. (Sogar ziemlich weit im Norden, also plane man besser einen ganzen Tag dafür ein.)

Augenscheinlich sind amerikanische Touristen ein recht hilf-loser Menschenschlag. In den Büchern bekommen sie nicht nur verklickert, was sie in Großbritannien erwartet – Regen und reetgedeckte Cottages –, sondern auch, wie sie ihre Taschen packen, zum Flughafen finden, selbst, wie sie durch den Zoll gehen sollen.

»Seien Sie freundlich und kooperativ, aber nicht zu ge-sprächig«, rät Joseph Raff, Autor von *Fieldings Großbritannien 1998*, zum Umgang mit britischen Grenzbeamten. »Halten Sie Ihren Paß locker in der Hand – wedeln Sie dem Zöllner nicht damit unter der Nase herum!« Im Grunde geht es mich ja nichts an, aber mir scheint, wenn man Tips braucht, wie man seine Reisedokumente vorzeigt, ist man eventuell noch nicht ganz so-weit, Ozeane zu überqueren.

Mein allerliebstes Lieblingsbuch indes war *Die besten Reisetips für Europa* von einem gewissen John Whitman. Es beschäftigt sich nicht nur mit Großbritannien, ist aber so gut, daß ich es fast von der ersten bis zur letzten Seite gelesen habe.

Es strotzt von ernsten Warnungen vor Taschendieben und habgierigen Kellnern und gibt sogar Ratschläge, wie man seine Fluggesellschaft verklagt, wenn man auf dem Flug durchge-schüttelt wird. Mr. Whitman erwartet eindeutig, daß die Dinge immer schieflaufen. Sein erster Tip zum Umgang mit den Ge-gebenheiten in europäischen Hotels lautet: »Lassen Sie sich den Namen des Angestellten an der Rezeption nennen, wenn Sie Ihren Zimmerschlüssel ausgehändigt bekommen.« Hinsichtlich Flugtickets rät er: »Lesen Sie alle Unterlagen gründlich durch, damit Sie Ihre Rechte kennen.«

Ja, er schlägt einem so manches Nützliche vor, unter ande-rem, ein, zwei Stifte mitzunehmen und ein »Bitte, nicht stören!«-Schild vor die Hotelzimmertür zu hängen, wenn man nicht ge-stört werden will. (Das habe ich nicht erfunden! Er rät sogar, es über den Türknauf zu hängen.) Weise bemerkt er (weil nichts seinem geübten Auge entgeht), daß Europa hinsichtlich Unter-kunft »vielfältige Möglichkeiten zum Übernachten« bietet.

Und warnt an anderer Stelle: »In vielen europäischen Hotel-zimmern und WCs finden Sie Bidets«, nicht ohne vorsichtshalber hinzuzufügen: »Wenn Sie Ihrer persönlichen Hygiene wegen mit diesen toilettenförmigen Porzellanvorrichtungen experimentie-ren möchten, bitte schön.« Danke für die Erlaubnis, Mr. Whit-man, aber um Ihnen die Wahrheit zu sagen, ich habe gerade alle Hände voll zu tun mit dem »Bitte nicht stören!«-Schild.

Joseph Raff wiederum gibt uns ein nützliches Glossar an die Hand, damit wir mit solch rätselhaften britischen Begriffen wie »queue (Warteschlange)«, »flat (Mietwohnung)«, »chips (Pom-mes frites)« und – das werde ich mein Leben lang nicht verges-sen – »motorcar (Automobil)« etwas anfangen können. Zum Schluß behauptet er im Brustton der Überzeugung, daß ein Fa-milienname der Vorname und der Taufname der Nachname ist, was eine nützliche Information wäre, wenn sie nicht vollkom-men falsch wäre.

Leider wimmeln diese Bücher überhaupt von Fehlern. Ich habe gelernt, daß das Bier, das man trinkt, »Bitters« und nicht etwa »Bitter« und der Markt in London »Covent Gardens« und nicht »Covent Garden« heißt, daß man, wenn man ausgeht, gern ins »Cine« geht und nicht »to the pictures«, daß man im Lake District den »Scarfell Pike«, nicht etwa den »Scafell Pike« er-klimmen kann und – das hat mir besonders gefallen –, daß der elisabethanische Architekt »Indigo« Jones heißt. Inigo würde sich im Grabe umdrehen, wenn er das läse.

In Wirklichkeit ist mir natürlich klargeworden, daß die Ame-rikaner neue Reiseführer brauchen. Ich überlege, ob ich nicht selber einen verfassen soll. Ich würde Tips geben wie »Um die Aufmerksamkeit eines nie greifbaren Obers zu erregen, strecken Sie zwei Finger aus und wedeln Sie mehrmals heftig mit der Hand. Er wird Sie als Einheimischen betrachten.« Und natür-lich: »Fragen Sie nie einen Mann namens Clive, wo er wohnt.«

Aussterbende Akzente

Ab und zu erledigt ein Mann hier bei uns im Haus ein paar Tischlerarbeiten. Er heißt Walt und sieht aus, als sei er einhundertundzwölf Jahre alt. Aber meine Güte, kann der Bursche sägen und hämmern! Seit mindestens fünfzig Jahren übernimmt er überall in der Stadt kleine Handwerkerjobs.

Walt wohnt in Vermont, gleich auf der anderen Seite des Connecticut River, und ist ein Neuengländer aus echtem Schrot und Korn – fleißig und rechtschaffen und von Natur aus unwillig, Zeit, Geld oder Worte zu verschwenden. (Er redet, als habe er gehört, daß man ihm eines Tages eine Rechnung für die Anzahl der Sätze präsentieren werde.) Außerdem ist er Frühaufsteher – wie alle Neuengländer. Junge, Junge, was sind die Leute hier zeitig auf den Beinen.

Wir haben englische Freunde, die vor ein paar Jahren aus Surrey hierhergezogen sind. Kurz nach ihrer Ankunft rief die Frau einen Zahnarzt an, weil sie einen Termin brauchte, und wurde beschieden, sie möge am nächsten Tag um halb sieben kommen. Als sie am folgenden Abend auftauchte, stellte sie fest, daß die Praxis im Dunkeln lag. Sie war für halb sieben morgens bestellt gewesen. Wenn man Walt sagte, er solle um diese Zeit zum Zahnarzt kommen, würde er garantiert fragen, ob es nicht ein wenig früher ginge.

Jedenfalls stand er neulich ein paar Minuten vor sieben bei uns auf der Matte und entschuldigte sich für sein Zuspätkommen, weil der Verkehr in Norwich »heftig« gewesen sei. Interessant daran war nicht die Vorstellung, daß der Verkehr in Norwich je heftig sein könne, sondern die Tatsache, daß er den

Namen des Ortes »Norritch« aussprach, also wie das englische Norwich. Ich war überrascht, weil alle Menschen in Norwich und meilenweit im Umkreis es »Nor-wich« aussprechen, d. h. mit dem w wie in Sandwich.

Meine Neugierde war geweckt.

»Aah-ja«, erwiderte er mit dem neuenglischen Allzweckbegriff, der langsam und gedehnt ausgesprochen und normalerweise vom Ziehen der Mütze und einem nachdenklichen Kopfkratzen begleitet wird. Er bedeutet: Vielleicht sage ich gleich etwas, vielleicht aber auch nicht. Walt erklärte mir, daß man den Namen des Dorfes bis in die fünfziger Jahre hinein »Norritch« ausgesprochen habe, aber dann seien Auswärtige aus Städten wie New York und Boston zugezogen und hätten, aus welchem Grunde auch immer, die Aussprache verändert.

Nun sagt also jeder, der jünger als Walt ist (und das ist praktisch jeder), »Nor-wich«. Daß eine traditionelle lokale Aussprache nur deshalb verlorengeht, weil Hinzugezogene zu faul oder zu nachlässig sind, sie zu bewahren, fand ich ziemlich traurig. Aber es ist symptomatisch für einen viel umfassenderen Trend.

Vor dreißig Jahren waren dreiviertel der Bevölkerung in Vermont auch dort geboren. Heute ist der Anteil auf fast die Hälfte gesunken, mancherorts noch darunter. Folglich hört man viel seltener, daß Ortsansässige »so don't I« sagen, wenn sie »so do I« meinen, oder die bildhaften, wenn auch kryptischen Wendungen benutzen, für die der Staat einst bekannt war. »Schwerer als ein toter Pfarrer« kommt mir in den Sinn, wenn auch leider vielen Leuten in Vermont nicht mehr über die Zunge.

Fährt man in die abgelegeneren Ecken des Staates und verirrt sich in einen Tante-Emma-Laden, hört man eventuell noch, wie ein paar alte Farmer (»fahmuhs« ausgesprochen) um »noch eine Froschhaut Kaffee« bitten oder »Na, das macht doch das Eingemachte deiner Mutter ein« sagen, unter Garantie aber sieht man Stadtflüchtlinge in Ralph-Lauren-Klamotten, die den Ladeninhaber fragen, ob er Guajavafrüchte hat.

Und so läuft's im ganzen Land. In einer Untersuchung des

Dialekts auf Martha's Vineyard, vor der Küste von Massachusetts gelegen, stellte man fest, daß bestimmte traditionelle Arten der Aussprache dort – wie zum Beispiel das Dämpfen des offenen »au« in Wörtern wie »house« und »mouse«, die eher wie »hawse« und »mawse« klangen –, einen unerwarteten Aufschwung erlebte, nachdem es schon fast ausgestorben war. Die treibende Kraft waren Insulaner, die woanders gelebt hatten, auf ihr Eiland zurückgekehrt waren und sich gern wieder der alten Sprachformen und Akzente bedienten, um sich von der Masse der dort nicht Geborenen abzusetzen.

Heißt das, daß sich der Vermonter Akzent und der reiche kernige Dialekt gleichermaßen erholen werden und wir erwarten dürfen, daß die Leute wieder sagen, daß ihnen »etwas Qualen verursacht, wo sie nicht einmal einen Schmerz gespürt haben«, oder daß sie sich »mistiger als das Hinterteil eines Ebers fühlen«? Leider offenbar nicht.

Es scheint alles darauf hinzudeuten, daß Dialekte auf Inseln oder in Gegenden wiederaufleben, die auf die eine oder andere Weise immer noch verhältnismäßig isoliert sind.

Es ist also wahrscheinlich, daß, wer auch immer den Platz des alten Walt einnimmt, wenn der Säge und Hammer an den Nagel hängt, nicht mehr klingt wie ein alter Vermonter, selbst wenn er hier geboren und aufgewachsen ist. Das frühe Aufstehen, das sollte er dann aber auch lassen.

Ineffizienzbericht

Neulich fiel mein Blick auf einen Artikel in unserer Lokalzeitung: Der Kontrollturm unseres Flughafens und die dazugehörigen Einrichtungen sollen privatisiert werden. Weil der Flugplatz Verluste macht, versucht die FAA, die staatliche Luftfahrtbehörde, die Kosten zu reduzieren, indem sie die Flugsicherung hier jemandem überträgt, der es billiger macht. Insbesondere ein Satz fesselte meine Aufmerksamkeit. Er lautete: »Die Sprecherin des Regionalbüros der FAA in New York City, Arlene Sarlac, konnte den Namen der Firma, die den Tower übernehmen wird, nicht nennen.«

Na, das ist ja sehr beruhigend. Vielleicht bin ich überempfindlich, weil ich den Flughafen von Zeit zu Zeit benutze und ein besonderes Interesse daran habe, daß die Maschinen dort in einer annähernd normalen Weise herunterkommen, aber mir wäre doch wohler, wenn der Tower nicht von der Neuenglischen Rollhandtuch & Co. KG oder der Absturz- und Pannendienst (Panama) GmbH gekauft und der nächste Flieger, mit dem ich hereinschwebe, nicht von einem besenschwingenden Typen auf einer Trittleiter herunterdirigiert wird. Zuallermindest hoffe ich, daß die FAA eine vage Vorstellung davon hat, wem sie den Tower verscherbelt. Nennen Sie mich überkorrekt, aber mir scheint, den Namen desjenigen sollte man doch irgendwo in den Akten vermerkt haben.

Die FAA ist ohnehin nicht die allereffizienteste. Im April wurde in einem Regierungsbericht festgestellt, daß sie sich seit Jahren mit Stromausfällen herumplagt, schlechter Organisation und veralteten Anlagen, überarbeiteten, gestreßten Mitarbeitern, ungenügenden Ausbildungsprogrammen und Mißmanagement wegen nicht lückenlos funktionierender Befehlsstrukturen. Hinsichtlich des schlechten Managements konstatierte der Bericht, daß »einundzwanzig verschiedene Dienststellen einundsiebzig verschiedene Anordnungen, sieben Normrichtlinien und neunundzwanzig Sondervorschriften erteilten«. Im Fazit hieß es, die FAA habe keine Ahnung, welche Ausrüstungen sie besitze und wie diese gewartet würden, geschweige denn, wer mit Kaffeekochen dran sei.

Die *Los Angeles Times* behauptete sogar, daß »zumindest drei Unfälle hätten vermieden werden können, wenn die FAA nicht mit der geplanten Modernisierung der Flugsicherungsanlagen im Verzug gewesen wäre«.

Ich erwähne das, weil unser Thema der Woche Inkompetenz in großem Maßstab lautet. Trotz meiner verzweifelten Bemühungen ist es mir bisher nicht gelungen, den immer noch allenthalben herrschenden schrecklichen Mythos endgültig zu begraben, daß in den Vereinigten Staaten Effizienz großgeschrieben wird. Das krasse Gegenteil ist der Fall.

Das liegt zum Teil an der schieren Größe des Landes. Große Länder bringen große Bürokratien hervor. Große Bürokratien bringen massenhaft Abteilungen hervor, und jede dieser Abteilungen erläßt massenhaft Vorschriften und Anordnungen.

Bei vielen Abteilungen hat das zur Folge, daß nicht nur die linke Hand nicht weiß, was die rechte tut, sondern nicht einmal weiß, daß es eine rechte Hand gibt. Tiefkühlpizza ist ein interessantes Beispiel dafür.

In den Vereinigten Staaten unterliegt Tiefkühlkäsepizza natürlich der staatlichen Lebensmittelkontrolle. Die Produktion von Tiefkühlpepperonipizza dagegen wird vom Landwirtschaftsministerium geregelt. Beide Institutionen setzen ihre eigenen Normen hinsichtlich Inhalt, Kennzeichnung und so weiter fest, haben eigene Kontrollteams und eigene Vorschriften, die allerlei teure Papierarbeit erforderlich machen. Und das nur bei Tiefkühlpizza. Ein solcher Irrsinn wäre in einem kleinen

180

Land wie Großbritannien nicht möglich. Dafür braucht man die Europäische Union.

Hier schätzt man, daß sich die Gesamtkosten, die aufgewendet werden müssen, um den ganzen Bettel an Vorschriften zu erfüllen, für das Land auf sechshundertundachtzig Milliarden Dollar im Jahr belaufen, durchschnittlich siebentausend Dollar pro Haushalt. Na, wenn das nicht effizient ist.

Was der amerikanischen Ineffizienz aber ihre besondere Note verleiht, ist der Umstand, daß immer an den falschen Stellen gespart wird. Hier herrscht ein derart kurzsichtiges Gewurschtel, daß man nur noch staunen kann. Passen Sie auf, was den Finanzämtern hier passiert ist.

In jedem Jahr werden in den Vereinigten Staaten einhundert Milliarden Dollar Steuergelder – eine wahrhaft horrende Summe, die ausreichen würde, das staatliche Defizit auf einen Schlag auszugleichen – am Fiskus vorbeigeschmuggelt. 1995 veranstaltete man ein Experiment. Die Finanzämter erhielten eine Summe von einhundert Millionen Dollar, um das ihnen zustehende Geld aufzuspüren. Am Jahresende hatten sie achthundert Millionen gefunden und eingetrieben – nur einen Bruchteil des eigentlichen Betrags, aber unterm Strich immerhin siebenhundert Millionen Dollar zusätzliche Regierungseinnahmen; für jeden ausgegebenen Dollar kamen acht herein.

Was zu der durchaus nicht unberechtigten Überzeugung führte, daß man im nächsten Jahr mindestens zwölf Milliarden Dollar zusätzlicher Steuergelder eintreiben werde und in den folgenden Jahren noch mehr, wenn man das Programm weiter ausbaute. Doch statt dies zu tun, kippte der Kongreß es als – warten Sie's ab! – Teil des »Haushaltsdefizitreduzierungs«-Programms. Begreifen Sie in etwa, wovon ich rede?

Oder nehmen wir die Lebensmittelkontrolle. Um Fleisch auf Verseuchung durch Mikroorganismen wie Salmonellen und Kolibakterien zu untersuchen, gibt es allen möglichen High-Tech-Schnickschnack. Aber die Regierung ist zu geizig, um in so etwas zu investieren. Also wird das Fleisch weiterhin visuell inspiziert. Sie können sich ja vorstellen, wie aufmerksam ein schlechtbezahlter staatlicher Fleischbeschauer jedes der achtzehntausend identischen gerupften Hähnchen beäugt, die jeden Tag seines Arbeitslebens auf einem Fließband an ihm vorbeigleiten. Nennen Sie mich einen Zyniker, aber ich bezweifle doch sehr, daß dieser Mann nach mehr als einem Dutzend Jahren immer noch aufjubelt: »He, da kommen noch ein paar Hähnchen. Die könnten interessant sein.« Außerdem – und man sollte doch meinen, daß irgend jemandem das irgendwann einmal aufgefallen wäre – sind Mikroorganismen für das bloße Auge sowieso unsichtbar.

Folglich sind bis zu zwanzig Prozent aller Hühnchen und Hähnchen und neunundvierzig Prozent der Puten nach eigenem Eingeständnis der Regierung verseucht. Was das alles an Krankenfolgekosten verursacht, kann sich jeder selbst ausrechnen. Aber es wird allgemein angenommen, daß pro Jahr bis zu achtzig Millionen Menschen an fabrikverseuchten Nahrungsmitteln erkranken, was der Wirtschaft irgendwas zwischen fünf und zehn Milliarden an vermeidbaren Krankenkosten, verlorener Produktivität etc. pp. beschert. In den USA sterben jedes Jahr neuntausend Menschen an Lebensmittelvergiftung.

Womit wir wieder bei der guten alten FAA wären. (Sind wir natürlich nicht, aber ich mußte ja irgendwie darauf zurückkommen.) Ob die FAA die ineffizienteste Bürokratie ist oder nicht, sei dahingestellt, aber sie ist ohne jeden Zweifel diejenige, die mein Leben in der Hand hat, wenn ich mehr als zehntausend Meter über der Erde bin. Sie können also meine Besorgnis ermessen, als ich hörte, daß sie die Flugsicherung bei uns hier Leuten übergeben, an deren Namen sie sich nicht einmal erinnern.

Laut unserer Zeitung ist die Übergabe Ende des Monats perfekt. Drei Tage danach bin ich unwiderruflich verpflichtet, von diesem Flughafen aus nach Washington zu fliegen. Ich erwähne das nur für den Fall, daß Sie hier in ein paar Wochen eine leere Spalte erblicken.

Aber das wird schon nicht passieren. Ich habe gerade meine Frau gefragt, was wir zum Abendbrot essen.

Putenfrikadellen, hat sie gesagt.

Ein Tag am Strand

Jedes Jahr um diese Zeit weckt mich meine Frau morgens mit einem spielerischen Klaps und sagt: »Ich habe eine Idee. Laß uns drei Stunden zum Ozean fahren, die meisten unserer Kleider ausziehen und einen ganzen Tag lang auf einem bißchen Sand sitzen.«

»Warum?« frage ich argwöhnisch.

»Es macht Spaß«, behauptet sie.

»Das glaube ich nicht«, erwidere ich. »Die Leute finden es anstößig, wenn ich in der Öffentlichkeit mein Hemd ausziehe. Ich selbst finde es anstößig.«

»Nein, nein, es wird toll. Wir kriegen Sand ins Haar. Wir kriegen Sand in die Schuhe. Wir kriegen Sand in unsere Butterbrote und dann in den Mund. Wir kriegen einen Sonnenbrand, und vom vielen Wind juckt uns die Haut. Und wenn wir keine Lust mehr zum Rumsitzen haben, können wir ein bißchen im Wasser planschen, das so kalt ist, daß es einem weh tut. Am Ende des Tages brechen wir zur selben Zeit wie siebenunddreißigtausend andere Leute auf und geraten in einen solchen Verkehrsstau, daß wir erst um Mitternacht nach Hause kommen. Ich kann beißende Bemerkungen zu deinen Fahrkünsten machen, und die Kinder können sich die Zeit damit vertreiben, sich mit scharfen Gegenständen zu stechen. Hei, das wird ein Spaß!«

Das Tragische ist, daß meine Frau wirklich findet, daß es Spaß macht, denn sie ist Engländerin und mithin keinem vernünftigen Argument zugänglich, sobald es um Salzwasser geht. Ehrlich gesagt, habe ich die Liebe der Briten zum Strand nie begriffen.

Iowa, wo ich aufgewachsen bin, ist eintausendundsechshundert Kilometer vom nächsten Ozean entfernt. Deshalb denke ich bei dem Wort Ozean (und ich glaube, die meisten anderen Bewohner des Staates auch) an alarmierende Dinge wie Kabbelung und Unterströmungen. (Die Leute in New York ergreift wahrscheinlich eine ähnliche Panik, wenn man Begriffe wie Maisfeld oder Provinzjahrmarkt fallenläßt.) Der Ahquabi-See, in und an dem ich meine entscheidenden Schwimm- und Sonnenbrandlektionen absolvierte, ist sicher nicht so romantisch wie Cape Cod oder so grandios wie die felsdurchzogene Küste von Maine, man wurde dort aber auch nicht am Bein geschnappt und hilflos zappelnd nach Neufundland abgeschleppt. Nein, bitte, bleiben Sie mir weg mit dem Meer und allem, was darin ist.

Als deshalb meine Frau am letzten Wochenende eine Fahrt zum Ozean vorschlug, sprach ich ein Machtwort und sagte: »Niemals – mit mir nicht«, was natürlich der Grund war, weshalb wir drei Stunden später an der Kennebunk Beach in Maine landeten.

Angesichts meines trubeligen, abenteuerlichen Lebens glauben Sie sicher gar nicht, daß ich bis dahin erst zweimal an amerikanischen Meeresgestaden gewesen war. Einmal in Kalifornien; da war ich zwölf und schaffte es, mir alle Haut von der Nase abzuschürfen, weil (die Story ist wahr) ich eine zurückrollende Welle zeitlich falsch eingeschätzt hatte, wie das nur jemandem aus Iowa passieren kann, und kopfüber in puren, grobkörnigen Sand tauchte. Das zweitemal während meines Studiums in Florida; aber da war ich zu betrunken, um ein so unauffälliges landschaftliches Merkmal wie einen Ozean zu bemerken.

Ich kann also nicht so tun, als könne ich mit der Autorität des Sachkundigen sprechen. Ich kann Ihnen nur versichern, daß die amerikanischen Strände vollkommen anders als die britischen sind, falls man das nach der Kennebunk Beach beurteilen kann. Zunächst einmal gibt es dort weder eine Mole noch eine Strandpromenade, noch Einkaufspassagen; auch keine Läden, in denen wundersamerweise alles ein Pfund kostet, oder solche, in denen man anzügliche Postkarten oder kecke Hüte erstehen kann, keine Tearooms oder Fish-and-Chips-Buden; keine Wahrsagerinnen; keine körperlose, rauchige Stimme, die aus der Bingohalle seltsam verschlüsselte Botschaften haucht: »Nummer siebenunddreißig – der Pfarrer ist schon wieder in den Büschen.«

Die Kennebunk Beach war völlig frei von Kommerz. Es gab nur eine Straße, die von Sommervillen gesäumt war, einen langen, sonnenbeschienenen Strand und dahinter ein unendliches, feindliches Meer.

Was übrigens nicht bedeutete, daß es den Sonnenhungrigen – vielen Hunderten – an irgend etwas mangelte. Denn was Essen, Getränke, Sonnenschirme, Windschutzplanen, Klappstühle und schnittige Schlauchboote betraf, hatten sie alles mitgebracht, was sie je brauchen würden. Amundsen ist schlechter ausgerüstet zum Südpol gezogen als diese Leute zur Kennebunk Beach.

Im Gegensatz dazu boten wir einen eher bemitleidenswerten Anblick. Abgesehen davon, daß wir weißer waren als die Flanken eines Greises, bestand unsere gesamte Ausrüstung aus drei Strandtüchern und einer Basttasche, in der sich nach englischer Art eine Flasche Sonnencreme, ein unerschöpflicher Vorrat an Feuchtigkeitstüchern, eine Extraunterhose für jeden (für eventuelle Verkehrsunfälle, die einen Besuch in der Ersten Hilfe erforderlich gemacht hätten) und ein bescheidenes Paket belegte Brote befanden.

Unser Jüngster – den ich mittlerweile lieber Jimmy nenne, es könnte ja sein, daß er eines Tages Verleumdungsanwalt wird – sagte nach einem Blick in die Runde: »Okay, Dad, paß auf! Ich brauche ein Eis, eine Luftmatratze, ein Deluxe-Eimer- und Schüppchenset, einen Hot dog, Zuckerwatte, ein aufblasbares Dingi, Taucherausrüstung, meine eigene Wasserrutsche, eine Käsepizza mit Extrakäse und eine Toilette.«

»Das alles gibt's hier nicht, Jimmy«, kicherte ich.

»Zur Toilette muß ich aber wirklich.«

Ich erstattete meiner Frau Bericht. »Dann mußt du mit ihm nach Kennebunkport fahren«, sagte sie frohgemut von unter einem grotesken Sonnenhut her.

Kennebunkport ist eine alte Stadt an einer Straßenkreuzung ein paar Kilometer vom Strand entfernt und wurde lange, bevor jemand an Autos gedacht hat, angelegt. Sie war von Fahrzeugen aus allen Richtungen verstopft. Wir parkten entsetzlich weit außerhalb des Stadtzentrums und begaben uns auf die Suche nach Toiletten. Als wir eine fanden (es war die Rückwand der Rite-Aid-Apotheke – aber erzählen Sie das bitte nicht Mrs.B.), mußte Klein-Jimmy nicht mehr.

Dann fuhren wir zum Strand zurück. Als wir etliche Stunden später dort ankamen, stellte ich fest, daß alle schwimmen gegangen waren und nur noch ein halbaufgegessenes Butterbrot übrig war. Ich setzte mich auf ein Handtuch und begann an dem Brot zu knabbern.

»Ach, schau«, sagte Tochter Nummer zwei fröhlich zu ihrer Mutter, als sie wenige Minuten darauf der Gischt entstiegen.

»Daddy ißt das Brot, das der Hund fressen wollte.«

»Sag mir, daß das nicht stimmt«, wimmerte ich.

»Keine Bange, Liebes«, beruhigte mich meine Frau. »Es war ein Irischer Setter. Die sind sehr sauber.«

Die weiteren Ereignisse habe ich nur noch bruchstückhaft in Erinnerung. Ich hielt ein Nickerchen und wachte auf, als Jimmy mich bis zur Brust mit Sand zugeschaufelt hatte, was in Ordnung gewesen wäre, wenn er nicht an meinem Kopf angefangen und ich schon einen solchen Sonnenbrand gehabt hätte, daß ein Hautarzt mich in der folgenden Woche als Demonstrationsobjekt zu einem Kongreß in Cleveland einlud.

Wir verloren den Autoschlüssel und suchten zwei Stunden, der Irische Setter kam wieder, kniepte mich in die Hand, weil ich sein Brot gegessen hatte, und stahl eines der Strandtücher, Tochter Nummer zwei kriegte Teer ins Haar. Mit anderen Worten: Es war ein typischer Tag am Strand. Um Mitternacht kamen wir zu Hause an – der versehentliche Abstecher zur kanadischen Grenze gab uns auf dem langen Rückweg quer durch Pennsylvania wenigstens etwas zum Reden.

»Wunderschön«, sagte meine Frau. »Das müssen wir bald mal wieder machen.«

Und das Herzzerreißende ist, sie meinte es wirklich.

Herrliche Nebensächlichkeiten

Heute erzähle ich Ihnen eine Geschichte, die ich sehr mag.

Letztes Jahr kurz vor Weihnachten brachte eine amerikanische Computerspielefirma namens Maxis Inc. ein Abenteuerspiel heraus, das SimCopter hieß und bei dem die Spieler Hubschrauber im Rettungsdienst fliegen müssen. Nach erfolgreichem Abschluß des zehnten und letzten, des schwierigsten Einsatzes, sollten die Gewinner laut *New York Times* mit einer audiovisuellen Siegesfeier belohnt werden, mit »jubelnden Menschen, Feuerwerk und Blaskapelle«.

Zu ihrer mutmaßlichen Überraschung erblickten die Gewinner sich küssende Männer in Badehosen.

Die bösen Buben, stellte sich heraus, waren das Werk eines übermütigen dreiunddreißig Jahre alten Programmierers namens Jacques Servin. Auf Anfrage der *Times* sagte Mr. Servin, er habe die knutschenden Kerls erschaffen, um »darauf aufmerksam zu machen, daß es keine schwulen Figuren in Computerspielen gibt«. Die Firma rief eiligst achtundsiebzigtausend Spiele zurück und bat Mr. Servin, sich woanders eine Beschäftigung zu suchen.

Noch eine Geschichte, die mir gefällt.

Im Juni diesen Jahres reiste Mrs. Rita Rupp aus Tulsa, Oklahoma, allein im Auto durch die USA und bildete sich plötzlich ein, daß sie von Unholden entführt werden könnte. Um also einer solchen Eventualität vorzubeugen, schrieb sie vorsichtshalber ein paar Zeilen in angemessen verzweifelt aussehender Schrift: »Hilfe! Bin gekidnappt worden. Melden Sie es der Highwaypolizei.« Ihren Namen und Adresse und die Telefonnummer der zuständigen bewaffneten Dienststellen setzte sie darunter.

Wenn man nun schon ein solches Schreiben verfaßt, sollte man doch dafür sorgen, daß man (a) entweder wirklich gekidnappt wird oder (b) den Zettel nicht aus Versehen aus der Handtasche fallen läßt. Na, raten Sie, was passierte! Die unselige Mrs. Rupp ließ das Schreiben fallen, es wurde von einem pflichtbewußten Bürger aufgehoben und abgeliefert, und im Handumdrehen errichteten Polizisten aus vier Bundesstaaten Straßensperren, veröffentlichten flächendeckend Suchanzeigen, ja, steigerten sich in ein rechtes Jagdfieber. In gnädiger Unkenntnis des Chaos, das sie hinter sich anrichtete, gelangte Mrs. Rupp unbehelligt zu ihrem Zielort.

So entzückend diese beiden Geschichten sind, leider bin ich bisher noch nicht auf den Dreh gekommen, wie ich sie in einer meiner Kolumnen unterbringen kann. Das ist überhaupt die Crux beim Kolumnenschreiben, finde ich. Ewig und drei Tage stoße ich auf unterhaltsame, erzählenswerte Leckerbissen, schneide sie auch immer brav aus beziehungsweise fotokopiere sie und hefte sie unter »Computerspiele (Küssende Kerls)« oder »Schlechteste Tips für Highwayfahrten« oder einem anderen passenden Stichwort ab.

Irgendwann – na ja, um genau zu sein, heute nachmittag – stoße ich dann wieder darauf und frage mich, was um Himmels willen ich damit vorhatte. Dieses Sammeln von interessanten, aber letztendlich nutzlosen Informationen bezeichne ich als Ignaz-Semmelweis-Syndrom, nach dem österreichisch-ungarischen Arzt Ignaz Semmelweis, der 1850 als erster Mensch begriff, daß man die Ausbreitung von Infektionen in Hospitälern drastisch eindämmen konnte, wenn man sich die Hände wusch. Kurz nach seiner bahnbrechenden Entdeckung starb Dr. Semmelweis – an einer Schnittwunde in der Hand, die sich infiziert hatte.

Verstehen Sie, was ich meine? Eine wunderbare Story, aber ich weiß nicht, wo ich sie verwenden kann. Ich hätte das Phänomen auch Versalle-Syndrom nennen können, nach dem Opernsänger Richard Versalle, der 1996 in der Met in New York bei der Premiere der Janacek-Oper *Die Sache Makropoulos* die verhängnisvollen Worte »Schade, ewig leben kann keiner« sang, prompt von einer fünf Meter hohen Leiter fiel und sich das Genick brach.

Dann wiederum könnte ich das Syndrom auch zu Ehren des großen Generals der Unionsarmee, John Sedgewick, benennen, dessen letzte Worte in der Schlacht von Fredericksburg im amerikanischen Bürgerkrieg lauteten: »Männer, ich sag euch, nicht mal ein Haus treffen sie auf diese Entfer–«

All diesen Menschen ist gemeinsam, daß sie nicht den geringsten Bezug zu irgend etwas haben, über das ich je geschrieben habe oder jemals schreiben werde. Und weil ich leider so recht eigentlich nie weiß, worüber ich mich auslassen werde (um Ihnen die Wahrheit zu sagen, ich kann es gar nicht abwarten, wo das hier hinführt), bewahre ich diese Anekdoten fein säuberlich auf, damit sie mir in einer Notlage einmal gute Dienste leisten.

Folglich besitze ich lauter Papphefter, die von Ausschnitten bersten – wie zum Beispiel dem hier aus einer Zeitung in Portland, Maine. Überschrift: »Mann wieder an Baum gekettet gefunden«. Das »wieder« stach mir ins Auge. Wenn in der Titelzeile gestanden hätte, »Mann an Baum gekettet gefunden«, hätte ich vermutlich weitergeblättert. Das kann doch jeder, sich mal an einen Baum ketten lassen. Aber *zweimal* – na, das riecht doch allmählich nach Leichtsinn.

Der Fesselungskünstler war ein gewisser Larry Doyen aus Mexico, Maine, der offenbar das hochinteressante Steckenpferd pflegte, sich mit Kette und Vorhängeschloß an einen Baum zu binden und dann den Schlüssel außer Reichweite zu werfen. Bei dieser Gelegenheit blieb er zwei Wochen draußen im Wald und wäre beinahe verhungert.

Eine amüsante Geschichte und sicher eine heilsame Lektion für uns alle, die wir überlegt haben, ob wir nicht Freiluftfesseln als Hobby aufnehmen sollen. Aber was ich damit anzufangen gedachte, als ich noch nicht ahnte, daß ich einmal Kolumnen schreiben müßte, kann ich heute kaum noch sagen.

Genauso schleierhaft ist mir im übrigen, worin ich die Bedeutung eines kleinen Artikels aus der *Seattle Times* vermutete, den ich aufbewahrt habe. Es geht darin um eine Gruppe US-Fallschirmjäger, die sich bereit erklärte, im Zuge ihrer Öffentlichkeitsarbeit in Kenwick, Washington, auf einem High-School-Footballfeld zu landen und dem Quarterback der Heimmannschaft den Ball für das Spiel zu überreichen. Mit lobenswerter Präzision sprangen sie, bunten Rauch aus Spezialleuchtraketen hinter sich herziehend, aus ihrem Flugzeug, vollführten etliche atemberaubend kesse Kunststücke und landeten – in einem leeren Stadion auf der anderen Seite der Stadt.

Und warum ich folgende Geschichte aus der *New York Times* archiviert habe, entzieht sich mir heute ebenfalls. Ein Elternpaar schrieb die Gurgellaute seines Säuglings auf, brachte sie in Gedichtform (typische Zeile: »Uwah-uwah-uwah-uwah uah-uwah«), reichte das so gewonnene lyrische Extrakt bei einem Wettbewerb namens Nordamerikanischer Offener Gedichtwettbewerb ein, kam ins Halbfinale und – gewann einen Preis.

Manchmal hebe ich leider nicht den gesamten Artikel, sondern nur einen Absatz daraus auf, so daß ich dann mit einem rätselhaften Fragment dastehe.

Hier ein Zitat aus der *Atlantic Monthly* vom März 1996: »Ein Hautarzt, der in seiner Garage eine Gehirnoperation vornimmt, handelt vollkommen legal, wenn er einen Patienten findet, der bereit ist, sich auf den OP-Tisch zu legen und zu zahlen.« Hier ein Ausriß aus der *Washington Post:* »Forscher der University of Utah haben entdeckt, daß die meisten Männer drei Stunden lang hauptsächlich durch ein Nasenloch atmen und in den folgenden drei Stunden hauptsächlich durch das andere.« Der Himmel allein weiß, was sie in den übrigen achtzehn Stunden des Tages tun, denn ich habe den Rest des Artikels nicht aufbewahrt.

Ich meine immer, daß ich diese Einzelstücke irgendwann einmal in einer Kolumne verwursten kann, aber ich bin noch nicht darauf gekommen, wie. Eines jedoch kann ich Ihnen hoch und heilig versprechen: Wenn ich es schaffe, lesen Sie es hier zuerst.

Wie es ist, einen Sohn zu verlieren

Heute wird's vielleicht ein wenig gefühlsduselig, und ich entschuldige mich auch schon im voraus. Als ich gestern abend an meinem Schreibtisch arbeitete, kam mein jüngstes Kind, Baseballschläger über der Schulter, Cap auf dem Kopf, zu mir hoch und fragte, ob ich Lust hätte, ein bißchen Ball mit ihm zu spielen. Ich versuchte gerade, eine wichtige Arbeit fertig zu machen, bevor ich auf eine längere Reise ging, und hätte beinahe mit Bedauern abgelehnt, doch da fiel mir ein, daß mein Sohn nie wieder sieben Jahre, einen Monat und sechs Tage alt sein würde und wir diesen Moment besser nutzten, solange es noch möglich war.

Also gingen wir auf den Rasen vor dem Haus, und jetzt, jetzt wird's gefühlsduselig. Denn was jetzt passierte, war von so elementarer, reiner Schönheit, daß ich es kaum in Worte fassen kann. Die Abendsonne fiel über den Rasen, mit kindlich ernstem Eifer stand mein Sohn da, wir machten dieses ultimative Vater-Sohn-Ding und waren rundum glücklich, einfach nur zusammenzusein. Ich konnte gar nicht mehr begreifen, daß ich je gemeint hatte, es sei lohnender und wichtiger, einen Artikel zu Ende zu schreiben oder ein Buch zu verfassen oder überhaupt irgend etwas anderes zu tun.

Ja, und diese ganze plötzliche Empfindsamkeit rührt daher, daß wir vor etwa einer Woche unseren ältesten Sohn zu einer kleinen Universität in Ohio gebracht haben. Er ist von unseren vieren der erste, der aus dem Nest fliegt. Nun ist er weg – weit weg, erwachsen, unabhängig –, und ich merke auf einmal, wie schnell die Kinder gehen.

»Wenn sie erst an der Universität sind, kommen sie im Grunde nie wieder zurück«, sagte uns neulich eine Nachbarin wehmütig, die zwei Kinder verloren hat.

Das wollte ich gar nicht hören. Ich wollte hören, daß sie ständig zurückkommen, nur diesmal ihre Kleider an den Haken hängen, einen bewundern, weil man so intelligent und witzig ist, und daß sie »keinen Bock mehr auf Piercing haben«. Aber die Nachbarin hatte recht. Unser Sohn ist fort. Die Leere, die im Hause herrscht, beweist es.

Damit hatte ich überhaupt nicht gerechnet, denn selbst wenn er in den letzten Jahren da war, war er, genaugenommen, nicht da, wenn Sie verstehen, was ich meine. Wie die meisten Teenager wohnte er in unserem Haus, aber nicht im eigentlichen Sinne des Wortes – es war eher so, daß er ein paarmal am Tag vorbeikam, nachschaute, was im Kühlschrank war, oder, ein Handtuch um die Hüfte geschlungen, von Zimmer zu Zimmer lief und rief: »Mum, wo ist mein …?« Gelegentlich sah ich auch seinen Kopf, der über den Sessel vor dem Fernseher ragte, auf dessen Bildschirm sich Asiaten die Schädel eintraten. Doch hauptsächlich logierte unser Filius an einem Ort namens »nicht da«.

Meine Rolle bei seinem Studienanfang bestand dann darin, Schecks auszustellen – einen nach dem anderen – und in dem Maße blasser und entsetzter dreinzuschauen, wie die Summen in die Höhe kletterten. Sie glauben ja nicht, wie teuer es heutzutage in den Vereinigten Staaten ist, ein Kind studieren zu lassen. Vielleicht liegt es daran, daß wir in einem sozialen Umfeld wohnen, in dem man mit großem Ernst an die Sache rangeht. Denn hier fährt fast jeder Jugendliche, der studieren will, erst einmal los und schaut sich ein halbes Dutzend und mehr in Frage kommender Hochschulen an, was natürlich mit enormen Unkosten verbunden ist. Dann fallen die Gebühren für die Universitätseingangsprüfungen an und davon unabhängig ein Obolus für jede Alma mater, an der man sich beworben hat.

All das aber ist ein Klacks gegenüber den Kosten für das Studium selbst. Die Ausbildung meines Sohnes verschlingt neunzehntausend Dollar im Jahr, und das ist heutzutage, habe ich mir sagen lassen, sogar noch preiswert. Manche Bildungsstätten nehmen bis zu achtundzwanzigtausend Dollar an Studiengebühren. Hinzu muß man dreitausend Dollar im Jahr für die Miete des Zimmers rechnen, zweitausendvierhundert für Essen, etwa siebenhundert für Bücher, sechshundertfünfzig für Kranken- und sonstige Versicherungen und siebenhundertzehn für »Aktivitäten«. Worin die bestehen, fragen Sie mich bitte nicht. Ich unterschreibe nur die Schecks.

Obendrauf kommen noch die Ausgaben für die Flüge von und nach Ohio zu Thanksgiving, Weihnachten und Ostern – also, Ferien, bei denen jeder zweite Student in den USA fliegt und die Flugpreise schwindelerregende Höhen erreichen –, plus Ferner-liefen-Posten wie Taschengeld und Ferngespräche. Meine Frau ruft ihn ja jetzt schon jeden zweiten Tag an und fragt, ob er genug Geld hat, obwohl ich sie immer wieder darauf hinweise, die Frage müßte umgekehrt gestellt werden, ob wir noch genug Geld hätten. Vier Jahre lang wird sich auch nichts daran ändern. Im Gegenteil: Im nächsten Herbst fängt meine Tochter an zu studieren, und dann haben wir das alles doppelt gemoppelt.

Ich hoffe also, daß Sie mir verzeihen, wenn ich Ihnen erzähle, daß die emotionalen Erschütterungen zunächst von den nicht enden wollenden pekuniären ziemlich überlagert wurden. Daß unser Sohn aus unserem Leben verschwand und sein eigenes begann, begriff ich deshalb auch erst richtig, als wir ihn in seiner Studentenbude absetzten und er rührend hilflos und verloren zwischen diversen Pappkartons und Koffern in einem einer Gefängniszelle nicht unähnlichen, spartanisch eingerichteten Raum stand.

Jetzt, da wir wieder zu Hause sind, ist es noch schlimmer. Im Fernsehen läuft kein Kickboxen mehr, im hinteren Flur stapeln sich keine Riesenturnschuhberge, niemand ruft vom obersten Treppenabsatz herunter »Mum, wo ist mein …?«, und niemand, der so groß ist wie ich selbst, nennt mich mehr »Doofi« oder sagt: »Hübsches Hemd, Dad, hast du es einem Asylanten abgezogen?« Jetzt weiß ich, daß ich es bisher genau falsch herum verstanden habe. Selbst wenn mein Sohn nicht hier war, war er hier. (Und nun verstehen Sie sicher, was ich meine.) Jetzt jedenfalls ist er definitiv nicht mehr hier.

Es bedarf nur der einfachsten Dinge – eines zusammengeknüllten Sweatshirts auf dem Rücksitz des Autos, eines gekauten Kaugummis an einer offensichtlich unangebrachten Stelle –, und ich könnte hemmungslos losplärren. Mrs. Bryson braucht keine Anlässe. Sie plärrt hemmungslos – am Spülbecken, im Badezimmer, beim Staubsaugen. »Mein Kleiner«, jammert sie verzweifelt, putzt sich mit besorgniserregendem Trompeten an jedem erreichbaren Stück Stoff die Nase und wimmert noch ein bißchen mehr.

In den letzten Wochen habe ich mich immer wieder dabei ertappt, daß ich stundenlang ziellos durchs Haus latschte und die eigenartigsten Dinge betrachtete – einen Basketball, die Renntrophäen, ein altes Ferienfoto. Und dann muß ich an all die unbekümmert ad acta gelegten Gestern denken, die sie verkörpern. Ich bin nicht nur überrascht, wie schwer mir die Einsicht fällt, daß mein Sohn nicht mehr hier ist, sondern vor allem davon, wie langsam ich begreife, daß der Junge, der er war, für immer fort ist. Ich würde alles dafür geben, sie beide wieder hier zu haben. Aber das ist natürlich utopisch. Das Leben geht weiter. Die Kinder werden groß und ziehen davon, und wenn Sie das nicht schon wissen – glauben Sie mir, es passiert schneller, als Sie denken.

Und deshalb mache ich jetzt Schluß und gehe vors Haus ein bißchen Baseballspielen, solange ich noch die Möglichkeit dazu habe.

Unterhaltsames von den Highways

Wir sind also kürzlich von New Hampshire nach Ohio gefahren, um meinen ältesten Sohn an einer Universität abzuliefern, die sich erboten hatte, ihn während der nächsten vier Jahre gegen ein Entgelt, das im Kostenbereich für einen Mondflug liegt, zu beherbergen und auszubilden.

Verschwiegen habe ich bislang, *wie* alptraumhaft die ganze Angelegenheit war. Verstehen Sie mich bitte recht, ich liebe meine Frau und meine Kinder heiß und innig, einerlei, wieviel sie mich per annum an Markenschuhwerk und Nintendo-Spielen kosten (ehrlich gesagt, viel). Aber das heißt nicht, daß ich jemals wieder eine Woche mit ihnen auf einem amerikanischen Highway in einen Metallkäfig eingeschlossen verbringen möchte.

Und zwar nicht wegen meiner Lieben, muß ich schnell hinzufügen, sondern wegen der Highways. Ach, sind die langweilig! Als Engländer können Sie sich ein solches Ausmaß an Langeweile gar nicht vorstellen (höchstens, wenn Sie aus Stevenage kommen). Teil des Problems ist, daß die Highways unendlich lang sind. Von New Hampshire bis in die Mitte Ohios sind es eintausenddreihundertundsechzig Kilometer, und zurück – das kann ich persönlich bezeugen – ist es noch einmal genausoweit. Und auf dem ganzen langen Weg gibt es nichts, über das man sich freuen (oder aufregen) kann.

Früher war das anders. Als ich klein war, jagte eine Abwechslung die andere. Nichts Tolles, aber das machte nichts. Irgendwann am Tag konnte man immer darauf zählen, daß man eine Plakatwand erblickte, auf der zum Beispiel stand: »Besuchen Sie den weltberühmten Atomfelsen – Er glüht wirklich!« Ein Stück weiter verkündete ein Mammutschild: »Schauen Sie sich den Felsen an, der selbst der Wissenschaft Rätsel aufgibt! Nur noch 162 Meilen!«, und ein Forscher mit ernster Miene und Sprechblase am Mund vertraute dem vorbeifahrenden Autofahrer an: »Ein wahres Wunder der Natur!« oder »Selbst ich bin baff!«

Als nächstes konnte man dann lesen: »Erleben Sie das Kraftfeld des Atomfelsens… *Wenn Sie es wagen!* Nur noch 147 Meilen!« Und man sah, wie ein Mann, der interessanterweise dem eigenen Vater ähnelte, von einer unbekannten strahlenden Kraft zurückgeschleudert wurde. In schmaleren Lettern erging die Warnung: »Vorsicht: Für Kleinkinder eventuell nicht geeignet.«

Das brachte es dann. Mein großer Bruder und meine große Schwester, die mit mir hinten auf den Rücksitz gequetscht saßen und alle Möglichkeiten erschöpft hatten, mir mit einem Kugelschreiber plastische geometrische Muster auf Gesicht, Arme und Bauch zu zeichnen, schrien lauthals, daß sie diese weltberühmte Attraktion sehen wollten, und ich stimmte leise mit ein.

Die Leute, die diese Plakatwände aufstellten, waren genial. Sie gehören zu den größten Marketinggenies unseres Zeitalters. Sie wußten genau – auf die Meile genau, nehme ich an –, wie lange ein Haufen Kinder in einem Auto braucht, um den zwangsläufig heftigen Widerstand eines Familienoberhauptes zu brechen, das natürlich nirgendwohin will, das Geld und Zeit kostet. Wir jedenfalls fuhren letztendlich immer dorthin.

Selbstredend glich der weltberühmte Atomfelsen dem angekündigten Wunder der Natur nicht im geringsten. Es war schon fast komisch, um wieviel kleiner er war als auf dem Plakat und daß er keineswegs glühte. Angeblich aus Sicherheitsgründen hatte man ihm mit einem Zaun abgesperrt, der mit Warnungen wie »Achtung! Gefährliches Kraftfeld! Nicht näher treten!« zugeklebt war. Natürlich kroch trotzdem ein Kind darunter hindurch und berührte den Felsen, ja kletterte darauf herum, ohne daß es beiseite geschleudert wurde oder sonstwelche unmittelbaren Schäden erlitt. Meine extravaganten Tätowierungen erregten weit mehr Aufmerksamkeit bei den Schaulustigen.

Seinerseits glühend vor Empörung packte uns mein Vater wieder ins Auto, schwor, sich nie wieder für so dumm verkaufen zu lassen, und wir fuhren weiter, bis wir ein paar Stunden später an einer Plakatwand vorbeikamen, die uns zu einem Besuch der »Weltberühmten singenden Sanddünen! Nur 214 Meilen!« einlud und das Ganze von vorn begann.

In sturzlangweiligen Staaten wie Nebraska und Kansas errichteten die Bewohner Schilder, auf denen so gut wie alles annonciert wurde – »Schauen Sie die tote Kuh an! Stundenlanger Spaß für die ganze Familie!« oder »Holzplanke! Nur noch 132 Meilen!« Über die Jahre, daran erinnere ich mich gut, besuchten wir einen Dinosaurierfußabdruck, einen versteinerten Frosch, ein Loch im Boden (»den tiefsten Brunnen auf Erden«) und ein komplett aus Bierflaschen gebautes Haus. Aus manchen unserer Ferien sind das sogar meine einzigen Erinnerungen.

Die angepriesenen Sensationen waren fast immer enttäuschend, aber das war nicht schlimm. Dafür bezahlte man die fünfundsiebzig Cents nicht. Man bezahlte sie als eine Art Tribut, als Dank an den erfindungsreichen Menschen, der einem geholfen hatte, zweihundert Kilometer ereignislosen Highway in einem Zustand wahrhafter Erregung hinter sich zu bringen. Mein Vater hat das nie begriffen.

Zu meinem Bedauern muß ich sagen, daß meine Kinder es auch nicht begreifen. Auf unserem Trip durch Pennsylvania, einem Staat, der so absurd groß ist, daß man einen ganzen Tag braucht, um ihn zu durchqueren, kamen wir an einem Schild vorbei, das uns aufforderte: »Besucht das weltberühmte Straßenrandamerika! Nur 79 Meilen!«

Ich hatte keine Ahnung, was Straßenrandamerika war, und es lag auch gar nicht auf unserer Strecke, aber ich bestand darauf, daß wir hinfuhren, weil so etwas Seltenheitswert hat. Heutzutage ist das Sensationellste, auf das man an einem amerikanischen Highway hoffen kann, ein McDonald's Happy Meal. Eine Attraktion wie Straßenrandamerika, was auch immer es ist, muß man in Ehren halten. Die Ironie der Geschichte war natürlich, daß ich der einzige Insasse des Autos war, der sie sehen wollte, und mich gegen ein erhebliches Mehrheitsvotum durchsetzen mußte.

Straßenrandamerika entpuppte sich als große Modelleisenbahn mit kleinen Städten und Tunneln, mit Farmen und Miniaturkühen und -schafen und vielen Zügen, die unaufhörlich im Kreis darum herumfuhren. Die Anlage war ein wenig verstaubt und schlecht beleuchtet, aber bezaubernd nach dem Motto »Seit 1957 nicht mehr angerührt«. Wir waren die einzigen Besucher, wahrscheinlich die einzigen seit vielen Tagen. Ich war entzückt.

»Ist die nicht toll?« fragte ich meine jüngste Tochter.

»Dad, du bist voll peinlich«, sagte sie traurig und trollte sich.

Hoffnungsfroh wandte ich mich an ihren kleinen Bruder, aber er schüttelte nur den Kopf und folgte ihr.

Natürlich war ich enttäuscht, aber ich glaube, ich weiß, was ich beim nächstenmal mache. Ich halte sie zwei Stunden lang fest und bemale sie von oben bis unten mit einem Kugelschreiber. Dann wissen sie garantiert jede Art Abwechslung auf einem Highway zu schätzen.

Vorsicht, Schnüffler!

So, jetzt kommt etwas, das Sie sich merken müssen, sollten Sie jemals in einem amerikanischen Kaufhaus oder Laden eine Umkleidekabine benutzen. Es ist vollkommen legal – und ganz offenbar Routine –, daß Sie observiert werden, während Sie dort Klamotten anprobieren.

Das weiß ich, weil ich gerade ein Buch von Ellen Alderman und Caroline Kennedy gelesen habe. Es heißt *Das Recht auf Privatsphäre* und strotzt von alarmierenden Geschichten darüber, wie Firmen und Arbeitgeber in das eindringen dürfen, was man normalerweise als Privatleben betrachtet – und es auch mit Begeisterung tun.

Daß in Umkleidekabinen spioniert wird, kam 1983 ans Licht, als ein Kunde, der in einem Michiganer Kaufhaus etwas anprobierte, bemerkte, daß ein Angestellter auf eine Trittleiter gestiegen war und ihn durch ein Guckloch beobachtete. (Ist das nun geschmacklos oder nicht?) Der Kunde war so empört, daß er das Kaufhaus wegen Verletzung seiner Privatsphäre verklagte. Er verlor. Das Gericht war der Ansicht, daß Ladenbesitzer solcherart Kontrollen durchführen dürfen, um sich angemessen gegen Diebstähle zu schützen.

Den Kunden hätte das nicht überraschen sollen. In irgendeiner Form wird heute in den USA jeder observiert. Der technische Fortschritt im Verbund mit Arbeitgeberparanoia und Profitgier hat zur Folge, daß viele Millionen US-Bürger es sich gefallen lassen müssen, daß man in einer Art und Weise in ihrem Leben herumschnüffelt, die vor einem Dutzend Jahren noch nicht möglich, ja nicht einmal denkbar gewesen wäre.

Surfen Sie im Internet, und fast jede Website, die Sie aufsuchen, hält fest, was Sie sich angeschaut haben und wie lange Sie dort geblieben sind. Diese Information kann und wird im allgemeinen auch an Postversand- und Marketingfirmen verhökert oder sonstwie benutzt, um Sie zum Geldausgeben zu animieren.

Schlimmer noch, es gibt nun massenhaft Informationshändler – elektronisch versierte Privatdetektive –, die sich ihren Lebensunterhalt damit verdienen, gegen eine Gebühr im Internet persönliche Daten von Leuten auszugraben. Wenn man amerikanischer Bürger ist und sich je ins Wahlregister hat eintragen lassen, kommt jeder an Adresse und Geburtsdatum ran, weil die Listen in den meisten Staaten öffentlich zugänglich sind. Mit diesen beiden Informationen können die Händler (und für schlappe acht oder zehn Dollar tun sie das auch) fast jede persönliche Information über jeden Menschen liefern, die jemand wissen möchte: Vorstrafen wegen krimineller und Verkehrsdelikte, Krankengeschichte, Kreditwürdigkeit, Hobbys, Kaufgewohnheiten, jährliches Einkommen, Telefonnummern (einschließlich derer, die nicht im Telefonbuch stehen) – was das Herz begehrt.

Das war auch früher beileibe nicht unmöglich, aber es dauerte Tage, die Erkundigungen einzuziehen und diverse staatliche Stellen aufzusuchen. Nun schafft man das in Minutenschnelle und vollkommen anonym durch das Internet.

Viele Firmen nutzen die neuen technischen Errungenschaften, um ihre Geschäfte um so aggressiver zu betreiben. Nach Berichten in der *Time* überprüfte eine Bank in Maryland – offenbar völlig im Einklang mit den Gesetzen – die Krankengeschichte ihrer Kreditnehmer, um herauszufinden, welche von ihnen an lebensgefährlichen Krankheiten litten, und kündigte ihnen die Darlehen. Andere Unternehmen beschäftigen sich derart intensiv nicht nur mit ihren Kunden, sondern auch mit ihren Betriebsangehörigen. Sie überprüfen beispielsweise, welche Medikamente sie verschrieben bekommen und einnehmen. Ein allseits bekannter Großkonzern tat sich mit einem Phar-

mazieunternehmen zusammen und kämmte die Krankengeschichte seiner Angestellten durch, um zu sehen, wem eine Do-
sis Antidepressivum guttun würde. Zweck des Ganzen: Die
Firma wollte fröhlichere Mitarbeiter; der Medikamentenher-
steller mehr Kunden.

Laut Aussage des amerikanischen Managementverbandes
spionieren zwei Drittel der Firmen in den USA ihre Beleg-
schaften aus. Fünfunddreißig Prozent halten fest, mit wem sie
telefonieren, und zehn Prozent nehmen die Gespräche sogar
auf, um sie später in Muße einer Inspektion zu unterziehen.
Etwa ein Viertel gibt zu, daß sie in die Computerdateien der
Mitarbeiter gehen und deren E-Mails lesen.

Andere beobachten ihre Leute heimlich bei der Arbeit. Eine
Sekretärin in einem College in Massachusetts entdeckte, daß
eine versteckte Videokamera ihr Büro vierundzwanzig Stunden
am Tag filmte. Weiß der Himmel, was die Universitätsbehörden
mit der Überwachung herauszufinden hofften. Sie bekamen
jedenfalls Bilder, auf denen die Frau allabendlich aus ihren Ar-
beitsklamotten und in einen Trainingsanzug stieg, weil sie nach
Hause joggte. Sie verklagte die Universität und kriegt nun vermutlich einen Batzen Geld. Woanders aber haben die Gerichte
entschieden, daß Arbeitnehmer sehr wohl observiert werden
dürfen.

1989 entdeckte die Angestellte einer großen, in japanischem
Besitz befindlichen Computerfirma, daß man routinemäßig ihre
E-Mails las, obwohl man den Mitarbeitern versichert hatte, dies
sei nicht der Fall. Sie machte es publik und wurde prompt ge-
feuert. Als sie daraufhin wegen unrechtmäßiger Entlassung
einen Prozeß anstrengte, verlor sie. Die Richter waren der Ansicht, daß Firmen nicht nur befugt seien, die private Kommu-
nikation ihrer Angestellten zu überprüfen, sondern diese auch
noch zu belügen und zu sagen, sie täten es nicht. Pfui, Teufel!

Und um auf ein heißdiskutiertes Thema zurückzukommen:
Hinsichtlich Drogen besteht eine besondere Paranoia. Vor etwa
einen Jahr bekam ein Freund von mir einen Job in einer großen

Fabrik in Iowa. Gegenüber der Anlage befand sich eine Kneipe, in der die Kollegen nach Feierabend oft noch zusammenhockten. Als mein Freund dort eines Tages – nach der Arbeit! – mit seinen Kumpels ein Bier trank, trat eine ebenfalls bei dem Unternehmen angestellte Frau auf ihn zu und fragte ihn, ob er wisse, wo sie Marihuana kriegen könne. Er sagte, er rauche das Zeug nicht, nannte ihr aber, um sie loszuwerden – denn sie war sehr hartnäckig –, die Telefonnummer eines Bekannten, der manchmal was verkaufte.

Am nächsten Tag war mein Freund gekündigt. Es stellte sich heraus, daß die Frau in Spitzeldiensten der Firma stand und einzig und allein zu dem Zweck angeheuert war, Drogenkonsum in der Belegschaft auszumerzen. Bitte, führen Sie sich vor Augen: Mein Freund hatte ihr weder Gras besorgt noch sie ermutigt, es zu rauchen, sondern sogar noch betont, daß er es nicht nehme. Nichtsdestoweniger wurde er wegen »Beihilfe und Anstiftung zum Konsum unerlaubter Drogen« entlassen.

Bereits einundneunzig Prozent der großen Unternehmen hier – das finde ich schier unglaublich – testen manche ihrer Arbeiter auf Drogen, und viele haben sogenannte TAD-Vorschriften eingeführt – TAD ist die Abkürzung für »Tabak, Alkohol und Drogen« –, nach denen es den Angestellten untersagt ist, auch nur eine dieser Substanzen anzurühren. Zu keiner Zeit und nicht einmal zu Hause! Es gibt also wahrhaftig Firmen, die ihren Angestellten verbieten, zu trinken oder zu rauchen – selbst ein Bier, selbst samstags abends. Und sie setzen diese Verbote durch, indem sie von ihren Arbeitern Urinproben verlangen. Skandalös, aber wahr.

Doch es kommt noch finsterer. Zwei führende Elektronikfirmen haben sich zusammengesetzt und etwas erfunden, das sie »Aktivbutton« nennen und mit dessen Hilfe man die Schritte eines jeden Mitarbeiters verfolgen kann, der gezwungen ist, ihn zu tragen. Der Button sendet alle fünfzehn Sekunden ein Infrarotsignal aus, und das Signal wird von einem Zentralcomputer empfangen, der dann festhält, wo der betreffende Angestellte ist oder gewesen ist, mit wem er zusammen und wie oft er auf der Toilette war oder sich was zu trinken geholt hat – kurz und gut, der Computer speichert jede einzelne Aktivität eines Arbeitstages. Wenn das kein Anlaß zu übelsten Befürchtungen ist, dann weiß ich nicht, was sonst.

Zu meiner Freude kann ich allerdings berichten, daß all die Entwicklungen auch einen positiven Aspekt haben. Eine Firma in New Jersey hat ein Patent für eine Apparatur angemeldet, mit der man überprüfen kann, ob sich Restaurantangestellte die Hände gewaschen haben, wenn sie auf der Toilette waren. Also, das laß ich mir gefallen.

Wie man ein Auto mietet

Jetzt sind wir seit zweieinhalb Jahren in den Vereinigten Staaten. Können Sie sich das vorstellen? (Einerlei, wenn nicht – wir sind trotzdem schon so lange hier.) Jedenfalls denken Sie sicher, ich hätte mittlerweile kapiert, wie der Hase hier läuft. Aber leider Fehlanzeige. Die Feinheiten des modernen amerikanischen Lebens bringen mich immer noch häufig in peinliche Verlegenheit. Manchmal sind sie nämlich furchtbar kompliziert.

Letzte Woche konnte ich mal wieder die Probe aufs Exempel machen. Da wollte ich am Flughafen in Boston ein Auto mieten, und nachdem der Angestellte jede Nummer, die mir je verpaßt worden ist, notiert und mehrere Kreditkarten durchgenudelt hatte, sagte er: »Wollen Sie eine Versicherung, die Haftpflichtverzichtserklärung Dritter ausschließt?«

»Ich weiß nicht«, sagte ich unsicher. »Was ist das denn?«

»Es versichert Sie für den Fall einer Verzichtserklärung auf Schadenersatzanspruch Zweiter, den man gegen Sie erheben könnte, oder einen Ausschlußanspruch Erster oder Zweiter, den Sie im Auftrag Vierter zweiten Grades geltend machen könnten.«

»Es sei denn, Sie beanspruchen eine übergreifende Restrisikoausnahme für sich selbst«, fügte ein Mann in der Schlange hinter mir hinzu, woraufhin ich mit dem Kopf herumfuhr.

»Nein, das gilt nur für New York«, sagte der Mietautomann. »In Massachusetts können Sie eine übergreifende Restrisiko-Ausnahmeregelung lediglich dann beanspruchen, wenn Sie nur ein Bein haben und aus Steuergründen normalerweise nicht in Nordamerika wohnen.«

»Sie denken an Invaliditätsnichtanerkennungs-Versicherungen Zweiter«, sagte ein anderer Mann in der Schlange zu dem ersten. »Kommen Sie aus Rhode Island?«

»Nanu, ja«, sagte er erste.

»Das erklärt es. Dort gibt es flexibel anwendbare doppelt negative Splittingzulagen.«

»Ich habe keine Ahnung, wovon Sie reden«, rief ich kläglich.

»Passen Sie auf«, sagte der Mietautomann ein wenig ungeduldig. »Nehmen wir an, Sie stoßen mit einer Person zusammen, die eine Invaliditätsnichtanerkennungs-Versicherung Zweiter, aber keine Unfallhaftpflichtversicherung Erster und Dritter hat. Wenn Sie sich gegen Haftungsverzicht Dritter versichern, brauchen Sie Ihre eigene Police nicht unter der einziffrigen Schadensersatzverzichtserklärung im Umkehrfalle in Anspruch nehmen. Wieviel Verlustinvestitionsabschreibung haben Sie persönlich?«

»Weiß ich nicht«, sagte ich.

Er starrte mich an. »Das wissen Sie nicht?« sagte er im Ton schieren Unglaubens. Aus den Augenwinkeln heraus sah ich, wie sich die anderen Leute in der Warteschlange amüsierte Blicke zuwarfen.

»Für diese Dinge ist Mrs. Bryson zuständig«, erklärte ich, was natürlich unzureichend war.

»Na gut, was ist dann Ihre doppelte Fußfehlerrate an der Grundlinie?«

»Weiß ich auch nicht.« Aber bitte schlag mich nicht, fügte ich mit hilflos verzagter Miene hinzu.

Er holte tief Luft, als wolle er mir nahelegen, vielleicht doch lieber zu Fuß zu gehen. »Das klingt mir ganz danach, als ob Sie die umfassende doppelte Toplader-Universalvollkasko-Achterbahnversicherung brauchen.«

»Mit abgestufter Prämie im Todesfall«, schlug der zweite Mann in der Schlange vor.

»Was bedeutet das alles?« jammerte ich.

»Es steht schwarz auf weiß hier in dem Merkblatt«, sagte der

Angestellte und gab es mir. »Im wesentlichen bietet es Ihnen einen Versicherungsschutz über einhundert Millionen Dollar im Falle von Diebstahl, Feuer, Unfall, Erdbeben, Atomkrieg, Sumpfgasexplosion, Meteoriteneinschlägen, Entgleisungen, die zu Haarverlust und vorsätzlichem Tod führen – vorbehaltlich gleichzeitigen Ereignisfalles und vorausgesetzt, Sie machen uns vierundzwanzig Stunden im voraus schriftlich Mitteilung und reichen einen Unfallvorsatzbericht ein.«

»Wieviel kostet es?«

»Einhundertundzweiundsiebzig Dollar pro Tag. Aber Sie bekommen eine Fleischmessergarnitur dazu.«

Ich schaute die anderen Männer in der Schlange an. Sie nickten.

»Okay, ich nehme es«, sagte ich erschöpft und resigniert.

»Und wollen Sie die Einmal-Volltanken-Sorgenfrei-Version«, fuhr der Angestellte fort, »oder die Selbsttankerversion für Knauser?«

»Was ist denn das?« rief ich, zutiefst bestürzt, daß ich diese Hölle immer noch nicht durchschritten hatte.

»Also, mit der Einmal-Volltanken-Sorgenfrei-Version können Sie das Auto leer zurückbringen, und wir füllen den Tank gegen eine einmalige Zahlung von 32,95 Dollar auf. Die andere Vereinbarung sieht vor, daß Sie, bevor Sie das Auto zurückbringen, den Tank selbst vollmachen, und wir die 32,95 Dollar unter dem Posten ›verschiedene nicht begründete Gebühren‹ woanders auf die Rechnung setzen.«

Ich konsultierte meine Ratgeber und nahm die Sorgenfrei-version.

Der Angestellte setzte ein Kreuzchen in das entsprechende Kästchen. »Und wollen Sie die Standort-Optionsvereinbarungsversion?«

»Was ist denn das?«

»Wir sagen Ihnen, wo das Auto steht.«

»Nehmen Sie sie«, riet mir der mir am nächsten stehende Mann eindringlich. »In Chicago habe ich sie einmal nicht genommen und bin zweieinhalb Tage lang im Flughafen herumgeirrt und habe die verdammte Karre gesucht. Am Ende habe ich sie unter einer Plane in einem Maisfeld in der Nähe von Peoria gefunden.«

Ich griff zu. Als wir uns endlich durch rund zweihundert Seiten kompliziert abgestufter Paragraphen durchgearbeitet hatten, gab mir der Angestellte den Vertrag.

»Unterschreiben Sie bitte hier, hier und hier«, sagte er. »Und zeichnen Sie hier, hier und hier – und dort mit Ihren Initialen ab. Und hier, hier und hier.«

»Was zeichne ich da ab?« fragte ich mißtrauisch.

»Das hier gibt uns das Recht, zu Ihnen nach Hause zu kommen und eines Ihrer Kinder oder ein hübsches Teil Ihrer elektronischen Anlagen zu konfiszieren, wenn Sie das Auto nicht pünktlich zurückbringen. Dieses ist Ihre Einwilligung, ein Wahrheitsserum zu nehmen, falls es zu einem Streitfall kommt. Mit dem hier verzichten Sie auf Ihr Recht, gerichtliche Schritte gegen uns einzuleiten. Dies hier hält fest, daß jedweder Schaden an dem Auto jetzt und für alle Ewigkeit zu Ihren Lasten geht. Und dies hier ist eine Fünfundzwanzigdollarspende für Bernice Kowalskis Abschiedsfeier.«

Ehe ich noch darauf reagieren konnte, riß er mir den Vertrag aus der Hand und legte statt dessen eine Karte des Flughafens auf den Tresen.

»So, um zum Auto zu kommen«, fuhr er fort und zeichnete auf der Karte herum, als fülle er Irrgartenrätsel in einem Kindermalbuch aus, »folgen Sie den roten Schildern durch Terminal A nach Terminal D2, dann den gelben Schildern – einschließlich der grünen – durch das Parkhaus zu den Rolltreppen im Bereich R. Nehmen Sie die Rolltreppe nach unten hoch zum Fluggastsammelpunkt Q, steigen in den Shuttlebus mit der Aufschrift ›Satellitparken/Mississippi Valley‹ und fahren bis Parkplatz A427-West. Dort steigen Sie aus, folgen den weißen Pfeilen unter dem Hafentunnel, durch den Quarantäneausschlußbereich und an der Wasserfilteranlage vorbei. Und wenn

Sie dann Laufsteg 22 links überquert haben, über den Zaun an der gegenüberliegenden Seite geklettert und die Böschung hinuntergegangen sind, finden Sie das Auto in Parkbucht Nummer 12 604. Es ist ein roter Flymo. Sie können ihn gar nicht verfehlen.«

Er händigte mir die Schlüssel aus sowie eine große Kiste mit Vertragsunterlagen, Versicherungspolicen und anderen dazugehörigen Papieren.

»Und viel Glück!« rief er mir hinterher.

Natürlich fand ich das Auto nie und kam Stunden zu spät zu meiner Verabredung, doch der Gerechtigkeit halber muß ich sagen, daß wir viel Freude an den Fleischmessern haben.

Herbst in Neuengland

Ah, Herbst!

Jedes Jahr um diese Zeit ereignet sich hier eine trügerisch kurze Weile lang – ein, höchstens zwei Wochen – etwas Erstaunliches. Ganz Neuengland ist ein wahres Feuerwerk an Farben. Plötzlich leuchten all die Bäume, die monatelang einen düsteren, grünen Hintergrund gebildet haben, in unendlich vielen Tönen, und das Land »fährt auf in Herrlichkeit«, wie die Schriftstellerin Frances Trollope vor über einhundertundfünfzig Jahren gesagt hat.

Unter dem Vorwand, lebenswichtige Recherchen zu betreiben, bin ich gestern hinüber nach Vermont gefahren und habe meine überraschten Füße mit einer Wanderung auf den Killington Peak verwöhnt, eintausendzweihundertundneunzig Meter hoch und im Herzen der Green Mountains gelegen. Es war solch ein herrlicher Tag, an dem die Welt vollkommen zu sein schien, frisch und herbstlich würzig, nach Moschus duftete und die Luft so sauber und klar war, daß man meinte, man könne mit dem Finger daran schnipsen und sie würden klimpern wie ein Weinglas. Selbst die Farben waren knackig: strahlend blauer Himmel, tiefgrüne Wiesen, Blätter in tausend glänzenden Tönen. Ein wahrhaft überwältigender Anblick, wenn sich, so weit das Auge reicht, jeder Baum einzeln in der Landschaft abhebt, jede gewundene Nebenstraße und jeder runde Berghang plötzlich in allen kräftigen Farbschattierungen leuchtet, die die Natur zu vergeben hat – flammendes Scharlachrot, schimmerndes Gold, bebendes Zinnoberrot, feuriges Orange.

Verzeihen Sie bitte, wenn ich mich ein wenig exaltiere, aber man kann solch ein grandioses Spektakel nicht beschreiben, ohne überzusprudeln. Selbst der große Naturforscher Donald Culross Peattie, ein Mann, dessen Stil so trocken ist, daß die Seiten zu zerbröseln drohen, verlor total den Kopf, als er versuchte, das Wunder eines Herbstes in Neuengland in Worte zu fassen.

In seinem Klassiker *Naturgeschichte der Bäume im östlichen und mittleren Nordamerika* läßt er sich vierhundertvierunddreißig Seiten lang in einer Sprache aus, die man wohlwollend fachlich korrekt nennen könnte. (Kostprobe gefällig? Bitte schön: »Eichen sind gewöhnlich massige, schwerholzige Bäume mit schuppiger oder gefurchter Rinde und mehr oder weniger fünfarmigen Ästen und folglich fünffingrigen Blättern…«) Aber wenn der gute Mann seine Aufmerksamkeit dem Zuckerahorn in Neuengland widmet und dessen leuchtendem herbstlichen Gepränge, klingt er, als hätte ihm jemand was in den Kaffee getan. In atemberaubendem Metaphernwirrwarr beschreibt er die Farben des Ahorns als »Schrei einer großen Armee… als Flammenzungen… als eine mächtige Marschmelodie, die auf den Wellenkämmen eines vielstimmigen, wogenden Meeres reitet und mit ihrem schrillen Gesang all den wohlberechneten Dissonanzen des Orchesters eine Bedeutung verleiht«.

»Ja, Donald«, hört man seine Frau geradezu sagen, »jetzt nimm deine Tabletten, Liebes.«

Zwei fiebrige Absätze lang fährt er so fort und doziert dann urplötzlich wieder über nach unten gebogene Blattachseln, geschuppte Knospen und hängende Zweige. Ach, ich verstehe ihn gut. Als ich in der unirdisch klaren Luft den Gipfel des Killington erreichte und die Landschaft in alle Himmelsrichtungen bis zum Horizont von herbstlichem Glanz übergossen war, mußte ich wahrhaftig an mich halten, sonst hätte ich die Arme ausgebreitet und ein Medley von John-Denver-Melodien angestimmt. (Deshalb rate ich auch dringend, mit einem erfahrenen Begleiter zu wandern und einen gutausgestatteten Erste-Hilfe-Kasten mitzunehmen.)

Gelegentlich liest man, daß ein Botaniker mit dem wissenschaftlichen Pendant zu einer Teppichbodenfarbkarte loszieht und mit ernster Entdeckermiene verkündet, daß die Ahornbäume in Michigan oder die Eichen in den Ozarks noch intensivere Töne erreichen. Damit übersieht er aber alles, was die herbstliche Prachtentfaltung in Neuengland so einzigartig macht.

Zum einen bietet sich hier eine Szenerie, mit der sich keine andere in Nordamerika messen kann. Die sonnenbeschienenen weißen Kirchen, die überdachten Brücken, schmucken Farmen und idyllischen Dörflein passen aufs malerischste zu den vollen erdigen Farben der Natur, und es gibt eine Artenvielfalt an Bäumen wie in sonst kaum einer Region. Eichen, Buchen, Espen, Sumachgewächse, vier Ahornsorten und schier unzählige andere bieten sinnenbetörende Kontraste. Zum anderen ist das Klima im Herbst kurze Zeit in einem perfekten Gleichgewicht. Die klaren, eisigen Nächte und warmen, sonnigen Tage bringen alle Laubbäume dazu, gleichzeitig in die glühendsten Farben auszubrechen. Deshalb sei hier unmißverständlich gesagt: Jedes Jahr im Oktober ist ein paar glorreiche Tage lang Neuengland der schönste Ort auf Erden!

Und niemand weiß, warum.

Im Herbst, wie Sie sich aus dem Biologieunterricht in der Schule erinnern werden (falls nicht, aus Natursendungen im Fernsehen), bereiten sich die Bäume, die ihr Laub verlieren, auf ihren langen Winterschlaf vor, indem sie aufhören, Chlorophyll zu produzieren, die chemische Substanz, die die Blätter grün färbt. Für die anderen Pigmente, die Karotinoide heißen und die ganze Zeit in den Blättern waren, ist das Fehlen des Chlorophylls die Gelegenheit, auch mal ein bißchen zu protzen. Sie sind für das Gelb und Gold der Birken, Hickorys, Buchen, einiger Eichen und vieler anderer Pflanzen verantwortlich. Doch jetzt wird's interessant. Damit die güldenen Farben voll zur Entfaltung kommen, müssen die Bäume die Blätter weiter ernähren, obwohl diese eigentlich nichts Nützliches tun und nur noch da hängen und hübsch aussehen. Ja, genau in einer Zeit, in der ein Baum alle seine Energien für die Aufgaben des folgenden Frühjahrs speichern sollte, verwendet er große Mühe darauf, ein Pigment zu ernähren, das schlichten Gemütern wie mir das Herz erfreut, aber nichts für den Baum tut.

Manche Baumarten treiben es sogar noch weiter und produzieren, koste es, was es wolle, gewisse Anthozyane, die die spektakulären Orange- und Scharlachrottöne hervorbringen und eben charakteristisch für Neuengland sind. Die Bäume hier produzieren nicht etwa mehr von diesen Anthozyanen, sondern das Klima und der Boden in Neuengland bieten genau die richtigen Bedingungen, damit sich die Farben so glorios entfalten können. In einem nasseren oder wärmeren Ambiente, klappt das bei weitem nicht so gut.

Doch jetzt kommt das größte Mysterium. In jedem Jahr setzen sich buchstäblich Millionen Menschen, von den Einheimischen liebevoll »Blattglotzer« genannt, ins Auto, fahren weite Strecken nach Neuengland und verbringen ein ums andere Wochenende damit, durch Kunsthandwerk- und Trödelläden zu trotten, die »Norm's Antiquitäten und Sammlerstücke« heißen.

Aber nicht mehr als 0,05 Prozent der Blattglotzer, schätze ich, bewegen sich weiter als vier Meter fünfzig von ihren fahrbaren Untersätzen weg. Was für ein unerklärliches, seltsames Verhalten! Da ist man am Rande des Paradieses und nimmt es nicht zur Kenntnis.

Die Leute verpassen nicht nur die Freuden des Waldes in der freien Natur, die frische Luft, die satten, würzigen Düfte, das unbeschreibliche Entzücken, durch Haufen trockener Blätter zu stapfen – nein, sie verpassen auch das einzigartige Vergnügen zu hören, wie in einem angenehmen, unverkennbar angelsächsisch getönten Iowa-Näseln »Take me Home, Country Road« ertönt und von den Bergen widerhallt. Und dafür, auch wenn ich es selbst sage, lohnt es sich definitiv, aus dem Auto zu steigen und ein paar Schritte zu laufen.

Eine kleine Unbequemlichkeit

Heute ist unser Thema Bequemlichkeit in den Vereinigten Staaten, denn je bequemer angeblich alles wird, desto unbequemer wird es in Wirklichkeit.

Darüber habe ich neulich nachgedacht, als ich mit meinen jüngeren Sprößlingen zum Mittagessen in ein Burger King ging und am Autoschalter eine Schlange von ungefähr einem Dutzend Fahrzeugen stand. Ein Autoschalter ist nun trotz seines vielversprechenden Namens keine Gangschaltung, sondern ein Schalter, vor den man fährt und sich Essen abholt, das man vorher auf dem Weg dorthin durch eine Gegensprechanlage bestellt hat. Er soll allen, die es eilig haben, rasch ihr Essen zum Mitnehmen verschaffen.

Wir jedoch parkten unser Auto, spazierten in das Restaurant, bestellten und aßen und waren binnen zehn Minuten wieder draußen. Beim Hinausgehen fiel mir auf, daß ein weißer Kleintransporter, der bei unserer Ankunft der letzte in der Schlange gewesen war, immer noch vier oder fünf Wagen von dem Schalter entfernt stand. Der Fahrer wäre viel schneller zu seinem Hamburger gelangt, wenn er wie wir geparkt und ihn drinnen abgeholt hätte, aber auf die Idee wäre er nie gekommen, weil der Autoschalter angeblich ja schneller und bequemer ist.

Sie verstehen natürlich, was ich meine. Die Amerikaner haben die Vorstellung, daß alles bequem sein muß, so liebgewonnen, daß sie dafür fast jede Unbequemlichkeit in Kauf nehmen. Verrückt, ich weiß, aber so geht's. Alles, was unser Leben schneller und einfacher machen soll, hat in der Praxis häufig genau den gegenteiligen Effekt, und das hat mich ins Grübeln gebracht.

Die Leute hier waren schon immer merkwürdig eifrige Anhänger der Idee, daß man sich mit allen erdenklichen Hilfsmitteln das Leben erleichtern muß. Interessanterweise wurden fast alle Alltagsdinge, die das Dasein weniger anstrengend machen – Rolltreppen, automatische Türen, Personenaufzüge, Kühlschränke, Waschmaschinen, Tiefkühlkost, Fast food –, in den USA erdacht oder fanden zumindest hier zuerst weite Verbreitung. Man gewöhnte sich sogar derart an arbeitssparende technische Einrichtungen, daß man schon in den sechziger Jahren erwartete, daß Maschinen einem so gut wie alles abnahmen.

Ich weiß noch, daß mir zum erstenmal Weihnachten 1961 oder 62 der Gedanke kam, daß das nicht notwendigerweise eine gute Sache war. Da bekam mein Vater nämlich ein elektrisches Schneidemesser geschenkt. Es war ein frühes Modell und ziemlich beeindruckend. Vielleicht spielt mir meine Erinnerung einen Streich, aber ich sehe immer noch deutlich vor mir, wie er eine Schutzbrille und dicke Gummihandschuhe anlegte, bevor er das Messer einschaltete. Bestimmt aber trifft es zu, daß in dem Moment, als er es in den Truthahn schob, der Vogel weniger geschnitten wurde, als vielmehr in Fetzen als fleischiger weißer Sprühregen in alle Himmelsrichtungen davonstob, die Klinge dann in einem blauen Funkenregen auf den Teller traf und das ganze Gerät meinem Vater aus den Händen rutschte und wie ein Monster aus einem Gremlins-Film über den Tisch und aus dem Zimmer flitzte. Ich glaube nicht, daß wir es je wiedergesehen haben, obwohl wir manchmal hörten, wie es spätabends gegen Tischbeine rumste.

Wie die meisten patriotischen US-Bürger kaufte mein alter Herr ewig und drei Tage Gerätschaften, die sich als desaströs herausstellten – Dampfkleidermangeln, bei denen nicht die Knitterfalten aus den Anzügen verschwanden, sondern die Tapete in Bahnen von den Wänden fiel, einen elektrischen Bleistiftanspitzer, der in weniger als einer Sekunde einen ganzen Bleistift verzehrte (einschließlich des Metallrings und der Fingerkuppen, wenn man nicht fix war), eine Munddusche (für diejenigen, die sie nicht kennen: ein mit einem Wasserstrahl arbeitendes Gerät, das »Ihre Zähne strahlend sauber« macht), die sich so ungebärdig aufführte, daß sie von zwei Personen gehalten werden mußte und sich das Badezimmer in das Innere einer Autowaschanlage verwandelte, und vieles andere mehr.

Aber all das war reineweg nichts im Vergleich zu der Situation heute. Nun sind die Amerikaner von Gegenständen umgeben, die in einem fast absurden Ausmaß Arbeiten für sie erledigen – automatische Katzenfutterspender, automatische Autofenster, Wegwerfzahnbürsten mit der Zahnpaste schon darauf. Die Leute sind so süchtig nach Bequemlichkeit, daß sie in einem Teufelskreis gefangen sind: Je mehr arbeitssparende Kinkerlitzchen sie kaufen, desto schwerer müssen sie arbeiten; je schwerer sie arbeiten, desto mehr meinen sie, sie brauchen das Zeug.

Alles, einerlei, wie lächerlich, findet in Amerika ein empfängliches Publikum, solange es nur verspricht, von den Mühen und Plagen des Alltags zu befreien. Neulich habe ich eine Anzeige für einen »beleuchteten, drehbaren Krawattenständer« für 39,95 Dollar gesehen. Man drückt auf einen Knopf, er präsentiert einem die Schlipse der Reihe nach und erspart einem die erschöpfende Tortur, sie per Hand auswählen zu müssen.

Unser Haus in New Hampshire war von den Vorbesitzern wohlausgestattet mit modischem Schnickschnack, samt und sonders ersonnen, das Leben ein kleines bißchen bequemer zu machen. Bis zu einem gewissen Grad tun das einige wenige Dinge auch (mein Favorit ist immer noch der Müllschlucker), doch die meisten sind erstaunlich nutzlos. Eins unserer Zimmer ist zum Beispiel mit automatischen Gardinen ausgestattet. Man drückt auf einen Schalter in der Wand, und vier Paar Vorhänge öffnen oder schließen sich mühelos. Das heißt, so sollte es sein. Realiter geschieht folgendes: Der eine geht auf, der andere zu, ein dritter öffnet und schließt sich mehrmals hintereinander, und ein vierter bewegt sich fünf Minuten überhaupt nicht und stößt dann Rauch aus. Seit der ersten Woche haben wir uns nicht mehr in die Nähe dieser Gardinen gewagt.

Außerdem haben wir einen automatischen Garagenöffner geerbt. Theoretisch klingt das wunderbar. Todschick! Man fährt schwungvoll in die Einfahrt, drückt auf den Knopf einer Fernbedienung und gleitet dann, je nach Zeitgefühl, problemlos in die Garage oder reißt das untere Panel aus der Tür. Dann drückt man wieder auf den Knopf, die Tür schließt sich hinter einem, und alle, die vorbeigehen, denken: »Mann! Klassetyp!«

In Wirklichkeit, habe ich herausgefunden, schließt sich unsere Garagentür nur, wenn sie sicher ist, daß sie ein Dreirad zermalmen oder einen Rechen zerquetschen kann. Und wenn sie einmal geschlossen ist, öffnet sie sich erst dann wieder, wenn ich auf einen Stuhl steige und mich in meiner Unbeherrschtheit mit Schraubenzieher und Hammer am Reglerkasten vergehe und am Ende doch den Garagentürreparateur rufe, einen Burschen namens Jake, der, seit wir seine Kunden sind, stets Urlaub auf den Malediven macht. Ich habe Jake schon mehr Geld bezahlt, als ich in den ersten vier Jahren nach meinem Studium verdient habe, und trotzdem immer noch keine Garagentür, auf die ich mich verlassen kann.

Sie wissen schon längst, worauf ich hinauswill. Automatische Gardinen und Garagentüren, elektrische Katzenfutterspender und drehbare Krawattenständer erleichtern uns das Leben nur scheinbar. In Wirklichkeit machen sie es teurer und komplizierter.

Und damit sind wir bei unseren zwei wichtigen Lektionen des Tages angelangt. Erstens, vergessen Sie nie, daß sich Bequemlichkeit auf Dämlichkeit reimt. Zweitens, schicken Sie Ihre Kinder zu einer Garagentürreparierschule.

Dann verklagen Sie mich doch!

Ich habe einen Freund, der in Großbritannien an der Uni arbeitet und kürzlich von Rechtsanwälten einer amerikanischen Kanzlei gebeten wurde, als Sachverständiger aufzutreten. Zwecks eines gemeinsamen Treffens wollten sie den Chef der Kanzlei und zwei Assistenten nach London schicken, hieß es.

»Wäre es nicht einfacher und billiger, wenn ich nach New York flöge?« schlug mein Freund vor.

»Ja«, lautete die prompte Antwort, »aber so können wir dem Klienten die Kosten für drei Flüge auf die Rechnung setzen.«

Da haben Sie's! So funktioniert das amerikanische Anwaltshirn.

Ich bezweifle ja nicht, daß eine erkleckliche Anzahl hiesiger Rechtsanwälte – na, jedenfalls zwei – wunderbar wertvolle Arbeit leisten, für die das meines Wissens übliche Honorar von einhundertundfünfzig Dollar die Stunde vollauf gerechtfertigt ist. Schade nur, daß es zu viele gibt. Denn – und nun kommen ein paar wahrhaft ernüchternde Zahlen –, die Vereinigten Staaten haben mehr Anwälte als der Rest der Welt zusammen. Gegenüber einer schon üppigen Zahl von zweihundertundsechzigtausend im Jahre 1960 sind es heute fast achthunderttausend. Wir können uns nun rühmen, daß bei uns auf einhunderttausend Einwohner dreihundert Anwälte kommen. In Großbritannien sind es zweiundachtzig, in Japan gerade mal elf.

Und diese Anwälte brauchen natürlich alle Arbeit. In vielen Bundesstaaten dürfen sie mittlerweile für sich werben, und die meisten tun das auch voller Enthusiasmus. Man kann keine halbe Stunde fernsehen, ohne daß zumindest ein Werbespot

über den Bildschirm flimmert, in dem ein grundehrlich drein-
blickender Anwalt sagt: »Hallo, ich bin Winny Aalglatt von der
Kanzlei Beuge und Schmier. Wenn Sie bei der Arbeit eine Verletzung oder einen Verkehrsunfall erlitten haben und meinen,
ein bißchen zusätzliches Geld käme nun ganz gelegen, kommen
Sie zu mir, und wir finden schon jemanden, den wir verklagen
können.«

Wie allseits bekannt, gehen Amerikaner im Handumdrehen
vor Gericht. Ja, ich behaupte, irgendwo ist sicher schon jemand
wegen einer umgedrehten Hand vor den Kadi gezogen und hat
zwanzig Millionen Dollar für die ihm dadurch zugefügten Qualen und Leiden erstritten. Hier ist man wirklich allgemein der
Meinung, wenn etwas aus irgendeinem Grunde schiefgeht und
man ist nur halbwegs in der Nähe, sollte man auch einen Batzen Geld dafür kassieren.

Hübsch illustriert wurde das vor einigen Jahren, als sich in
einer Chemiefabrik in Richmond, Kalifornien, eine Explosion
ereignete, bei der Abgase über die Stadt geweht wurden. Binnen
Stunden stürzten sich zweihundert Anwälte und deren Gehilfen
auf die aufgeregte Einwohnerschaft, teilten Geschäftskarten aus
und rieten den Leuten, sich im Krankenhaus der Stadt vorzustellen. Was zwanzigtausend Einwohner begeistert taten.

Wenn man die Fernsehbilder davon sieht, meint man, es
handle sich um eine Open-air-Party. Von den zwanzigtausend
glücklich lächelnden, offenbar pupsgesunden Leutchen, die
sich vor den Erste-Hilfe-Räumen des Krankenhauses zur Untersuchung einfanden, wurden nur zwanzig wirklich hereinge-
lassen. Obwohl die Zahl der nachweisbaren Verletzungen, vorsichtig ausgedrückt, gering war, beanspruchten siebzigtausend
Bürger – praktisch alle – Schadensersatz. Die Firma erklärte
sich zu einer Zahlung von einhundertundachtzig Millionen
Dollar bereit. Davon bekamen die Anwälte vierzig Millionen.

Jedes Jahr werden in diesem prozeßgeilen Land mehr als
neunzig Millionen Klagen angestrengt – das ist eine pro zweieinhalb Einwohner –, und viele davon sind, gelinde gesagt,

kühn. Während ich das hier schreibe, prozessiert ein Elternpaar in Texas gegen einen High-School-Baseballtrainer, weil er dessen Sohn während eines Spiels auf die Bank geschickt hat. Sie behaupten, ihr Sprößling sei gedemütigt worden und habe extreme seelische Qualen erlitten. Im Staate Washington verklagt derweil ein Mann mit Herzproblemen eine dortige Molkerei, »weil sie ihn auf ihren Milchkartons nicht vor dem Cholesterin gewarnt« hat. Und Sie haben doch gewiß von der Frau in Kalifornien gelesen, die die Walt Disney Company belangt, weil sie und Angehörige ihrer Familie auf einem Parkplatz von Disneyland überfallen und bestohlen worden sind. Hauptbestandteil der Klage ist, daß die Enkelkinder angeblich einen traumatischen Schock erlitten, als sie zum Trost hinter die Bühne mitgenommen wurden und mit ansehen mußten, wie die Disneyfiguren ihre Kostüme auszogen. Die Entdeckung, daß Mickey Mouse und Goofy in Wirklichkeit echte Menschen in Kostümen waren, war offensichtlich zuviel für die armen Gören.

Die Klage wurde abgelehnt, aber woanders haben die Leute Gelder kassiert, die im Vergleich zu den Schmerzen oder dem Verlust, den sie vielleicht erlitten haben, völlig unangemessen waren. Auch über folgenden Fall wurde kürzlich viel berichtet. Der Direktor einer Brauerei in Milwaukee erzählte einer Kollegin den pikanten Inhalt einer Folge aus der Serie *Seinfeld*, worauf die sich beleidigt fühlte und ihn wegen sexueller Belästigung anzeigte. Die Brauerei reagierte, indem sie den Burschen rauswarf, und er reagierte mit einer Klage gegen die Brauerei. Ich weiß nicht, wer in dem Fall was verdiente. Meines Erachtens alle Beteiligten eine ordentliche Tracht Prügel. Im Endeffekt jedoch wurden dem entlassenen Direktor von einem mitfühlenden (i. e. wahnsinnigen) Gericht 26,6 Millionen Dollar zugesprochen, grob geschätzt, das Vierhunderttausendfache seines Jahresgehalts.

Eng mit der Vorstellung verwandt, daß Schadensersatzklagen ein Weg sind, schnell zu großem Reichtum zu gelangen, ist die interessante und offenbar nur in den USA herrschende Überzeugung, daß, einerlei, was passiert, jemand anderes verantwortlich ist. Wenn ein Raucher zum Beispiel fünfzig Jahre lang achtzig Zigaretten am Tag raucht und schließlich Krebs kriegt, dann muß es Schuld aller anderen sein, nur nicht seine eigene, und er verklagt nicht nur den Hersteller seiner Zigaretten, sondern auch den Groß- und Einzelhändler, die Transportfirma, die die Glimmstengel zum Tabakladen bringt, und so weiter und so fort. Eine der seltsamsten Eigenheiten des hiesigen Rechtssystems ist, daß Leute gegen Individuen und Firmen, die nur am Rande mit der Beschwerde zu tun haben, Zivilklage anstrengen können.

So, wie das System funktioniert (das heißt: nicht funktioniert), ist es für die Firmen oder Institutionen oft billiger, einer außergerichtlichen Einigung zuzustimmen, als es zum Prozeß kommen zu lassen. Ich kenne eine Frau, die an einem Regentag beim Betreten eines Kaufhauses ausrutschte und hinfiel und zu ihrem freudigen Erstaunen eine mehr oder weniger sofortige Zahlung von zweitausendundfünfhundert Dollar für ihre Unterschrift unter ein Dokument angeboten bekam, in dem sie versprach, keine gerichtlichen Schritte zu unternehmen. Sie hat unterschrieben.

Die amerikanische Gesellschaft insgesamt kostet das alles enorme Summen – im Jahr mehrere Milliarden Dollar. Allein die Stadt New York gibt zweihundert Millionen jährlich aus, um Ansprüche aus Stürzen abzugelten, die die Leute erleiden, wenn sie über Bordsteine und dergleichen stolpern. In einer Sendung der ABC Television über das außer Kontrolle geratene Rechtssystem hier wurde behauptet, daß die Verbraucher für jedes Auto wegen der aufgeblähten Produkthaftungskosten fünfhundert Dollar mehr als notwendig zahlen müssen, einhundert mehr für Footballhelme und dreitausend für Herzschrittmacher. Laut der Sendung blättern sie sogar fürs Haareschneiden ein wenig mehr hin, weil ein, zwei geplagte Kunden erfolgreich ihre Friseure verklagten, nachdem sie die Art peinlicher Frisur verpaßt bekommen hatten, die ich routinemäßig kriege.

Was mich natürlich alles auf eine Idee gebracht hat. Ich werde jetzt achtzig Zigaretten rauchen, dann rutsche ich, Milch mit hohem Cholesteringehalt trinkend, auf dem Parkplatz von Disneyland aus und knalle hin, erzähle einer vorbeikommenden Dame den Inhalt einer Seinfeld-Show und rufe dann Winny Aalglatt an und sehe mal, ob wir nicht zuschlagen können. Mit weniger als 2,5 Millionen Dollar geben wir uns sicher nicht zufrieden – und dann, ja dann reden wir mal in aller Ruhe über meinen letzten Haarschnitt.

Drinnen ist es am schönsten

Neulich ging ich draußen spazieren, und da fiel mir was Komisches auf. Er war ein herrlicher Tag – herrlicher konnte es gar nicht werden, und vermutlich war es auch der letzte schöne Tag vor dem langen Winter hier –, aber fast jeder vorbeifahrende Wagen hatte die Fenster geschlossen.

Alle Fahrer hatten ihre Temperaturregler so eingestellt, daß sie in ihren hermetisch geschlossenen Fahrzeugen ein Klima geschaffen hatten, das mit dem in der größeren Welt draußen bereits herrschenden identisch war, und da wußte ich, daß die Amerikaner in punkto frischer Luft wirklich den Verstand oder ihr Gefühl für das Verhältnismäßige oder was auch immer sonst verloren haben.

Ach, gelegentlich gehen sie schon hinaus, wegen der neuartigen Erfahrung, im Freien zu sein – sie machen ein Picknick oder verbringen einen Tag am Strand oder in einem Vergnügungspark –, aber das sind Ausnahmen. Im großen und ganzen haben sich die Leute hier derart daran gewöhnt, daß sie, ohne es noch zu merken, den Großteil ihres Lebens in klimatisierten Umgebungen verbringen, daß ihnen die Möglichkeit von Alternativen gar nicht mehr in den Sinn kommt.

Und so kaufen sie denn in geschlossenen Einkaufszentren ein, fahren, auch wenn das Wetter nichts zu wünschen läßt wie an diesem Tag, mit geschlossenen Autofenstern und laufender Klimaanlage dorthin und arbeiten in Büros, in denen sie die Fenster nicht öffnen können, selbst wenn sie es wollten. (Als ob es jemals jemand wollte.) In die Ferien reisen sie mit überdimensionalen Wohnmobilen, in denen sie die wilde Natur erleben können, ohne sich ihr wirklich auszusetzen. Wenn sie zu einem Sportereignis gehen, dann zunehmend in Hallenstadien. Einerlei, in welcher Wohngegend man im Sommer herumläuft, fahrradfahrende oder ballspielende Kinder sieht man nicht mehr, weil sie im Haus sind. Und zu hören bekommt man nur noch das gleichmäßige Summen der Klimaanlagen.

Überall im Lande haben die Kommunen angefangen, sogenannte Skywalks anzulegen – geschlossene, meist verglaste Fußgängerwege über Bodenniveau, natürlich vollklimatisiert –, die alle Gebäude im Zentrum miteinander verbinden. In meiner Heimatstadt Des Moines, Iowa, wurde der erste Skywalk vor fünfundzwanzig Jahren zwischen einem Hotel und einem Kaufhaus gebaut und war ein solcher Hit, daß rasch andere Bauherren dem Beispiel folgten. Nun kann man in der Innenstadt fast einen Kilometer in alle Richtungen laufen, ohne daß man je einen Fuß ins Freie setzen muß. Die Läden auf Straßenniveau sind in den ersten Stock gezogen, wo jetzt der Fußgängerverkehr abläuft. Die einzigen Leute, die man in Des Moines noch auf der Straße sieht, sind Alkis und Büroangestellte, die ein Zigarettchen rauchen. Draußen ist eine Art Vorhölle geworden, ein Ort der Verbannung und der Verbannten.

Es gibt sogar Sportvereine speziell für Büroangestellte, die zur Mittagspause in ihre Trainingsanzüge schlüpfen und auf einem abgesteckten Kurs flotte, gesunde Wanderungen durch die Fußgängerverbindungswege machen. Sich im Freien zu ertüchtigen würde ihnen im Traum nicht einfallen. Ähnliche, vorwiegend von Rentnern heimgesuchte Fitneßgruppen findet man in fast jedem Einkaufszentrum im Land. Nur daß wir uns recht verstehen: diese Leute treffen sich nicht etwa in den Malls, um dort einzukaufen, sondern um dort täglich Sport zu treiben.

Als ich das letztemal in Des Moines war, traf ich zufällig einen alten Freund der Familie. Er trug einen Jogginganzug und erzählte mir, daß er gerade vom Sport mit dem Valley West Mall Hiking Club komme. Es war ein herrlicher Apriltag, und ich fragte ihn, warum sich die Clubmitglieder nicht in einem der hübschen großen Stadtparks ergingen.

»Kein Regen, keine Kälte, keine Berge, keine Straßenräuber«, erwiderte er wie aus der Pistole geschossen.

»Aber in Des Moines gibt es keine Straßenräuber«, wandte ich ein.

»Das stimmt«, gab er sofort bereitwillig zu. »Und weißt du auch, warum? Weil keiner draußen ist, den man überfallen könnte.« Er nickte nachdrücklich mit dem Kopf, als hätte ich das nicht bedacht, und das stimmte ja auch.

Ein Stein gewordenes Denkmal dieser eigenartigen Entwicklung ist das Opryland Hotel in Nashville, Tennessee, in dem ich mich vor etwa einem Jahr im Auftrag einer Zeitschrift aufhielt. Das Opryland Hotel ist eine bemerkenswerte Einrichtung. Zunächst einmal ist es riesig und fast grandios häßlich – der Stil eine Mischung aus *Vom Winde verweht*, Graceland und der Mall of America.

Was das Opryland aber wirklich von anderen Hotels unterscheidet, ist die Tatsache, daß es sozusagen hermetisch von der Außenwelt abgeschlossen ist. Das Zentrum bilden drei fünf oder sechs Etagen hohe, enorme glasüberdachte Bereiche mit insgesamt sechsunddreißigtausend Quadratmetern Fläche. Man hat alle Vorteile, im Freien zu sein, ohne daß man einen Nachteil in Kauf nehmen muß. In den »Innenlandschaften«, wie das Hotel sie nennt, gibt es tropische Pflanzen, ausgewachsene Bäume, Wasserfälle, Bäche, Open-air-Restaurants und Cafés sowie Gehwege auf allen Stockwerken. Sie erinnern verblüffend an die Bilder in den Science-fiction-Zeitschriften der Fünfziger, auf denen dargestellt war, wie das Leben in einer Weltraum-kolonie auf der Venus wäre (zumindest dann, wenn alle Bewohner übergewichtige, mittelalterliche Amerikaner in Reeboks und Baseballmützen wären, die, ihr Essen aus dem Einschlagpapier verspeisend, durch die Gegend trotteten).

In einem Satz, das Opryland ist eine makellos aseptische, in sich geschlossene, autarke Welt mit dem immer gleichen wohlausgewogenen Klima, aber ohne kackende Vögel, nervige Insekten, Regen, Wind, ja irgend etwas Echtes.

Als ich an meinem ersten Abend unbedingt den in einem fort futternden, schlurfenden Horden entkommen wollte, trat ich, neugierig, wie das Wetter auf dem Planeten Erde war, hinaus, um ein wenig durch die Grünanlagen zu schlendern. Und raten Sie, was! Es gab überhaupt keine – nur kilometerweit Parkplätze, die sich, so weit das Auge reichte, in alle Richtungen in die »Landschaft« erstreckten. Auf der anderen Seite der Straße lag der nur ein paar hundert Meter entfernte Erlebnispark des Opryland, aber zu Fuß konnte man ihn nicht erreichen. Die einzige Möglichkeit hineinzukommen (entdeckte ich nach einigem Nachfragen), war, für drei Dollar eine Eintrittskarte zu erwerben und in einem vollklimatisierten Bus zu steigen, der einen in einer fünfundvierzigminütigen Fahrt zum Eingangstor brachte.

Wenn man nicht zwischen Tausenden geparkter Autos herumtigern wollte, gab es keinen Ort, an dem man frische Luft schnappen oder sich die Beine vertreten konnte. Im Opryland ist draußen drinnen, und so, begriff ich schaudernd, hätten viele Millionen US-Bürger liebend gern das ganze Land.

Als ich dort stand, ließ ein Vogel etwas auf meinen linken Schuh fallen, was man ja normalerweise nicht zu schätzen weiß. Aber ich schaute hoch, dann auf meinen Schuh und dann wieder gen Himmel.

»Danke«, sagte ich, und ich glaube, das kam von Herzen.

Ein Besuch beim Friseur

Sie müssen wissen, daß ich sehr fröhliches Haar habe. Egal, wie gleichmütig und gefaßt der Rest von mir ist, einerlei, wie feierlich und ernst die Situation, mein Haar läßt sich durch nichts bändigen. Auf jedem Gruppenfoto erkennen Sie mich sofort, weil ich der Mensch im Hintergrund bin, dessen Schopf, ganz privatim, aus der Reihe tanzt.

Voll unguter Vorgefühle begebe ich mich mit diesem meinem Haar ab und zu in einen Friseursalon im besseren Viertel der Stadt und erlaube einem der Herren dort, sich ein Weilchen damit zu verlustieren. Ich weiß nicht, warum, aber immer wenn ich zum Friseur gehe, werde ich zum Weichei. Kaum legt man mir einen Umhang um, nimmt mir die Brille ab und macht sich mit scharfen Schneidewerkzeugen an meinem Kopf zu schaffen, werde ich hilflos und unsicher.

Ich meine, ich sitze wehrlos da und blinzele, während ein mir völlig unbekannter Mensch oben auf meinem Kopf etwas veranstaltet, das gravierende Folgen hat und das ich mit an Sicherheit grenzender Wahrscheinlichkeit bedauern werde. Mittlerweile habe ich mir in meinem Leben garantiert zweihundertfünfzigmal die Haare schneiden lassen, doch wenn ich eins gelernt habe, dann, daß ein Friseur einem die Frisur verpaßt, die er einem verpassen will, und damit basta.

Deshalb ist ein Besuch bei diesen Haarkünstlern für mich immer absolut traumatisch. Besonders, weil ich stets den Figaro bekomme, den ich hoffe, nicht zu bekommen – normalerweise den Neuen, von dem es heißt, er habe »zwei linke Hände«. Mir graust insbesondere vor dem Moment, in dem er mich in den

Stuhl setzt, wir beide zusammen auf das trostlose Desaster auf meinem Haupt starren und er besorgniserregend beflissen fragt: »Na, wie hätten Sie's denn gern?«

»Ach, einfach nur ein bißchen in Form schneiden«, antworte ich dann und schaue ihn rührend hoffnungsvoll an, weiß aber, daß er schon in Richtung extravagant aufgetürmter Toupierfrisuren und mit Schaumfestiger versteifter Wellen oder womöglich an einen Pony aus schaukelnden Ringellöckchen denkt. »Sie wissen schon, was Unaufwendiges, Dezentes – wie Bankbeamte oder Steuerberater es tragen.«

»Sehen Sie da oben einen Schnitt, der Ihnen zusagt?« fragt er und zeigt auf eine Wand voll alter Schwarzweißfotos mit lächelnden Herren, deren Frisuren denen der *Thunderbirds*-Figuren nachempfunden zu sein scheinen.

»Ach, eigentlich hatte ich auf etwas weniger Zackiges gehofft.«

»Einen natürlichen Look, mit anderen Worten?«

»Genau.«

»Wie meine Frisur zum Beispiel?«

Ich werfe einen Blick darauf und muß dabei an einen Flugzeugträger denken, der durch kabbelige See pflügt, oder an einen kunstvoll in Form geschnittenen Buchsbaum.

»Noch dezenter«, sage ich nervös.

Er nickt so nachdenklich, daß mir klarwird, daß wir uns in punkto Frisurengeschmack nicht einmal im selben Universum befinden, und sagt plötzlich sehr entschieden: »Ach, ich weiß, was Sie wollen. Wir nennen es den Wayne Newton.«

»Das hatte ich nun nicht gerade im Sinn«, protestiere ich zaghaft, aber schon stößt er mir das Kinn auf die Brust und wetzt die Schermesser.

»Ein sehr beliebter Schnitt – im Bowlingteam haben sie ihn alle«, fügt er noch hinzu und fängt mit lautem Motorengebrumm an, Haar von meinem Kopf zu scheren, als reiße er Tapete von der Wand.

»Ich will wirklich nicht den Wayne-Newton-Look«, murmele

ich nachdrücklich, aber mein Kinn ist an meiner Brust vergraben, und meine Stimme wird ohnehin vom Brummen seiner tänzelnden Klingen übertönt.

Und so sitze ich dann für eine kurze Ewigkeit auf der Folterbank, starre unter der strikten Anweisung, mich nicht zu bewegen, in meinen Schoß und lausche, wie die furchterregenden Messer über meinen Schädel ackern. Aus den Augenwinkeln heraus sehe ich große Mengen geschorenen Haares auf meine Schultern fallen.

»Nicht zuviel abschneiden«, jammere ich von Zeit zu Zeit, aber »Zwei linke Hände« ist in ein lebhaftes Gespräch über die Aussichten des Basketballteams Chicago Bulls mit dem Kollegen und dem Kunden neben mir vertieft und wendet seine Aufmerksamkeit nur gelegentlich mir und meinem Haupte zu. »Au, verflixt!« oder »Huch!« zirpt er dann.

Endlich reißt er mir den Kopf hoch und sagt: »Wie ist die Länge?«

Ich schiele in den Spiegel, aber ohne meine Brille kann ich nur etwas sehen, das entfernt einem rosaroten Windbeutel ähnelt. »Ich weiß nicht«, stammle ich. »Es sieht schrecklich kurz aus.«

Ich bemerke, wie er unglücklich auf den Bereich oberhalb meiner Augenbrauen schaut. »Hatten wir uns für Paul Anka oder Wayne Newton entschieden?« fragt er.

»Na, eigentlich für keinen von beiden«, sage ich erfreut, daß ich das endlich klarstellen kann. »Ich wollte nur einen bescheidenen Formschnitt.«

»Na, dann fragen wir mal anders herum«, sagt er: »Wie schnell wächst Ihr Haar?«

»Nicht sehr schnell«, erwidere ich und schiele angestrengter in den Spiegel, kann aber immer noch nichts erkennen. »Warum? Gibt's ein Problem?«

»O nein«, versichert er mir, allerdings so, daß es »O ja« bedeutet. »Nein, nein, alles klar«, fährt er fort. »Nur habe ich leider links einen Paul Anka und rechts einen Wayne Newton geschnitten. Deshalb will ich Sie noch folgendes fragen: Besitzen Sie einen großen Hut?«

»Was haben Sie gemacht?« frage ich, zunehmend laut und alarmiert, aber er ist schon zu den Kollegen gegangen, um sich mit ihnen zu beraten. Sie schauen mich an wie das Opfer eines gräßlichen Verkehrsunfalls und flüstern.

»Ich glaube, es liegt an den Antihistaminen, die ich nehme«, höre ich »Zwei linke Hände« traurig zu ihnen sagen.

Ein Kollege kommt, um sich die Sache von nahem zu betrachten, und meint dann, daß es so katastrophal, wie es aussieht, nicht ist.

»Wenn du von dem Haar hier hinter dem linken Ohr was nimmst«, sagt er, »es um seinen Hinterkopf schlingst und über dem rechten Ohr festzurrst und eventuell etwas von dem hier wieder dranklebst, dann hast du einen modifizierten Barney Geröllheimer.« Er wendet sich an mich. »Gehen Sie in den nächsten Wochen viel außer Haus, Sir?«

»Haben Sie ›Barney Geröllheimer‹ gesagt?« wimmere ich bestürzt.

»Es sei denn, Sie stehen auf Hercule Poirot«, meint der Kollege.

»Hercule Poirot?« greine ich wieder los.

»Zwei linke Hände« versucht zu retten, was zu retten ist. Nach nochmals zehn Minuten gibt er mir meine Brille, und ich darf den Kopf heben. Der Spiegel konfrontiert mich mit meinem Konterfei, das an einen Arsch mit Ohren erinnert. Über meinen Schultern lächelt »Zwei linke Hände« stolz.

»Ist doch ganz gut geworden, was?« sagt er.

Ich bin unfähig zu sprechen. Ich gebe ihm eine Riesensumme Geldes und taumele aus dem Laden. Den Heimweg bewältige ich mit hochgeschlagenem Kragen, den Kopf tief zwischen die Schultern gezogen.

Dort wirft mir meine Frau einen Blick zu und fragt aufrichtig erstaunt: »Hast du was gesagt, über das sie sich geärgert haben?«

Ich zucke hilflos mit den Achseln. »Ich habe nur gesagt, ich wollte wie ein Steuerberater aussehen.«

Sie stößt einen Seufzer aus, den alle Ehefrauen irgendwann in ihrem Leben lernen. »Bevor oder nachdem er die Treppe runtergefallen ist?« murmelt sie merkwürdig sybillinisch und holt den großen Hut.

Auf Lesereise

In diesem Monat vor zehn Jahren bekam ich einen Anruf von einem amerikanischen Verleger, der gerade eins meiner Bücher gekauft hatte und mich auf eine dreiwöchige Promotionstour durch sechzehn Städte schicken wollte.

»Wir machen Sie zum Medienstar«, erklärte er fröhlich.

»Aber ich bin noch nie im Fernsehen gewesen«, protestierte ich leicht panisch.

»Ach, nichts lieber als das. Es wird Ihnen gefallen«, sagte er mit der heiteren Gewißheit desjenigen, an dem dieser Kelch vorüberging.

Ich ließ mich nicht beirren. »Nein, ich bin bestimmt schrecklich. Ich habe keine Ausstrahlung.«

»Keine Bange, wir verpassen Ihnen eine. Wir fliegen Sie zu einem Medientraining nach New York.«

Mir sank das Herz in die Hose. Das war mir alles nicht geheuer. Zum erstenmal, seit ich 1961 versehentlich die Garage eines Nachbarn in Brand gesteckt hatte, dachte ich ernsthaft über die Möglichkeit einer Gesichtsoperation und ein neues Leben in Mittelamerika nach.

Doch ich flog nach New York, und siehe da! Das Medientraining war weniger qualvoll, als ich befürchtet hatte. Ich wurde einem gütigen, geduldigen Mann namens Bill Parkhurst überantwortet, der sich irgendwo in Manhatten zwei Tage lang in ein fensterloses Studio mit mir setzte und mich einer endlosen Reihe Pseudointerviews unterzog.

Er sagte zum Beispiel: »Okay, jetzt machen wir ein Dreiminuteninterview mit einem Typen, der sich Ihr Buch erst zehn

Sekunden vorher angeguckt hat und nicht weiß, ob es ein Kochbuch oder eins über Gefängnisreform ist. Außerdem ist der Kerl nicht der Hellste und unterbricht Sie dauernd. Okay, los geht's.«

Dann drückte Bill Parkhurst auf seine Stoppuhr, und wir machten das Interview. Und noch einmal und noch einmal. Und das ganze zwei Tage lang. Am Nachmittag des zweiten Tages mußte ich mir die Zunge mit den Fingern in den Mund zurückstopfen. »Jetzt wissen Sie, wie es Ihnen am zweiten Tag der Tour geht«, sagte mein Ausbilder frohgemut.

»Und wie ist es nach einundzwanzig Tagen?« fragte ich.

Er lächelte. »Sie werden es toll finden.«

Erstaunlicherweise hatte er fast recht. Lesereisen machen wirklich Spaß. Man wohnt in hübschen Hotels, wird überall in einem großen silbernen Auto hinkutschiert, als sei man weit wichtiger, als man in Wirklichkeit ist, kann jeden Tag dreimal Steak essen, und jemand anderes bezahlt, und man darf wochenlang endlos über sich selbst reden. Werden da nicht kühnste Träume wahr?

Es war eine vollkommen neue Welt für mich. Wenn Sie diese Kolumnen auswendig kennen, erinnern Sie sich bestimmt, daß unser Vater uns in meiner Kindheit immer in die billigsten Hotels verfrachtete – Absteigen, gegenüber denen das Motel der Bates in *Psycho* stilvoll und nobel war. In dieser Hinsicht machte ich also wohltuend neue Erfahrungen. Ich war bis dato noch nie in einem schicken Hotel gewesen, hatte noch nie etwas beim Zimmerservice bestellt, nie die Dienste eines Portiers oder Hausdieners in Anspruch genommen und noch nie einem Türsteher Trinkgeld gegeben. (Habe ich auch heute noch nicht, ehrlich gesagt.)

Der große Reinfall war der Zimmerservice. Ich bin in dem Glauben aufgewachsen, daß es der Gipfel an Kultiviertheit ist, beim Zimmerservice zu bestellen. Das taten die Leute in Cary-Grant-Filmen, aber doch nicht in der mir bekannten Welt. Als also ein Werbemensch meinte, ich solle ruhig reichlich davon Gebrauch machen, befolgte ich seinen Rat begeistert. Und entdeckte etwas, das Sie bestimmt schon wissen: Den Zimmerservice kann man vergessen.

Ich habe mindestens ein dutzendmal in amerikanischen Hotels Mahlzeiten beim Zimmerservice bestellt, und sie waren immer miserabel. Es dauerte Stunden, bis das Essen kam, und dann war es durch die Bank kalt und zäh. Fasziniert war ich immer davon, wie aufwendig es serviert wurde – weißes Tischtuch, Vase mit Rose, demonstratives Abnehmen der silbernen Haube von jeder Platte – und wie wenig man sich darum kümmerte, daß es schmeckte und warm blieb.

In besonderer Erinnerung ist mir das Huntington Hotel in San Francisco geblieben. Der Ober hob schwungvoll einen silbernen Deckel, und zum Vorschein kam eine Schüssel weißen Schleims.

»Was ist denn das?« fragte ich.

»Meines Erachtens Vanilleeis, Sir«, erwiderte er.

»Aber es ist ja schon geschmolzen«, sagte ich.

»Sehr wohl«, pflichtete er mir bei. »Guten Appetit«, fügte er, sich verbeugend, hinzu, kassierte das Trinkgeld und entschwand.

Auf den Lesereisen lümmelt man sich natürlich nicht nur in noblen Hotelsuiten herum, glotzt fern und schlabbert geschmolzenes Eis. Man muß auch Interviews geben – jede Menge, mehr, als man sich vorstellen kann, oft schon vor Morgengrauen und bis nach Mitternacht –, und dazwischen muß man absurd viel reisen. Weil so viele Autoren auf Tour sind und ihre Bücher an den Mann bringen wollen – in Hochzeiten bis zu zweihundert, habe ich mir sagen lassen –, es aber nur eine begrenzte Anzahl Radio- und Fernsehsendungen gibt, in denen man auftreten kann, wird man gewöhnlich überall da hineingeschoben, wo freie Sendezeit ist.

Innerhalb von fünf Tagen jettete ich einmal von San Francisco nach Atlanta, Chicago und Boston und dann wieder zurück nach San Francisco. Ein andermal flog ich wegen eines Dreißigsekundeninterviews von Denver nach Colorado Springs. Und – ich schwöre! – es verlief so:

Interviewer: »Heute ist unser Gast Bill Bryson. Sie haben also ein neues Buch rausgebracht, Bill, Stimmt's?«

Ich: »Ja.«

Interviewer: »Wunderbar. Vielen Dank, daß Sie gekommen sind. Morgen ist unser Gast Dr. Milton Greenberg, der ein Buch über Bettnässen geschrieben hat. Titel: *Tränen beim Schlafengehen.*«

In drei Wochen habe ich mehr als zweihundertundfünfzig Interviews gegeben und kein einziges Mal jemanden getroffen, der mein Buch gelesen oder den blassesten Schimmer hatte, wer ich war. Bei einem Radiosender legte der Journalist unmittelbar, bevor wir auf Sendung gingen, die Hand übers Mikrofon und sagte: »Jetzt erzählen Sie mir noch rasch, sind Sie der Typ, der von Aliens entführt worden ist, oder der Reiseschriftsteller?«

Es geht einzig und allein darum – wie mich Bill Parkhurst ja auch gelehrt hatte –, daß man sich schamlos verkauft, und glauben Sie mir, das lernt man schnell.

Heute ist mir das wahrscheinlich alles wieder eingefallen, weil ich mitten auf einer dreiwöchigen Promotionstour in Großbritannien bin. Denken Sie jetzt bitte nicht, ich will mich anbiedern, aber Lesereisen hier sind im Vergleich zu denen in den USA ein Traum. Die Reiseentfernungen sind kürzer, was viel ausmacht, und im großen und ganzen stellt man fest, daß die Interviewer das Buch gelesen oder zumindest *ein* Buch gelesen haben. Die Buchhändler und ihre Chefs sind engagiert und freundlich und das Lesepublikum ohne Ausnahme intelligent, anspruchsvoll, enorm gutaussehend und großzügig im Kaufverhalten. Ich weiß, daß Leute die Sonntagszeitung mit den Worten hingeworfen haben: »Ich glaube, ich hole mir das Buch von dem ollen Bill jetzt sofort. Vielleicht kaufe ich sogar noch ein paar als Weihnachtsgeschenke.«

Es ist eine verrückte Art des Geldverdienens, gehört aber zu den Pflichten eines Erfolgsautors. Ich danke nur Gott, daß es meiner Integrität nicht geschadet hat.

Der Tod lauert überall

Als mir das letztemal wirklich siedendheiß bewußt wurde, daß dort draußen der Tod lauert – ja, dort draußen, da drückt er sich herum – und daß er meinen Namen auf der Liste hat, saß ich im Flieger von Boston nach Lebanon, New Hampshire, und wir hatten ein paar Probleme.

Der Flug über die alten Industriestädte des nördlichen Massachusetts und des südlichen New Hampshire hin zum Connecticut River, wo die runden Bergkuppen der Green und White Mountains gemächlich ineinander übergehen, dauert normalerweise nur fünfzig Minuten. Es war an einem späten Oktobernachmittag, kurz nachdem wir die Uhren für den Winter umgestellt hatten, und ich hoffte schon, daß ich den letzten rostroten Schimmer der Herbstfarben auf den Bergen würde genießen können, bevor das Tageslicht verschwand. Aber binnen fünf Minuten nach dem Start rumpelte unsere kleine Maschine – eine sechzehnsitzige De Havilland – durch mächtiges Gewölk, und es war klar, daß wir an diesem Tag keinen spektakulären Rundblick mehr geboten bekamen.

Also las ich ein Buch und versuchte krampfhaft, die Turbulenzen zu ignorieren und meinen Kopf davon abzuhalten, sich Unglücksphantasien hinzugeben, in denen zersplitternde Tragflächen und ein langer, von einem gellenden Schrei begleiteter Sturz zur Erde eine Rolle spielten.

Ich hasse kleine Flugzeuge. Ich mag Flugzeuge überhaupt nicht besonders, aber vor kleinen graust mir, weil sie kalt und wackelig sind, komische Geräusche machen und zu wenige Fluggäste haben, als daß sie mehr als flüchtige Aufmerksamkeit erregen, wenn sie abstürzen. Was sie offenbar mit schöner Regelmäßigkeit tun. Fast jeden Tag stehen in den hiesigen Blättern Artikel wie folgender:

DRIBBLEVILLE, INDIANA – Alle neun Passagiere und die Besatzung kamen heute ums Leben, als ein sechzehnsitziges Kurzstreckenflugzeug im Dienst der Hops Airlines kurz nach dem Start vom Flughafen in Dribbleville in einem Flammenball abstürzte. Augenzeugen berichten, daß der Flieger, o Gott, eine Ewigkeit brauchte, bis er mit einer Aufschlaggeschwindigkeit von dreitausenddreißig Stundenkilometern zu Boden krachte. Es war seit Sonntag der elfte von der Öffentlichkeit kaum registrierte Absturz einer Maschine im Pendelflugverkehr.

Die Dinger stürzen dauernd ab. Vor ein paar Monaten erwischte es einen kleinen Flieger auf dem Flug von Cincinnati nach Detroit. Unter den Opfern war eine Dame, die sich auf dem Weg zur Beerdigung ihres Bruders befand, der zwei Wochen zuvor bei einem Absturz in West Virginia ums Leben gekommen war.

Ich versuchte, mich auf meine Lektüre zu konzentrieren, mußte aber immer wieder aus dem Fenster in die undurchdringliche Düsternis schauen. Nach etwas mehr als einer Stunde Flugzeit – länger als normal – stiegen wir durch die holprigen Wolken hinunter, und plötzlich war die Sicht ganz klar. Wir befanden uns nur wenige hundert Meter über einer dunklen Landschaft. In den letzten Spuren des Tageslichts sah man ein, zwei Bauernhäuser, aber keine Städte. Dafür erhoben sich um uns herum drohend die Berge – finster und gewaltig.

Wir stiegen wieder in die Wolken hoch, flogen ein paar Minuten lang im Kreis und gingen wieder nach unten. Lebanon oder eine andere Stadt waren aber immer noch nicht zu sehen, was verblüffte, weil das Tal des Connecticut River von kleinen Städten wimmelt. Unter uns erstreckte sich bis zum Horizont nichts als immer schwärzer werdender Wald.

Erneut stiegen wir hoch und wiederholten die ganze Übung

noch zweimal. Dann endlich meldete sich der Pilot und sagte mit cooler, ruhiger Stimme: »Leute, ich weiß nicht, ob Sie es schon gemerkt haben, aber wegen des hm, unfreundlichen Wetters haben wir ein kleines Problem, den Flughafen mit den Augen anzupeilen. In Lebanon gibt es kein Radar, wir müssen also alles auf Sicht machen, wodurch es hm, ein bißchen knifflig wird. Die östliche Meeresküste ist komplett mit weißem Nebel zugesuppt, deshalb bringt's auch nichts, einen anderen Flughafen anzufliegen. Aber wir versuchen es weiter, denn wenn eins sicher ist, dann, daß dieses Flugzeug *irgendwo* runtergehen *muß*!«

Gut, den letzten Satz habe ich dazu gedichtet, aber darauf liefen seine Worte hinaus. Wir bewegten uns im Blindflug durch Wolken und schwindendes Licht; immer auf der Suche nach dem zwischen diesen Bergen versteckten Flugplatz. Mittlerweile waren wir schon neunzig Minuten in der Luft. Ich wußte nicht, wie lange sich unser Flieger dort halten konnte, aber irgendwann mußte uns ja wohl der Treibstoff ausgehen. Bis dahin allerdings konnten wir immer noch jederzeit in einen Berghang krachen.

Das fand ich entsetzlich ungerecht. Ich war auf dem Nachhauseweg von einer langen Reise. Sauber geschrubbte Kindlein, die nach Seife und frischen Handtüchern dufteten, warteten auf mich. Es sollte Steak zum Abendessen geben, vielleicht sogar mit Zwiebelringen. Sogar ein Fläschchen Wein stand bereit. Ich hatte Geschenke zu verteilen. Der Zeitpunkt, gegen einen Berg zu fliegen, paßte gar nicht.

Also schloß ich die Augen und sagte mit sehr leiser Stimme: »Bitte, bitte, bitte, ach bitte, laß uns sicher landen, und ich verspreche, von nun an immer gut zu sein, und das meine ich ehrlich. Danke.«

Wunderbarerweise klappte es. Als wir ungefähr das sechstemal aus den Wolken fielen, sahen wir die flachen Dächer, hellerleuchteten Schilder und herrlich kleinen, knubbeligen Kunden der Shopping Plaza in Lebanon unter uns und einen

Katzensprung über die Straße den Flughafenzaun. Wir hielten nicht ganz in der korrekten Richtung darauf zu, aber der Pilot flog eine scharfe Kurve, setzte in Schräglage zum Landeanflug an und brachte die Maschine in einer Weise runter, bei der ich unter anderen Umständen aufgekreischt hätte.

Mit einem hübschen, weichen Quietschen landeten wir. Ich war der glücklichste Mensch auf – dem Erdboden.

Meine Frau wartete draußen vor dem Flughafeneingang im Auto, und auf der Heimfahrt schilderte ich ihr die spannenden Momente in der Luft in epischer Breite. Leider ergibt es keine annähernd so gute Story, wenn man meint, man stirbt bei einem Absturz, als wenn man wirklich abstürzt.

»Mein armer Liebling«, sagte meine Frau beschwichtigend, aber ein wenig zerstreut, und tätschelte mir das Bein. »Na, in einer Minute bist du zu Hause, und im Ofen ist für dich ein leckeres Blumenkohl-Soufflé.«

Ich schaute sie an. »Blumenkohl-Soufflé? Was zum –« Ich räusperte mich und machte einen neuen Anlauf. »Und was genau ist Blumenkohl-Soufflé, Liebes? Ich dachte, es gäbe Steak.«

»Sollte es auch, aber Blumenkohl ist viel gesünder für dich. Maggie Higgins hat mir das Rezept gegeben.«

Ich seufzte. Maggie Higgins ist eine aufdringliche Geschäftlhuberin, deren strenge Ansichten über Ernährung bei uns zu Hause dauernd Gerichte wie Blumenkohl-Soufflé zur Folge haben. Sie wächst sich zum Fluch meines Lebens aus, zumindest meines Magens.

Aber es ist doch komisch, was? In einem Moment betet man, daß man leben darf, und schwört, alle Drangsal und Unbill ohne Murren zu erdulden, und im nächsten würde man am liebsten den Kopf gegen das Armaturenbrett schlagen und denkt: Ich wollte ein Steak, ich wollte ein Steak, ich wollte ein Steak!

»Ach übrigens, habe ich dir erzählt, daß Maggie neulich mit ihrem Färbemittel im Haar eingeschlafen ist?« fuhr meine Frau fort. »Jetzt ist es giftgrün.«

»Wirklich?« sagte ich und lebte ein wenig auf. Wenigstens eine gute Neuigkeit. »Giftgrün, hast du gesagt?«

»Na ja, alle haben sie damit getröstet, daß es eher zitronengelb ist, aber ehrlich, es sieht aus wie Kunststoffrasen.«

»Wahnsinn!« sagte ich – und das war es auch. Ich meine, daß zwei Gebete an einem Abend erhört wurden.

Der beste amerikanische Feiertag

Wenn ich heute ein wenig aufgedunsen und träge bin, dann, weil am Donnerstag Thanksgiving war und ich mich noch nicht recht erholt habe.

Thanksgiving liebe ich deshalb so sehr, weil es, von allem anderen abgesehen, der einzige Tag im Jahr war, an dem wir bei uns zu Hause aßen. An allen anderen Tagen steckten wir uns eigentlich nur Nahrung in den Mund. Meine Mutter war nämlich keine begnadete Köchin.

Mißverstehen Sie mich bitte nicht. Meine Mutter ist eine liebe, heitere, gütige Seele, und wenn sie stirbt, kommt sie direkt in den Himmel. Aber glauben Sie mir, keiner wird sagen: »Ach, Gott sei Dank, daß Sie da sind, Mrs. Bryson. Können Sie uns was Leckeres kochen?«

Der Gerechtigkeit halber muß ich betonen, daß meine Mutter in der Küche gleich mit mehreren Widrigkeiten zu kämpfen hatte. Zunächst einmal konnte sie nicht kochen – immer ein kleines Handicap, wenn man sich in den kulinarischen Künsten hervortun will. Nicht, daß Sie denken, sie hätte sonderlichen Wert darauf gelegt. Doch selbst wenn sie gewollt hätte, hätte sie es nicht gekonnt. Sie war nämlich berufstätig, was bedeutete, daß sie stets zwei Minuten, bevor es Zeit wurde, das Essen auf den Tisch zu bringen, ins Haus stürmte.

Darüber hinaus war sie immer ein bißchen geistesabwesend und neigte dazu, gleichfarbige Zutaten zu verwechseln wie Zucker und Salz, Pfeffer und Zimt, Essig und Ahornsirup, Stärkemehl und Gips – was ihren Gerichten häufig eine unerwartete Note verlieh. Eine besondere Spezialität war es, die

243

Sachen zu kochen, wenn sie noch in der Packung waren. (Ich war schon beinahe erwachsen, als ich endlich begriff, daß Frischhaltefolie keine zähklebrige Glasur war.) Eine Mischung aus ewiger Hetze und bezaubernder Unfähigkeit, Haushaltsgeräte zu handhaben, führte zu dem Resultat, daß ihre Kochaktionen meist von Qualmwolken und manchmal sogar kleinen Explosionen begleitet waren. Bei uns zu Hause galt generell die Regel, daß es Zeit zu essen war, wenn die Feuerwehrleute abzogen.

Meinem Vater kam das seltsamerweise entgegen. Seine Essensvorlieben könnte man getrost als primitiv bezeichnen. Sein Gaumen reagierte eigentlich nur auf drei Geschmacksrichtungen – Salz, Ketchup und verbrannt. Seine Vorstellung von einem exzellenten Mahl bestand aus einem Teller, auf dem sich etwas braunes Nichtidentifizierbares, etwas grünes Nichtidentifizierbares und etwas Verkohltes befanden. Ich bin ziemlich überzeugt, wenn man einen Luffaschwamm schön langsam gebacken und ausreichend mit Ketchup garniert hätte, hätte er gesagt: »He, das ist aber sehr lecker!« Kurzum: Er machte sich nichts aus gutem Essen, und meine Mutter arbeitete jahrelang hart, um ihn nie zu enttäuschen.

Aber o Wunder! An Thanksgiving zog sie alle Register ihres offenbar doch vorhandenen Könnens und übertraf sich selbst. Dann rief sie uns zu Tisch, wo unsere überraschten Gaumen ein aufwendiges, luxuriöses Mahl erwartete – ein riesiger, fettglänzender Truthahn, Körbe voller Maisbrot und warmer Weizenbrötchen, Gemüse, das man wiedererkannte, eine Sauciere mit Cranberry-Soße, eine Schüssel duftig lockeres Kartoffelpüree, eine Platte praller Würstchen und vieles andere mehr.

Wir schlugen zu, als hätten wir ein Jahr lang nichts gegessen (was wir im Grunde ja auch nicht hatten), und dann präsentierte meine Mutter die Krönung des Ganzen – einen goldenen, flockig knusprigen Kürbiskuchen, auf dem sich ein Riesenberg Schlagsahne türmte. Köstlich! Himmlisch!

Seitdem erfüllt mich dieser allerherrlichste der Feiertage immer mit tiefer Freude und Dankbarkeit, denn – damit das ein für allemal klar ist – Thanksgiving ist ein formidables Fest.

Die meisten US-Bürger glauben meines Wissens, daß es immer am letzten Donnerstag im November abgehalten wurde, und zwar seit Urzeiten – na, zumindest so lange, wie man in unserem jungen Land von Urzeiten sprechen kann.

Es stimmt ja auch, daß die Pilgerväter 1621 ein berühmtes Gelage veranstalteten, um den ortsansässigen Indianern zu danken, daß sie ihnen durch das erste schwere Jahr geholfen und ihnen unter anderem gezeigt hatten, wie man Popcorn macht (wofür ich selbst heute noch dankbar bin). Aber es gibt keine Aufzeichnungen darüber, wann der Schmaus stattfand. Angesichts des Klimas in Neuengland war es wahrscheinlich nicht Ende November. In den folgenden zweihundertundzweiundvierzig Jahren wurde Thanksgiving als Ereignis kaum erwähnt. 1863 wurde die erste offizielle Feier abgehalten – und dann ausgerechnet im August. Im nächsten Jahr verschob Präsident Abraham Lincoln es eigenmächtig auf den letzten Donnerstag im November, und heute scheint sich keiner mehr daran zu erinnern, warum ein Donnerstag und warum so spät im Jahr. Doch dabei ist es geblieben.

Thanksgiving ist aus vielerlei Gründen wunderbar. Zunächst einmal hat es den löblichen Effekt, Weihnachten aufzuschieben. Während heute in vielen europäischen Ländern die Weihnachtseinkaufssaison Ende August angepfiffen wird, beginnt die Hysterie hier traditionellerweise erst am letzten Wochenende im November.

Darüber hinaus ist Thanksgiving immer noch ein reiner Feiertag, weitgehend unverdorben vom Kommerz. Man muß keine Grußkarten verschicken, keinen Baum schmücken, keine hektischen Jagden durch Schubladen und Schränke nach den Dekorationen veranstalten. An Thanksgiving sitzt man nur am Tisch und versucht, seinem Magen die Form eines Wasserballs zu verleihen. Wenn man das geschafft hat, setzt man sich vor den Fernseher und schaut ein Footballmatch an. Ein solcher Festtag ist natürlich so recht nach meinem Geschmack.

Der hübscheste und gewiß edelste Aspekt von Thanksgiving ist, daß es einem offiziell die feierliche Gelegenheit bietet, für die Dinge zu danken, für die man dankbar sein sollte. Bei mir persönlich sind das nicht wenige. Ich habe eine Frau und Kinder, die ich wahnsinnig liebe. Ich bin gesund und immer noch im Vollbesitz der meisten meiner geistigen Kräfte (wenn auch nicht immer gleichzeitig). Ich lebe in einer Zeit des Friedens und des Wohlstands, und nie wieder wird Ronald Reagan Präsident der Vereinigten Staaten sein. Für all das bin ich wirklich dankbar, und ich freue mich, daß ich das hier einmal in aller Form zum Ausdruck bringen kann.

Die einzige Schattenseite ist, daß unausweichlich die Vorweihnachtszeit anbricht, wenn Thanksgiving erst einmal vorüber ist. Jeden Tag – jeden Moment – kann nun mein liebes Weib neben mich treten und verkünden, die Zeit sei gekommen, daß ich meinen Blähbauch bewege und den Weihnachtsschmuck heraushole. Diesen Moment fürchte ich aus gutem Grund. Denn er bedeutet körperliche Anstrengung, mit angeschlossenen Stromkabeln hantieren und zu den peniblen Regieanweisungen besagter besserer Hälfte wackelige Leitern hochklettern, mich durch Dachbodenluken quetschen – lauter Aktivitäten, bei denen ich mir ernsthafte, bleibende Schäden zuziehen kann. Und ich habe das schreckliche Gefühl, daß heute der Tag ist.

Aber noch ist nichts passiert – wofür ich natürlich am alleraufrichtigsten dankbar bin.

Am Weihnachtsbaume die Lichter brennen

Es sind nur noch achtzehn kurze Tage bis zum Fest, und meine Frau kann jederzeit ins Zimmer treten und verkünden, daß es Zeit sei, den Weihnachtsschmuck hervorzuholen. Noch hat sie sich nicht gerührt, aber ich weiß nicht, wie lange ich das noch aushalte.

Ich hasse es, das Haus zu Weihnachten zu schmücken, weil es ja erstens bedeutet, daß ich auf den Dachboden krabbeln muß. Dachböden sind unangenehm schmutzige, dunkle Orte. Dort oben findet man immer Sachen, die man nicht finden will – ellenlange angeknabberte Stromkabel, Spalten zwischen den Dachpfannen, durch die man das Tageslicht sehen und bisweilen sogar den Kopf stecken kann, und kistenweise Sammelsurium, das man in einem Augenblick geistiger Umnachtung dort hochgehievt hat. Allein dreierlei Dinge kann man gewiß sein, wenn man sich hinaufwagt: daß man sich mindestens zweimal an einem Balken den Schädel aufschlägt, daß man das Gesicht voller Spinnweben kriegt und daß man nicht findet, was man sucht.

Doch der wahre Horror kommt, wenn man wieder hinunterklettern will. Dann stellt man nämlich fest, daß die Trittleiter mysteriöserweise einen Meter Richtung Badezimmertür geruckt ist. Man weiß ums Verrecken nicht, wie, aber so ist es immer.

Also schiebt man die Beine durch die Luke und angelt blind mit den Füßen nach der Leiter. Wenn man das rechte Bein so weit ausstreckt, wie es geht, kommt man soeben mit einem Zeh daran, was einem natürlich auch nicht viel nützt. Schließlich entdeckt man, daß man erst einen Fuß und dann womöglich beide Beine auf die oberste Sprosse kriegt, wenn man sie wie ein Turner am Barren hin- und herschwingt. Das ist freilich kein entscheidender Durchbruch, denn man liegt nun in einem Winkel von etwa sechzig Grad und ist unfähig, irgendeinen weiteren Fortschritt zu erzielen. Leise in sich hineingrummelnd versucht man mit den Füßen die Leiter näher zu ziehen, erreicht indes nur, daß sie krachend umkippt.

Jetzt steckt man ernsthaft in der Klemme. Man versucht sich zappelnd zurück auf den Dachboden zu manövrieren, aber die Kräfte versagen. Also bleibt man an den Achselhöhlen hängen und ruft die Gattin zu Hilfe. Doch sie hört einen nicht. Das ist sowohl frustrierend als auch seltsam. Normalerweise hört sie Dinge, die sonst niemand hört. Zum Beispiel, daß zwei Zimmer weiter ein Klacks Marmelade auf den Teppich fällt oder man verschütteten Kaffee ganz stiekum mit einem guten Badehandtuch aufwischt oder Straßenschmutz auf einen sauberen Fußboden trägt. Ja, sie hört schon, wenn man nur an etwas denkt, das man nicht tun sollte. Hängt man jedoch in einer Dachluke fest, scheint sie urplötzlich in einer schalldichten Kammer verschwunden zu sein.

Wenn sie dann endlich mehr als eine Stunde später über den oberen Flur geht und einen da baumeln sieht, ist sie ganz verblüfft. »Was machst du denn da?« fragt sie nach einer Weile.

Man schielt zu ihr hinunter. »Dachlukenaerobic«, erwidert man einen winzigen Tick sarkastisch.

»Willst du die Leiter?«

»Mann, eine tolle Idee. Weißt du, ich hänge hier seit Ewigkeiten und versuche, darauf zu kommen, was mir fehlt, und du hast es auf Anhieb erkannt.«

Man hört, wie die Leiter zurechtgerückt wird, und spürt, wie die Füße die Sprossen hinuntergeleitet werden. Aber die Hängerei hat einem offensichtlich gutgetan, denn jäh erinnert man sich, daß der Weihnachtsschmuck gar nicht auf dem Dachboden ist – auch nie dort war –, sondern in einem Pappkarton im

Keller. Natürlich! Wie dumm, daß man daran nicht gedacht hat. Und schon saust man los.

Zwei Stunden später findet man das Gesuchte hinter ein paar alten Autoreifen und einem kaputten Kinderwagen versteckt. Man hievt den Karton nach oben und widmet zwei weitere Stunden dem Auseinanderfutzeln von Lichterketten. Wenn man sie anschließt, funktionieren sie selbstverständlich nicht. Außer einer. Die schleudert einen in einem Funkenregen mit einem kräftigen Stoß rücklings gegen eine Wand und funktioniert dann auch nicht mehr.

Man beschließt, die Lichterkette sein zu lassen und den Baum aus der Garage zu holen. Der ist riesig und sticht. Man umklammert ihn unbeholfen, schleppt ihn brummend zur Hintertür, fällt ins Haus, rappelt sich wieder auf und drängt weiter. Während einem die Zweige in die Augen stechen, die Nadeln Wangen und Zahnfleisch durchlöchern und das Harz es irgendwie schafft, einem hinterrücks die Nase hochzulaufen, tapst man durchs Zimmer, haut Bilder von den Wänden, räumt Tische ab und kippt Stühle um. Die Gattin, die eben noch so mysteriös unauffindbar war, ist nun überall auf einmal und dirigiert einen mit verwirrenden, energischen Zurufen: »Paß auf das Dingsda auf! Daher nicht – geh daher! Nach links! Nein, nicht von dir aus links – von mir aus!« Schließlich sagt sie in sanfterem Ton: »Oooh, ist dir was passiert, Schatz? Hast du die Stufen nicht gesehen?« Wenn man dann das Wohnzimmer erreicht hat, schaut nicht nur der Baum aus, als habe ihn saurer Regen entblättert, sondern man selbst auch.

Und genau in diesem Moment fällt einem ein, daß man keine Ahnung hat, wo der Weihnachtsbaumständer ist. Seufzend stapft man zum Eisenwarenladen in der Stadt und kauft einen neuen, wohlwissend, daß in den nächsten drei Wochen alle Weihnachtsbaumständer, die man je in seinem Leben erworben hat, spontan wieder auftauchen, meist, indem sie einem vom oberen Ablagebord eines Schranks aufs Haupt fallen, während man auf dem Bodenfach herumstöbert. Manchmal lauert einem aber auch einer mitten in einem dunklen Zimmer oder oben an der Flurtreppe auf. Wenn man es nicht schon weiß, kapiert man es spätestens jetzt: Weihnachtsbaumständer sind ein Werk des Satans, und sie wollen einen tot und nicht lebendig. Da man schon einmal im Eisenwarenladen ist, kauft man zwei neue Lichterketten, die auch nicht funktionieren werden.

An Leib und Seele ermattet, schafft man es endlich, den Baum aufzustellen, mit allerlei Flitterkram zu behängen und zum Leuchten zu bringen. Gebückt wie der Glöckner von Notre Dame steht man davor und betrachtet ihn mit verhaltener Abscheu.

»Oh, wie hübsch!« schreit die Gattin, schlägt die Hände verzückt unterm Kinn zusammen und verkündet: »Jetzt laß uns draußen den Schmuck anbringen. Dieses Jahr habe ich uns was besonders Schönes gegönnt – einen Weihnachtsmann in Lebensgröße für den Schornstein. Hol mal die Zwölfmeterleiter, und ich pack die Kiste aus. Ach, was macht das Spaß!« Und sie hopst los.

Sie können mich nun mit gutem Grund fragen: Warum machen Sie das alles immer mit? Warum klettern Sie auf den Dachboden, wenn Sie doch wissen, daß der Schmuck nicht dort liegt? Warum futzeln Sie die Lichterketten auseinander, wenn sie nie im Leben funktionieren? Und meine Antwort darauf lautet: Es gehört zum Ritual. Ohne das wäre Weihnachten nicht Weihnachten.

Und deshalb habe ich mich entschlossen, jetzt anzufangen, obwohl Mrs. Bryson noch keine Order erteilt hat. Es gibt Dinge im Leben, die man tun muß, ob man will oder nicht.

Falls Sie mich gleich für irgendwas brauchen, ich hänge in der Dachluke.

Die Verschwendergeneration

In einer der faszinierendsten Statistiken, die ich mir seit langem zu Gemüte geführt habe, steht, daß fünf Prozent allen Stroms in den Vereinigten Staaten von Computern verbraucht werden, die nachts anbleiben.

Ob das stimmt, weiß ich nicht, aber ich kann Ihnen sagen, daß ich bei zahlreichen Gelegenheiten in allen möglichen Städten spätabends aus Hotelzimmerfenstern geschaut habe und mir aufgefallen ist, daß in sämtlichen Bürogebäuden ringsum alle Lichter brannten und die Computerbildschirme tatsächlich flackerten.

Warum stellen die Amerikaner die Dinger nicht ab? Aus dem gleichen Grund wahrscheinlich, warum sie den Motor laufen lassen, wenn sie mal schnell in ein Geschäft gehen, oder ihre Eigenheime in Flutlicht tauchen oder die Zentralheizung bis zu einer Stufe hochdrehen und laufen lassen, bei der ein finnischer Saunabesitzer passen würde – in einem Satz: weil Strom, Benzin und andere Energiequellen hier relativ billig sind und das schon so lange, daß niemand mehr auf die Idee kommt, sparsam damit umzugehen.

Warum soll man schließlich das lästige Ärgernis auf sich nehmen, morgens zwanzig Sekunden zu warten, daß der Computer warm wird, wenn man ihn die ganze Nacht anlassen kann und er morgens nach einer Sekunde arbeitsbereit ist?

In diesem Land verschwenden wir die natürlichen Ressourcen in einem schrecklichen – nein, haarsträubenden Ausmaß. Der durchschnittliche Amerikaner verbraucht im Laufe seines Lebens doppelt soviel Energie wie der durchschnittliche Europäer. Wir machen zwar nur fünf Prozent der Weltbevölkerung aus, verbrauchen aber zwanzig Prozent der Rohstoffe. Auf eine solche Statistik kann man wahrlich nicht stolz sein.

Auf dem Umweltgipfel in Rio de Janeiro 1992 erklärten sich die USA und andere Industriestaaten bereit, bis zum Jahre 2000 den Ausstoß von Treibgasen auf das Niveau von 1990 zu reduzieren. Sie versprachen nicht, darüber einmal nachzudenken. Sie versprachen, es zu tun!

Was ist seitdem passiert? Die Treibgasemissionen der USA steigen weiter gnadenlos an – seit der Konferenz in Rio um acht Prozent, allein 1996 um 3,4 Prozent. Wir haben unser Versprechen also nicht gehalten. Wir haben es nicht einmal versucht. Wir haben nicht einmal so getan, als ob wir es versuchten, was normalerweise ja genau die Art ist, in der wir mit solchen Problemen umgehen. Die Clinton-Regierung hat bisher lediglich eine Reihe unverbindlicher Richtlinien eingeführt, die die Industrie nach Belieben ignorieren kann, und meistens beliebt es ihr natürlich.

Zum Energiesparen gibt es hier so gut wie keine Anreize. Alternative Quellen wie Windkraft werden nur selten genutzt und nun sogar noch weniger. 1987 erzeugten sie etwa vier Zehntel eines Prozentes der gesamten Stromproduktion im Lande; heute die Hälfte, zwei Zehntel eines Prozents.

Nun will Präsident Clinton noch mal fünfzehn oder sechzehn Jahre haben, bevor er die Treibgasemissionen auf das Niveau von 1990 herunterschraubt. Und landauf, landab kümmert das niemanden. Nicht die Bohne. Es herrscht sogar eine zunehmende Feindseligkeit gegenüber der Idee des Umweltschutzes, besonders, wenn Kosten damit verbunden sind. Eine kürzlich von der kanadischen Gruppe Environics International durchgeführte Umfrage unter siebenundzwanzigtausend Menschen auf dem ganzen Globus ergab, daß die Bewohner praktisch aller Industrieländer bereit waren, zumindest geringe Einbußen im Wirtschaftswachstum in Kauf zu nehmen, wenn sauberere Luft und eine gesündere Umwelt die Folge wären. Die einzige Ausnahme waren die Vereinigten Staaten. Das ist doch der helle Wahn! Den Leuten hier ist wirtschaftliches Wachstum wichtiger als eine bewohnbare Erde!

Selbst Präsident Clintons trickreiche zaghafte Vorschläge, das Problem dem Präsidenten zuzuschanzen, der ihm nach vier Amtsperioden folgt, sind auf heftige Opposition gestoßen. Eine Koalition aus Industriellen und anderen einschlägig Interessierten, die sich Global Climate Information Project nennt, hat dreizehn Millionen Dollar zusammengebracht, um so gut wie jede Initiative zu bekämpfen, die gegen ihre qualmenden Schornsteine anarbeitet. Auf allen Radiostationen im Lande lassen sie Werbespots laufen, in denen sie finstere Warnungen ausstoßen, daß die Benzinpreise bis zu fünfzig Cents pro Gallone hochgehen, wenn die Energiepläne des Präsidenten tatsächlich umgesetzt werden.

Was soll's, daß diese Zahl vermutlich völlig übertrieben ist. Ganz egal, daß US-Bürger, selbst wenn sie stimmte, für Benzin nur einen Bruchteil dessen bezahlen würden, was die Menschen in den anderen reichen Ländern hinlegen. Macht nichts, daß alle davon profitieren würden. Das interessiert kein Schwein. Erwähnen Sie eine Erhöhung der Benzinpreise, zu welchem Zweck auch immer, wie gering auch der Betrag, wieviel gute Gründe auch dafür sprechen – und die Leute winden sich automatisch vor Entsetzen.

Am traurigsten bei alldem ist, daß das Ziel, nämlich den Treibhauseffekt einzudämmen, praktisch gratis erreicht werden könnte, wenn man hier einfach nur nicht mehr so viel Strom verschwenden würde. Man schätzt, daß die gesamte Nation etwa dreihundert Milliarden Dollar im Jahr für Energie vergeudet. Es geht nicht um die Energie, die man durch Investitionen in neue Technologien sparen würde. Es geht um Energie, die man schlicht und ergreifend dadurch sparen könnte, daß man die Geräte ab- oder niedriger stellt. Das Wochenmagazin US News & World Report behauptet, daß die USA allein fünf Atomkraftwerke betreiben, um elektrische Geräte und Anlagen zu versorgen, die an sind, aber nicht benutzt werden – Videorecorder in Dauerbereitschaft, Computer, die die Leute anlassen, wenn sie zum Mittagessen oder abends nach Hause gehen, all die stummen Fernseher, die oben an der Wand in Kneipen vor sich hin flimmern, ohne daß einer hinguckt.

Ich weiß nicht, wie besorgniserregend die globale Erwärmung ist. Niemand weiß es. Ich weiß auch nicht, wie sehr wir unsere Zukunft gefährden, weil wir so einzigartig gedankenlos in unserem Verbrauch sind. Aber eins kann ich Ihnen sagen: Im letzten Jahr bin ich mehrere Wochen über den Appalachian Trail gewandert, einen Hunderte von Kilometer langen Weitwanderweg. Von dort, wo die Route durch den Shenandoah-Nationalpark in Virginia verläuft, konnte man, als ich Teenager war – was so lange nun auch wieder nicht her ist –, an klaren Tagen bis nach Washington, DC, sehen, einhundertundzwanzig Kilometer weit. Nun beträgt die Sichtweite selbst unter günstigsten Bedingungen nur noch die Hälfte. Bei Hitze und Smog schrumpft sie auf gerade mal drei Kilometer zusammen.

Die Appalachen sind eine der ältesten Gebirgsketten der Erde, und die Wälder, die sie bedecken, gehören zu den schönsten und artenreichsten. In einem einzigen Tal im Great-Smoky-Mountains-Nationalpark sind mehr Baumarten heimisch als in ganz Westeuropa. Aber viele dieser Bäume sind in Gefahr. Der Streß, mit dem sauren Regen und anderen Schadstoffen zurechtzukommen, macht sie wehrlos und anfällig für Krankheiten und Seuchen. Eichen, Hickory- und Ahornbäume sterben in beunruhigender Zahl. Der Blumenhartriegel, einer der schönsten Bäume im Süden der Vereinigten Staaten und einst einer der häufigsten, ist ebenso kurz vor dem Aussterben wie die amerikanische Hemlocktanne.

Und das kann nur der bescheidene Auftakt sein. Denn wenn die Temperaturen im nächsten halben Jahrhundert weltweit um vier Grad Celsius steigen, wovon manche Wissenschaftler überzeugt sind, dann sterben alle Bäume im Shenandoah-Nationalpark, den Smokies und in einem Umkreis von Hunderten von

Kilometern. Innerhalb zweier Generationen wird sich eines der letzten großen Waldgebiete der gemäßigten Zonen in öde Steppe verwandeln.

Dafür lohnt es sich doch, ein paar Computer auszuschalten. Finden Sie nicht?

Einkaufswahn

Neulich bin ich mit meinem Jüngsten bei Toys Я Us gewesen. Er war zu etwas Kohle gekommen und wollte sie dort ausgeben. (Gegen den Rat seines Bruders hatte er Anaconda-Copper-Aktien losgeschlagen, der Lausebengel.) Doch zunächst mal: Ist Toys Я Us nicht der rätselhafteste Name, den Sie je gehört haben? Was bedeutet »Spielsachen sind wir«? Ich hab's nie verstanden. Wollen die Leute dort damit sagen, daß sie Spielzeug sind? Und warum schreibt man das R verkehrt herum? Etwa in der hoffnungsfrohen Erwartung, wir fänden den Laden deshalb um so toller? Und vor allem, warum gibt es in jedem Toys Я Us siebenunddreißig Kassen, und immer nur eine ist besetzt?

Das sind wichtige Fragen, aber leider nicht unser heutiges Thema, jedenfalls nicht direkt. Nein, heute befinden wir uns am Beginn der lebhaftesten Einzelhandelswoche des Jahres, und unser Thema ist Einkaufen. Die Feststellung, Einkaufen sei ein elementarer Bestandteil des amerikanischen Lebens, ist so überflüssig wie die, daß Fische Wasser mögen.

Abgesehen von arbeiten, schlafen, fernsehen und Fettgewebe ansammeln, widmen sich die Menschen hier dem Einkaufen länger als irgendeinem anderem Zeitvertreib. Ja, nach Angaben des amerikanischen Tourismusverbandes ist das Einkaufen nun auch Nummer eins bei den Ferienaktivitäten der US-Bürger. Die Leute planen sogar ihren Urlaub um Shoppingtrips herum. Hunderttausende reisen jedes Jahr zu den Niagara-Fällen, nicht, wie allmählich ruchbar wird, um die Wasserfälle zu betrachten, sondern um durch die beiden Mega-Malls zu wandern. Und wenn sich die Baulöwen in Arizona durchsetzen, können Urlauber bald schon zum Grand Canyon reisen, ohne daß sie ihn sehen müssen. Denn es gibt Pläne – halten Sie sich fest! –, am Beginn des Grand Canyon ein fast zweiundvierzigtausend Quadratmeter großes Einkaufsareal zu bauen.

Das Verkaufen und Kaufen ist heutzutage weniger ein Geschäft denn eine Wissenschaft. Es gibt mittlerweile sogar ein Studienfach namens Einzelhandelsanthropologie, dessen Vertreter genau sagen können, wo, wie und warum die Leute einkaufen, wie es heute üblich ist. Man hat erforscht, welcher Anteil Kunden sich beim Betreten eines Ladens zuerst nach rechts wendet (siebenundachtzig Prozent) und wie lange die Leute im Durchschnitt herumstöbern, bevor sie wieder hinausschlendern (zwei Minuten und sechsunddreißig Sekunden). Man weiß, wie man die Leute am besten in die profitträchtigsten magischen Tiefen des Ladens lockt (einen Bereich, der in der Branche als »Zone 4« bekannt ist) und welche Auslagen, Farbzusammenstellungen und Hintergrundmusik den nichtsahnenden neugierigen Kunden am wirksamsten hypnotisieren und in einen willenlosen Käufer verwandeln. Man weiß alles.

Aber nun kommt meine Frage. Warum kann ich dann trotzdem nicht in den USA einkaufen, ohne daß ich entweder in Tränen ausbrechen oder jemanden umbringen möchte? Denn trotz aller wissenschaftlichen Durchdringung macht das Einkaufen in diesem Land keinen Spaß mehr, wenn das überhaupt jemals so war.

Ein Großteil des Problems sind die Läden. Es gibt sie in drei Typen, alle gleich ekelhaft.

Zunächst einmal die Geschäfte, in denen man nie jemanden auftreiben kann, der einem hilft. Dann die, in denen man keine Hilfe will, aber von aufdringlichem, vermutlich auf Provisionsbasis arbeitendem Verkaufspersonal an den Rand des Wahnsinns getrieben wird. Schlußendlich gibt es die Läden, in denen die Antwort auf die Frage, wo etwas zu finden ist, stets »Gang sieben« lautet. Ich weiß nicht warum, aber so ist es.

»Wo ist die Damenunterwäscheabteilung?« fragt man.

»Gang sieben.«

»Wo ist das Tierfutter?«

»Gang sieben.«

»Wo ist Gang sechs?«

»Gang sieben.«

Am wenigsten mag ich den Typ Laden, in dem man die Verkäufer nicht los wird. Dabei handelt es sich meist um Kaufhäuser in großen Einkaufszentren. Die Verkäuferin ist immer eine weißhaarige Dame, die in der Abteilung Herrenbekleidung arbeitet.

»Kann ich Ihnen helfen?« fragt sie.

»Nein, danke schön, ich will mich nur umschauen«, antwortet man.

»Fein«, sagt sie und schenkt einem ein kriecherisches Lächeln. Ich mag Sie nicht, aber ich muß jeden anlächeln, bedeutet es.

Also wandert man durch die Abteilung und fummelt irgendwann an einem Pullover herum. Man weiß nicht, warum, denn er gefällt einem gar nicht, aber man fummelt trotzdem daran herum.

Sofort ist die Verkäuferin zur Stelle. »Der gehört zu unseren beliebtesten Modellen«, sagt sie. »Würden Sie ihn gern anprobieren?«

»Nein, danke schön.«

»Probieren Sie ihn ruhig an. Er ist wie für Sie gemacht.«

»Nein, das glaube ich nicht.«

»Die Umkleidekabinen sind gleich dort drüben.«

»Ich will ihn wirklich nicht anprobieren.«

»Was für eine Größe haben Sie?«

»Bitte, verstehen Sie mich doch, ich will ihn nicht anprobieren. Ich will mich nur umschauen.«

Sie schenkt einem wieder ein Lächeln – ihr Rückzugslächeln? –, aber dreißig Sekunden später ist sie erneut zur Stelle. Mit einem anderen Pullover und den Worten: »Wir haben ihn auch in pfirsichfarben.«

»Ich will den Pullover nicht. In keiner Farbe.«

»Wie wär's dann mit einer hübschen Krawatte?«

»Ich will keine Krawatte. Ich will keinen Pullover. Ich will überhaupt nichts. Meine Frau läßt sich die Beine enthaaren und hat mir gesagt, ich soll hier auf sie warten. Ich wünschte, das hätte sie nicht gesagt, aber so ist es nun einmal. Es kann Stunden dauern, doch ich will trotzdem nichts. Also bitte stellen Sie mir keine weiteren Fragen. Bitte nicht.«

»Und wie steht's mit Ihren Hosen?«

Begreifen Sie, was ich meine? Tränen oder Mord – eine andere Alternative gibt's plötzlich nicht mehr. Die Ironie der Geschichte ist, daß weit und breit keiner in Sicht ist, wenn man wirklich Hilfe braucht.

Bei Toys Я Us wollte mein Sohn einen intergalaktischen kosmischen Star-Troopers-Death-Blaster beziehungsweise ein ähnliches Plastikkriegsgerät erwerben. Wir konnten weder die Death Blaster finden noch jemanden, der uns gesagt hätte, wo sie waren. Der Laden schien in alleiniger Obhut eines sechzehnjährigen Knaben an der einzigen besetzten Kasse zu sein, vor der eine Schlange von etwa zwei Dutzend Leuten stand, die er sehr gemächlich und sehr methodisch abfertigte.

Geduldiges Anstehen gehört nicht zu meinen hochentwickelten sozialen Tugenden, besonders wenn ich nur warte, weil ich eine Information brauche. Die Schlange schob sich mit quälender Langsamkeit voran, und ich hätte den Jungen schon beinahe umgebracht, als er zehn Minuten brauchte, um eine Kassenrolle zu wechseln.

Doch endlich war ich dran. »Wo sind die intergalaktischen kosmischen Star-Troopers-Death-Blaster?« fragte ich.

»Gang sieben«, erwiderte er, ohne aufzuschauen.

Ich starrte auf seinen Kopf hinunter. »Treiben Sie keine Scherze mit mir!« warnte ich ihn.

Er schaute auf: »Wie bitte?«

»Solche Leute wie Sie sagen immer ›Gang sieben‹.«

Irgendwas muß in meinem Blick gewesen sein, denn seine

Antwort kam als Winseln. »Aber, es ist wirklich Gang sieben – Gewalt- und Aggressionsspielzeug.«

»Na, wehe, wenn nicht«, drohte ich und zog ab.

Neunzig Minuten später fanden wir die Death Blaster in Gang zwei, doch als wir zur Kasse kamen, war der junge Mann nicht mehr im Dienst.

Der Death Blaster ist übrigens wunderbar. Man kann damit solche Pfeile mit Gummipfropfen verschießen, die an der Stirn des Opfers kleben bleiben – was diesem einen gehörigen Schrecken einjagt, ihm aber nicht weh tut. Mein Sohn war natürlich enttäuscht, als ich ihm das Ding abgenommen habe, doch ich brauche es zum Einkaufen.

Ihr neuer Computer

Herzlichen Glückwunsch! Sie haben einen Paranoia/2000 Multimedia 615X PC mit digitalem Konfusionsverstärker gekauft. Er wird Ihnen jahrelange treue Dienste leisten, wenn Sie ihn jemals zum Laufen bringen. Inklusive erhalten Sie ein Gratispaket vorinstallierter Software – »Rasenmähplaner«, »Kunst für Kenner«, »Leerer-Bildschirm-Schoner« und »Ostafrika-Routenplaner« –, die Ihnen stundenlange geistlose Unterhaltung bieten und einen Großteil der Speicherkapazität Ihres Computers belegen wird.

Also blättern Sie um, und los geht's!

Auf die Plätze: Glückwunsch! Sie haben die Seite erfolgreich umgeblättert und sind bereit fortzufahren.

Wichtiger unsinniger Hinweis: Der Paranoia/2000 ist für 80386, 214J10 oder schnellere Prozessoren konfiguriert, die mit 2472 Hertz in einem variablen Schleudergang laufen. Überprüfen Sie Ihre Stromleitungen und Versicherungspolicen, bevor Sie fortfahren. Lassen Sie gleichzeitig keinen Wäschetrockner laufen.

Um internen Hitzestau zu vermeiden, wählen Sie einen kühlen, trockenen Standort für Ihren Computer. Das unterste Fach im Kühlschrank ist ideal.

Packen Sie die Kiste aus und kontrollieren Sie den Inhalt. (Achtung: Öffnen Sie die Kiste nicht, wenn Teile fehlen oder Mängel aufweisen, denn dann erlischt Ihre Garantie. Schicken Sie alle fehlenden Teile mit einer schriftlichen Erklärung, wohin sie verschwunden sind, in der Originalverpackung zurück; innerhalb von zwölf Arbeitsmonaten bekommen Sie Ersatz zugesandt.)

In der Kiste sollten sich einige der folgenden Teile befinden: Monitor mit mysteriösem Entmagnetisierknopf; Tastatur mit 6,35 cm langem Kabel; der Computer; diverse, nicht unbedingt zu diesem Modell passende Schnüre und Kabel; ein 2000-seitiges *Benutzerhandbuch; Kurzführer zum Benutzerhandbuch; Schnellführer zum Kurzführer zum Benutzerhandbuch; Laminierte Super-Ratzfatz-Aufbauanleitung für Leute, die außergewöhnlich ungeduldig oder dumm sind;* 1167 Blätter mit Garantiescheinen, Gutscheinen, Hinweisen in Spanisch und diverse Lose-Blatt-Sammlungen; 87,7 Kubikmeter Styroporpackmaterial.

Etwas, das man Ihnen nicht im Laden erzählt hat: Wegen des zusätzlichen Energiebedarfs der vorinstallierten Gratissoftware brauchen Sie ein Paranoia/2000-Software-upgrade-Paket zum Nachrüsten, einen 900-Volt-Kondensator für das Software-upgrade-Paket, einen 50-Megahertz-Oszillator für den Speicherkondensator, 2500 Mega-Giga-Bytes zusätzliche Speicherkapazität für den Oszillator und ein Umspannwerk.

Aufbau: Glückwunsch! Sie sind bereit, ihn aufzubauen. Wenn Sie noch keinen akademischen Grad als Elektroingenieur erworben haben, bekommen Sie jetzt die Gelegenheit.

Verbinden Sie das Monitorkabel (A) mit dem Backbordausgang (D); befestigen Sie den sekundären Stromentladeorbiter (Xii) an dem koaxialen Allstromservokanal (G); stecken Sie das dreipolige Mauskabel in das Tastaturgehäuse (wenn notwendig, zusätzliches Loch bohren); verbinden Sie Modem (B2) mit dem parallelen Abseits-Audio/Video-Ausgangsstecker. Alternativ dazu können Sie auch die Kabel in die Ihnen dafür am ehesten geeignet erscheinenden Löcher stecken. Schalten Sie ein und sehen Sie, was passiert.

Zusätzlicher wichtiger unsinniger Hinweis: Den internationalen Normen entsprechend, sind die Drähte in der Ampullen-modulationsröhre wie folgt gekennzeichnet: blau = neutral oder geladen; gelb = geladen oder blau; blau und geladen = neutral und grün; schwarz = sofortiger Tod (außer wenn gesetzlich verboten).

Schalten Sie den Computer ein. Ihr Festplattenlaufwerk fährt automatisch hoch (innerhalb von drei bis fünf Tagen). Nach erfolgtem Hochfahren sagt Ihr Bildschirm: »Hey, was'n nu?«

Ja, nun ist es Zeit, die Software zu installieren. Schieben Sie die Diskette A (mit der Bezeichnung »Diskette D« oder »Diskette G«) in das Laufwerk B oder J und geben Sie ein: »Hallöchen! Jemand zu Hause?« Am DOS-Prompt geben Sie Ihre Lizenznachweisnummer ein. Ihre Lizenznachweisnummer finden Sie, indem Sie Ihre autorisierte Benutzernummer eingeben, die Sie finden, indem Sie ihre Lizenznachweisnummer eingeben. Wenn Sie Ihre Lizenznachweisnummer oder autorisierte Benutzernummer nicht finden können, rufen Sie die Softwarehotline an und fragen nach. (Bitte halten Sie Ihre Lizenznachweisnummer und autorisierte Benutzernummer bereit, da unser Infoteam Ihnen sonst nicht helfen kann.)

Wenn Sie bis jetzt noch nicht Selbstmord begangen haben, schieben Sie Installationsdiskette 1 in Laufwerk 2 (oder umgekehrt) und folgen den Anweisungen auf Ihrem Bildschirm. (Bitte beachten: Wegen einer Änderung der Software erscheinen einige Anweisungen in rumänisch.) Bei jeder Eingabeaufforderung ändern Sie den Verzeichnispfad, doppelklicken Sie auf das Zündungsknopfsymbol, wählen Sie eine einzelne Gleichungsgrundeinstellungsdatei ersten Grades aus dem Makroauswahlmenü, schieben Sie die VGA-Grafikkarte in den rückwärtigen Tragflügel und geben Sie ein »C:\sowie die Geburtsdaten aller Menschen, die Sie je kennengelernt haben.

Dann sagt Ihr Bildschirm: »Ungültiger Pfadname. Brrr!!! Abbrechen oder Fortsetzen?« Achtung: Wenn Sie »Fortsetzen« wählen, kann das eine irreversible Dateikomprimierung, einen dauerhaften Speicherverlust und eine ständige Überlastung der

Festplatte zur Folge haben. Wählen Sie jedoch »Abbrechen«, müssen Sie den gesamten, sturzlangweiligen, wahnwitzigen Installiervorgang wieder von vorn beginnen. Also, wählen Sie selbst.

Wenn sich der Rauch verzogen hat, schieben Sie Diskette A2 (mit der Bezeichnung »Diskette A1«), wie beschrieben, ein und verfahren mit jeder einzelnen der 187 anderen Disketten ebenso.

Wenn die Installation abgeschlossen ist, kehren Sie zum Verzeichnispfad zurück, geben Ihren Namen, Ihre Adresse und Kreditkartennummer ein und drücken auf »Abschicken«. Damit haben Sie automatisch Anspruch auf unseren Gratissoftwarepreis (»Leerer Bildschirmschoner IV: Nacht in der Tiefe des Alls«), und wir sind befugt, Ihre Daten an Tausende Computerzeitschriften, Onlineservices und andere kommerzielle Unternehmen weiterzugeben, die sich bald mit Ihnen in Verbindung setzen werden.

Glückwunsch! Nun sind Sie bereit, Ihren Computer zu benutzen. Hier einige einfache Übungen, die Sie für einen glänzenden Start fit machen.

Briefe schreiben: Geben Sie »Lieber –« und danach den Namen einer Person ein, die Sie kennen. Schreiben Sie ein paar Zeilen über sich und dann »Hochachtungsvoll« plus Ihren eigenen Namen. Glückwunsch.

Datei sichern: Um Ihren Brief zu speichern, gehen Sie auf das Menü »Datei«. Wählen Sie Abrufen aus Unterverzeichnis A, geben Sie eine Sicherungskopie-Dateinummer ein und plazieren Sie eine Einfügemarke neben den Makrodialogknopf. Wählen Sie ein sekundäres Textfenster aus dem Zusammenfügmenü und doppelklicken Sie auf das ergänzungsbereinigte Dokumentfenster. Weisen Sie die hintereinanderliegenden Fenster einer zusammengefügten Datei zu und fügen Sie ein Textgleichungsfenster ein. Alternativ können Sie den Brief auch mit der Hand schreiben und in eine Schublade legen.

Tip zum Gebrauch des Tabellenkalkulationsprogramms: Benutzen Sie es nie!

Fehlersuchbereich: Sie werden so manches Problem mit Ihrem Computer haben. Hier sind einige der am meisten vorkommenden und deren Lösungen:

Problem: Mein Computer geht nicht an.

Lösung: Überprüfen Sie, ob der Computer angeschlossen ist; überprüfen Sie, ob sich die Einschalttaste in der Position ON befindet, überprüfen Sie die Kabel auf schadhafte Stellen; graben Sie die unterirdischen Kabel in Ihrem Garten aus und überprüfen Sie diese auf schadhafte Stellen; fahren Sie über Land und prüfen Sie, ob irgendwo lose Drähte von den Strommasten herunterhängen; rufen Sie die Infonummer an.

Problem: Meine Tastatur scheint keine Tasten zu haben.

Lösung: Drehen Sie die Tastatur auf die richtige Seite.

Problem: Meine Maus trinkt ihr Wasser nicht und geht auch nicht auf ihr Laufrädchen.

Lösung: Probieren Sie es mit einer Diät mit hohem Eiweißgehalt oder rufen Sie die Infonummer Ihres Haustiergeschäfts an.

Problem: Ich kriege immer eine Fehlermeldung folgenden Wortlauts: »Kein System. Allgemeine Schutzverletzung«. Lösung: Das liegt womöglich daran, daß Sie versuchen, den Computer zu benutzen. Schalten Sie das Gerät auf OFF, und alle ärgerlichen Meldungen verschwinden.

Problem: Mein Computer ist ein nutzloses Stück Schrott.

Korrekt – und Glückwunsch! Nun sind Sie bereit, auf einen Paranoia/3000 Turbo aufzurüsten oder wieder zu Bleistift und Papier zu greifen.

Wie lob ich mir die Diners

Als meine Familie mich vor ein paar Jahren ausschickte, einen Wohnort in den Staaten zu suchen, zog ich auch die Stadt Adams, Massachusetts, in Erwägung, weil sich in der dortigen Main Street ein wunderbar altmodischer Diner befand.

Leider sah ich mich gezwungen, Adams von der Auswahlliste zu streichen, weil ich mich später an keinen anderen Vorzug der Stadt erinnern konnte, möglicherweise, weil es keinen gab. Trotzdem glaube ich, daß ich dort glücklich geworden wäre. Diners können einen glücklich machen.

Einstmals waren sie ungeheuer beliebt, doch wie so manches andere sind sie zunehmend selten geworden. Ihre besten Zeiten hatten sie direkt nach dem Ersten Weltkrieg, als die Kneipen wegen der Prohibition mehr als ein Jahrzehnt lang schließen mußten und die Leute was anderes brauchten, wo sie Mittag essen konnten. In geschäftlicher Hinsicht waren Diners durchaus reizvoll. Sie waren billig zu erwerben und unterhalten und wurden als Fertigbauteile praktisch komplett aus der Fabrik geliefert. Hatte man einen erstanden, mußte man ihn nur noch auf ein ebenes Stück Erde setzen, Wasser- und Stromanschluß besorgen, und es konnte losgehen. Wenn keine Gäste kamen, lud man den Diner auf einen Tieflader und versuchte sein Glück woanders. Ende der zwanziger Jahre stellten schon an die zwanzig Firmen Diners in Massenproduktion her, fast alle in stromlinienförmigem Art-déco-Stil, als »stile moderne« bekannt und beliebt: außen glänzender Edelstahl, innen poliertes dunkles Holz und noch mehr blitzblankes Metall.

Dinerliebhaber sind Trainspotters nicht unähnlich. Sie können einem sagen, ob ein bestimmter Diner ein 47er Kullman Blue Comet oder ein 32er Worcester Semi-Streamliner ist. Sie kennen die Designdetails, die einen Ralph Musi von einem Starlite oder einem O'Mahoney unterscheiden, und fahren weit über Land, um einen seltenen, guterhaltenen Sterling anzuschauen, von dem zwischen 1935 und 1941 nur dreiundsiebzig gebaut worden sind.

Vom Essen ist selten die Rede. Und zwar aus dem Grund, weil es in allen Diners weitgehend identisch ist – das heißt, nicht sehr gut. Genau deshalb weigern sich meine Frau und meine Kinder ja auch, mit mir in einen zu gehen. Sie begreifen nicht, daß es weniger um Essen geht, als darum, einen wesentlichen Teil des amerikanischen kulturellen Erbes zu bewahren.

In meiner Jugend gab es in Iowa keine Diners. Sie waren vorwiegend ein Ostküstenphänomen, so wie Restaurants in Gestalt von Dingen (Schweinen, Donuts, Bowlerhüten) ein Westküstenphänomen waren. Einem Diner am nächsten kam bei uns ein Lokal am Fluß, das Ernie's Grill hieß. Es war von hinten bis vorn, einschließlich des Besitzers, schäbig und schmierig, und das Essen war ein Graus, doch es hatte alles, was zu einem Diner gehört: einen langen Tresen mit Barhockern, auf denen man sich schön drehen konnte, Sitznischen an einer Wand und Gäste, die aussahen, als hätten sie gerade ein paar große Tiere im Wald erlegt (womöglich mit den Zähnen). Wenn man etwas bestellte, rief die Kellnerin in einem für Diner typischen Kauderwelsch unverständliche verschlüsselte Botschaften in die Küche: »Zwei Klackse auf dem Maxe, Vorsicht mit der Brillantine, Schniegel im Tiegel und zweimal in den Eimer gehustet« oder etwas ähnlich alarmierend Geheimnisvolles.

Leider befand sich Ernie's Grill in einem stattlichen, anonymen Klotz von Backsteingebäude, dem es gänzlich an dem Art-déco-Glamour eines klassischen Diner mangelte. Als ich Jahrzehnte später ausgesandt wurde, ein Städtchen in Neuengland zu suchen, in dem man leben konnte, war deshalb ein Diner ganz oben auf meiner Wunschliste. Aber ach, sie sind immer schwerer zu finden.

Hanover, wo wir ja nun wohnen, hat ein alteingesessenes Speiserestaurant namens Lou's, das letztes Jahr seinen fünfzigsten Geburtstag gefeiert hat. Oberflächlich gesehen hat es das Ambiente eines Diner, aber auf der Karte stehen exotische Gerichte wie Quiches und Fajitas, und man ist stolz auf seinen frischen Kopfsalat. Die Gäste sind wohlbetuchte Yuppies. Daß einer von ihnen in ein Auto steigt, auf dessen Motorhaube die Jagdbeute verzurrt ist, ist eher unwahrscheinlich.

Sie können also meine Freude ermessen, als ich sechs Monate, nachdem wir nach Hanover gezogen waren, durch das Städtchen White River Junction hier bei uns in der Nähe fuhr, an einem Restaurant names Four Aces vorbeikam, spontan hineinging und mich in einem frühen Nachkriegs-Worcester in beinahe tadellosem Zustand wiederfand. Herrlich! Selbst das Essen war nicht übel, was mich anfangs enttäuschte, mit dem ich aber mittlerweile leben kann.

Keiner weiß, wie viele solcher Diners es noch gibt. Das liegt zum Teil an der Definition. Ein Diner ist im wesentlichen jedes Lokal, das Essen serviert und sich Diner nennt. Im weitesten Sinne gibt es etwa zweitausendfünfhundert davon in den Vereinigten Staaten. Von diesen sind aber allerhöchstens tausend »klassische« Diners, und die Anzahl verringert sich jährlich. Erst vor ein paar Monaten hat der älteste Diner in Kalifornien, Phil's in Nord-Los-Angeles, geschlossen. Obwohl er seit 1926 betrieben wurde, nach kalifornischen Maßstäben so altehrwürdig wie Stonehenge war, wurde sein Dahinscheiden kaum registriert.

Die meisten Diners können nämlich mit den großen Restaurantketten nicht konkurrieren. Ein traditioneller Diner ist klein, hat vielleicht acht Eßnischen und ein Dutzend Tresenplätze, und wegen der Tischbedienung und individuell zubereiteter Mahlzeiten sind die Betriebskosten hoch. Außerdem sind die

Läden alt, und in den USA ist es beinahe immer billiger, etwas zu ersetzen, als etwas zu erhalten. Ein Diner-Liebhaber, der in Jersey City, New Jersey, einen alten Diner gekauft hatte, entdeckte zu seinem Kummer, daß es neunhunderttausend Dollar gekostet hätte – die potentiellen Profite der nächsten zwanzig Jahre –, ihn in seinen ursprünglichen Zustand zurückzuversetzen. Da war es viel kostengünstiger, ihn abzureißen und das Grundstück an Kentucky Fried Chicken oder McDonald's zu verhökern.

Heutzutage gibt es allerdings eine Menge Pseudodiners. Als ich das letztemal in Chicago war, hat man mich in einen namens Ed Debevic's geführt, wo die Kellnerinnen Schildchen trugen, die ihre Namen als Bubbles und Blondie ausgaben, und die Wände mit Eds Bowlingtrophäen geschmückt waren. Dabei hatte es nie einen Ed Debevic gegeben. Er war nur die Ausgeburt der schöpferischen Phantasie eines Marketingfritzen. Einerlei. Ed boomte. Ein Essenspublikum, das echte Diners verschmäht hatte, als sie noch an jeder Ecke zu finden waren, stand jetzt vor einem imitierten Schlange. Dieses Phänomen ist mir über die Maßen rätselhaft, aber es ist hier alltäglich.

In Disneyland werden Sie feststellen, daß die Leute in Scharen eine Main Street auf und ab schlendern, die aussieht wie die, die sie en masse zugunsten der neuen Einkaufszentren in den Fünfzigern aufgegeben haben. Genauso verhält es sich mit den restaurierten Kolonialdörfern wie Williamsburg, Virginia oder Mystic, Connecticut, wo die Besucher gutes Geld bezahlen, um die Art beschaulicher Dorfatmosphäre zu genießen, aus der sie schon lange in die netten Vorstädte allerorten geflüchtet sind. Ich kann es mir letztendlich nur so erklären, daß die Amerikaner wirklich – um eine hübsche Wendung zu kreieren – nur das wollen, was nicht wirklich wirklich ist.

Aber damit könnte man eine neue Kolumne füllen. Demnächst kommen wir auf das Thema zurück. Jetzt will ich erst mal ins Four Aces, solange es noch möglich ist. Die Kellnerinnen dort heißen nicht Bubbles, aber dafür sind die Bowlingtrophäen echt.

Anfang April, nur drei Monate nach Erscheinen dieses Artikels, wurde das Four Aces geschlossen.

Alles gleich gräßlich

Ich weiß noch, wie ich das erstemal europäische Schokolade gekostet habe. Es war am 21. März 1972 im Hauptbahnhof von Antwerpen, an meinem zweiten Tag als junger Rucksacktourist auf dem alten Kontinent. Als ich auf einen Zug warten mußte, kaufte ich mir eine Tafel belgische Schokolade am Bahnhofskiosk, biß ein Stück davon ab und begann nach einem Moment sprachloser Verzückung unwillkürlich eine Reihe derart lauter, lustvoller Töne auszustoßen, daß sich in einem Umkreis von zwanzig Metern alle Blicke auf mich richteten.

Wissen Sie, wie ein Kleinkind eine Schüssel Nachtisch futtert – mit hörbarem Behagen, besorgniserregend sabbernd und glucksend? So habe ich die Schokolade verspeist! Ich konnte nicht anders. Ich ahnte ja nicht, daß Schokolade so gut sein kann. Ich wußte nicht, daß überhaupt *irgend etwas* so gut sein kann.

Wie Sie vielleicht wissen, ist Schokolade hier eine merkwürdig fade Chose. Angeblich war das nicht immer so. Wie oft habe ich von Leuten aus der Generation meiner Eltern gehört, daß in ihrer Jugend amerikanische Schokoladentafeln wahre Hämmer waren – viel fetter, cremiger und üppiger mit Nüssen, Nougat und sonstigen Gaumenfreuden beladen als heute. Mein Vater schwelgte in wonnevollen Erinnerungen an Schokoladentafeln aus den Zwanzigern, die so gehaltvoll und lecker waren, daß man fast den ganzen Tag brauchte, um sie zu essen, und ein paar Wochen, um sie zu verdauen. Dieselben Marken sind heute geschmacksneutrale kleine Nichtigkeiten.

Allgemein wird das damit erklärt, daß die Produkte über die

Jahre hinweg nach ständig neuen Rezepten hergestellt worden sind – vielleicht sollte ich »*ent*stellt« sagen –, um die Kosten zu senken und ihren Anreiz für Leute mit abgestumpfteren Geschmacksnerven zu erhöhen. Und es stimmt. Schrecklich viele Nahrungsmittel hier – Weißbrot, die meisten einheimischen Käsesorten, fast alle Fertiggerichte, der Großteil des Biers, auch viele Sorten Kaffee – sind nicht mehr im entferntesten so kräftig, wohlschmeckend und vielfältig wie ihre Pendants in Europa, ganz gleich, wo. Merkwürdig für ein Land, in dem man gern ißt.

Ich mache zweierlei dafür verantwortlich. Zunächst die Kosten. Alles hier richtet sich nach den Kosten, viel mehr als in anderen Ländern. Wenn der Preis bei zwei konkurrierenden Firmen ein Faktor ist (und das ist er immer), verdrängt das Billigere unweigerlich das Teurere, was selten zu besserer Qualität führt. (Das heißt, es führt nie zu besserer Qualität.)

In unserer Nachbarschaft war einmal ein gutes mexikanisches Fast-food-Restaurant. Dann eröffnete vor einem Jahr auf der anderen Straßenseite eine Filiale von Taco Bell, einer landesweiten Kette. Ich glaube nicht, daß ein Mensch auf Erden behaupten würde, im Taco Bell gäbe es wirklich gutes mexikanisches Essen. Aber es ist billig – wenigstens fünfundzwanzig Prozent billiger als das gegenüberliegende Etablissement, mit dem es konkurrierte. Binnen Jahresfrist war dieses dann auch kaputt. Wenn man nun also in unseren Breiten Appetit auf mexikanisches Fast-food hat, muß man sich mit den preiswerten, aber sorgfältig uninspirierten Gerichten von Taco Bell begnügen.

Weil Taco Bell einen so aggressiven Preiskampf führt, dominiert es fast überall. Wann immer man heutzutage an amerikanischen Highways Appetit auf einen Taco hat, muß man mit denen von Taco Bell vorliebnehmen. Verblüffenderweise ist das den meisten Leuten nur recht. Und damit sind wir beim zweiten Faktor – der eigentümlichen, unerschütterlichen Liebe amerikanischer Konsumenten zu vorhersagbarer Einförmigkeit. In anderen Worten: Die Leute hier wollen, wo immer sie hingehen, stets das gleiche vorfinden. Und das gibt mir, wie so vieles andere, Rätsel auf.

Nehmen Sie Starbucks, eine Cafékette, der gegenüber ich eine vage und womöglich irrationale Abneigung hege, und sei es nur deshalb, weil ihre Läden jetzt überall aus dem Boden schießen. Starbucks hat vor ein paar Jahren in Seattle ganz bescheiden begonnen, doch in den letzten fünf Jahren hat sich die Anzahl seiner Filialen auf eintausendzweihundertsiebzig verzehnfacht, und man beabsichtigt, diese Zahl in den nächsten beiden Jahren zu verdoppeln. Auf der Suche nach einem Café hat man in vielen Städten oft schon nur noch die Wahl zwischen Starbucks oder nichts.

Es spricht ja gar nichts gegen Starbucks – doch eigentlich auch nichts dafür. Sie servieren einem eine anständige Tasse Kaffee. Na und? Das kann ich auch. Ich habe nur den Eindruck, daß die Hauptantriebskraft dort nicht ist, den leckersten Kaffee, sondern mehr Starbucks herzustellen. Wenn die kaffeetrinkende amerikanische Öffentlichkeit allerdings einen exzellenten Kaffee verlangte, müßte Starbucks ihn auch anbieten, um seine marktführende Stellung zu behaupten. Doch die Öffentlichkeit verlangt keinen exzellenten Kaffee, und somit steht Starbucks auch nicht unter dem Druck, außergewöhnliche Qualität zu offerieren. Es kann sie bieten, aber die kommerzielle Notwendigkeit besteht nicht, insbesondere weil es (a) in den meisten Orten das einzige Café weit und breit ist und (b) seine Gäste mittlerweile vollkommen an die Starbucksqualität gewöhnt sind.

Wir haben in Hanover zwei gemütliche Cafés, doch ich bin überzeugt, wenn Starbucks hierherkäme, gerieten die Leute völlig aus dem Häuschen. (Sie hätten erleben sollen, wie sie geradezu delirierten, als The Gap eine Filiale hier eröffnete.) Die Stadt würde Starbucks als eine Art Bestätigung ihrer Existenz durch die Außenwelt auffassen. Und die Besucher, auf die die Stadt angewiesen ist, würden es mit überwältigender Mehrheit frequentieren, weil sie es kennen und sich dort wohl fühlen.

Die Leute haben sich so an die Uniformität gewöhnt, daß sie wie hypnotisiert davon scheinen. Etwa acht Kilometer von unserem Wohnort entfernt gab es bis vor kurzem ein nettes, altmodisches familiengeführtes Restaurant. Vor ein paar Jahren eröffnete direkt gegenüber ein McDonald's. Prompt verlegte sich der Großteil der Laufkundschaft auf die andere Straßenseite. Im letzten Sommer machte der Familienbetrieb zu. Kurz danach redete ich mit einem Nachbarn darüber, wie enttäuschend ich es fand, daß die Leute ein ortsansässiges Lokal zugunsten der uniformen Genüsse eines McDonald's aufgeben, die sie überall haben können.

»Jaaa«, sagte mein Nachbar derart nachdenklich und gedehnt, daß ich schon wußte, daß er diese Sicht der Dinge nicht ganz teilte. »Aber bei McDonald's weiß man wenigstens, was man hat, finden Sie nicht?«

»Ja, genau das ist doch das Problem!« rief ich erregt. »Sehen Sie das denn nicht?«

Ich wollte ihn am Kragen packen und ihm erklären, daß wegen dieser Haltung der Konsumenten Weißbrot in den USA wie Polstermaterial schmeckt, Schokolade keinen Pep mehr und Käse hundert Namen (Colby, Monterey Jack, Cheddar, American, Provolone), aber nur einen Geschmack, eine Konsistenz und eine grellgelbe Farbe hat.

Doch ich sah schon, daß es keinen Zweck hatte. Er war wie einer der Schotenmenschen in *Die Dämonischen*. Die Kräfte der Uniformität hatten ihm die Seele gestohlen, und er würde sie nie zurückbekommen. Er war ein McPerson geworden.

Er schaute mich besorgt an – in unserer Straße regen sich die Leute normalerweise nicht auf –, und dachte bestimmt: »Puh! Der ist aber unbeherrscht!«

Vielleicht hatte er recht. Ich muß zugeben, daß ich in den letzten Monaten ein bißchen daneben war. Ich glaube, es liegt an ernsthaften Schokoladenentzugserscheinungen.

Fettliebe

In letzter Zeit habe ich viel über Essen nachgedacht. Weil ich keins kriege. Meine Frau hat nämlich (fies, wenn Sie mich fragen) gesagt, ich sähe allmählich aus, als könne ich als Ballon die Welt umsegeln.

Sie hat mich auf eine interessante, von ihr ersonnene Diät gesetzt, die im wesentlichen vorschreibt, daß ich alles, was ich will, essen darf, solange es weder Fett, Cholesterin, Natrium, noch Kalorien enthält und nicht schmeckt. Um mich vor dem gänzlichen Verhungern zu bewahren, ist sie zum Supermarkt gegangen und hat alles gekauft, was »Kleie« im Namen hat. Ich bin nicht sicher, aber ich glaube, gestern abend habe ich ein Kleiekotelett zum Abendessen verspeist. Ich bin sehr deprimiert.

Fettleibigkeit ist in den Vereinigten Staaten ein ernsthaftes Problem. (Na ja, auf jeden Fall ernsthaft für die Fettleibigen.) Die Hälfte aller erwachsenen US-Bürger ist übergewichtig, und mehr als ein Drittel wird als fettleibig eingestuft (das heißt, so dick, daß man es sich zweimal überlegt, ob man in einem Aufzug mit ihnen fährt).

Nun, da kaum noch jemand raucht, ist es bei den Gesundheitsproblemen an die erste Stelle gerückt. Jedes Jahr sterben ungefähr dreihunderttausend US-Bürger an Krankheiten, deren Ursache Übergewicht ist, und das Land gibt einhundert Milliarden Dollar für die Behandlung von Gebrechen aus, die vom zu vielen Essen kommen – Diabetes, Herzkrankheiten, hoher Blutdruck, Krebs und so weiter. (Es war mir nicht klar, aber Übergewichtigkeit kann die Möglichkeit, daß man Dickdarmkrebs kriegt – und die Krankheit wünscht man doch seinem ärgsten Feind nicht –, um bis zu fünfzig Prozent erhöhen. Seit ich das gelesen habe, stelle ich mir immer vor, wie ein Proktologe in mir herumprokelt und sagt: »Holla! Und wie viele Cheeseburger haben Sie in Ihrem Leben verspachtelt, Mr. Bryson?«) Für Dickwänste sind auch die Chancen geringer, eine Operation zu überleben und eine nette Freundin oder einen Freund zu finden.

Vor allem aber müssen sie sich gefallen lassen, daß Leute, die ihnen theoretisch lieb und teuer sind, sie »Michelinmännchen« nennen und jedesmal, wenn sie eine Küchenschranktür öffnen, fragen, was sie da schon wieder wollen, und rein zufällig eine große Tüte Erdnußflips wegnehmen.

Ich wundere mich immer nur, wie überhaupt noch jemand in diesem Land dünn sein kann. Neulich abends sind wir in einem Restaurant gewesen, in dem für »Gourmetfreuden aus der Bratpfanne« geworben wurde. Die Chili-Käse-Kartoffel-Pfanne wird in der Speisekarte folgendermaßen beschrieben (und jedes Wort ist original zitiert):

»Als Basis dieser unglaublichen Kreation servieren wir Ihnen knusprige, knackige Waffel-Pommes-frites. Darauf häufen wir üppig würzigen Chili, geschmolzenen Monterey Jack und Cheddar-Käse und geben einen Berg Tomaten, Frühlingszwiebeln und saure Sahne darauf.«

Verstehen Sie, worauf ich hinauswill? Und das war noch eines der bescheideneren Angebote. Am deprimierendsten ist, daß meine Gattin und meine Kinder das Zeugs futtern können und kein Gramm zunehmen. Als die Kellnerin kam, sagte meine Frau: »Die Kinder und ich nehmen den Maxi-Papp-Pfannenschmaus deluxe mit extra viel Käse und saurer Sahne und als Beilage Zwiebelringe mit heißer Karamellsauce und Kekstunke.«

»Und für unser Michelinmännchen hier?«

»Ach, bringen Sie ihm ein wenig trockene Kleie und ein Glas Wasser.«

Als ich am nächsten Morgen beim Frühstück, bestehend aus Haferflocken und -spreu, meiner Frau gegenüber die Ansicht kundtat, daß das bei allem Respekt die dümmste Diät sei, die ich je ausprobiert hätte, sagte sie, ich solle mir eine bessere suchen. Also begab ich mich zur Bücherei. Dort standen mindestens einhundertundfünfzig Werke über Diäten und Ernährung – *Dr. Bergers Diät zur Stärkung der Immunkräfte, Ein paar deutliche Worte zur Gewichtsüberwachung, Die Rotationsdiät* –, sie waren aber für meinen Geschmack ein wenig zu ernst und kleiebesessen. Dann sah ich eines, das genau nach meinem Gusto war. Und zwar von Dr. Dale M. Atrens. Es hieß *Machen Sie keine Diät*. Na, mit dem Titel konnte ich was anfangen.

Meine übliche Abneigung gegen eine Autorin hintanstellend, die so affig ist, ein Dr. vor ihren Namen zu setzen (das mache ich in meinen Büchern schließlich auch nicht – und zwar nicht nur, weil ich keinen habe), ging ich mit dem Buch in den Lesebereich, den die Büchereien für Leute einrichten, die ein bißchen komisch sind und nicht wissen, wo sie nachmittags hingehen sollen, aber trotzdem noch nicht soweit sind, sich einweisen zu lassen. Dort gab ich mich einer einstündigen intensiven Lektüre hin.

Die Grundannahme des Buches war, wenn ich es recht verstanden habe, daß der menschliche Körper im Lauf der Evolution einen klaren Auftrag bekommen hat: Er soll für Kälteperioden Fettgewebe zwecks Wärmeisolierung aufbauen, ein Schutzpolster, um bequemer sitzen und liegen zu können, und Energiereserven für Zeiten von Mißernten. (Bitte verzeihen Sie mir, wenn ich einige Details ein wenig flüchtig wiedergebe, aber ich wurde von dem Mann neben mir abgelenkt, der leise einen Schwatz mit einem Wesen aus der nächsten Dimension hielt.)

Diese Aufgabe nun meistert der Körper extrem gut (meiner sogar noch besser). Waldspitzmäuse können es überhaupt nicht. Sie müssen jeden wachen Moment fressen. »Das ist wohl der Grund, warum Waldspitzmäuse so wenig große Kunst und

Musik hervorgebracht haben«, scherzt Atrens. Ha, ha, ha! Es kann doch auch daran liegen, daß Waldspitzmäuse oft nur Blätter finden, während ich Ben-and-Jerry's-Edelvollmilch-Schokoladenkaramelleis schnabuliere.

Des weiteren betont Atrens, daß Fett äußerst stur ist. Selbst wenn man sich zu Tode hungert, erweist sich der Körper als höchst widerborstig und greift seine Fettreserven ungern an.

Bedenken Sie, daß jedes Pfund Fett etwa fünftausend Kalorien verkörpert – etwa die Menge, die der Durchschnittsmensch in zwei Tagen zu sich nimmt. Was bedeutet, daß Sie nach einer Woche Hungern – überhaupt nichts essen! –, nicht mehr als dreieinhalb Pfund Fett verlieren und, seien wir ehrlich, in Badekleidung immer noch keine Augenweide sind.

Wenn Sie sich trotzdem auf diese Weise sieben Tage lang gemartert haben, schlüpfen Sie natürlich sofort in die Speisekammer, wenn niemand hinschaut, und putzen dort bis auf eine Tüte Trockenerbsen alles weg. Womit Sie den gesamten Gewichtsverlust wieder wettmachen, *plus* – und das ist das Dilemma – ein wenig extra zulegen, weil Ihr Körper nun weiß, daß Sie versucht haben, ihn auszuhungern, und er Ihnen nicht trauen darf. Also legt er ein wenig Extraschwabbel an für den Fall, daß Sie mal wieder auf dumme Gedanken kommen.

Deshalb ist es so frustrierend und schwer, eine Diät durchzuhalten. Je mehr Sie versuchen, das Fett loszuwerden, desto heftiger klammert sich Ihr Körper daran fest.

Aus diesem Grunde habe ich eine alternative Diät erfunden. Sie ist genial. Sie läuft unter dem Slogan »Verarschen Sie Ihren Körper zwanzig Stunden am Tag« und schreibt vor, daß Sie Ihren Körper zwanzig von vierundzwanzig Stunden erbarmungslos aushungern und ihn in vier ausgewählten Pausen am Tag – nennen wir sie der Einfachheit halber Frühstück, Mittagessen, Abendbrot und Mitternachtsimbiß – mit einer Würstchen-, Fritten- und Bohnensalatplatte oder einem großen Becher Edelvollmilch-Schokoladenkaramelleis füttern, damit er gar nicht merkt, daß Sie ihn aushungern. Tolle Idee, was?

Ich weiß auch nicht, warum mir das nicht schon vor Jahren eingefallen ist. Ich glaube, die viele Kleie hat mir den Kopf dafür frei gemacht. Oder sonst was.

Sportlerleben

Der sechsjährige Sohn einer Freundin von uns, einer alleiner-
ziehenden Mutter, spielt seit neuestem in einem Verein Eis-
hockey, betreibt also einen Sport, der hier sehr ernst genommen
wird.

Beim ersten Mannschaftstreffen verkündete ein Vater, er habe
ein Reglement ersonnen, nach dem entschieden werden könne,
wieviel jedes Kind spielen solle. Im Prinzip sollten die besten
sieben Spieler achtzig Prozent der Zeit in jedem Spiel eingesetzt
werden und die übrigen nicht so hoffnungsvollen Talente sich
die verbleibenden Minuten teilen – natürlich nur, solange der
Sieg nicht in Zweifel stand.

»Ich glaube, das ist am fairsten«, sagte der Sportsfreund zum
ernsten Nicken der anderen Väter.

Weil unsere Freundin nicht verstanden hatte, welche Rolle
das Testosteron in diesen Angelegenheiten spielt, stand sie auf
und schlug vor, man solle doch noch fairer an die Sache heran-
gehen und alle Kinder gleich viel spielen lassen.

»Aber dann würden sie nicht gewinnen«, sagte der Vater ent-
geistert.

»Ja«, sagte unsere Freundin. »Und?«

»Aber warum soll man denn spielen, wenn man nicht gewinnt?«

Wohlgemerkt, es ging um sechsjährige Kinder. Der Platz hier
reicht nicht – der im ganzen Buch nicht –, um das zu diskutieren, was auf beinahe allen Ebenen falsch läuft im Sport in den
Vereinigten Staaten. Deshalb will ich nur ein paar exemplari-
sche Beispiele anführen, damit Sie eine Ahnung davon bekom-

men, wie man hier heutzutage an wettkampforientierte Frei-zeitbeschäftigungen herangeht.

Punkt eins: In dem Bemühen, bei den letzten Olympischen Spielen unsere Schwimmer anzuspornen und Rang eins in den Medaillenspiegeln zu ergattern (was natürlich das wichtigste im ganzen Universum ist), bekamen die Damen und Herren Sport-ler von staatlichen Stellen für jede gewonnene Medaille fünf-undsechzigtausend Dollar. Seine Nation zu vertreten und sein Bestes zu geben reicht als Anreiz offenbar nicht mehr aus.

Punkt zwei: Um die Fans zu Hause zu erfreuen und den Tabellenplatz hochzupuschen, setzen die größten Universitäts-footballteams nun regelmäßig Spiele gegen hoffnungslos unter-legene Gegner an. In einem besonders stolzen Moment des Sports trat die University of Florida, Zweite im Land, letzte Sai-son gegen die im verborgenen blühende Macht der kleinen Cen-tral Michigan University an und gewann 82 zu 6.

Punkt drei: Um beim diesjährigen Super Bowl sechzig Minu-ten Football im Fernsehen zu sehen, mußte man einhundert-dreizehn (ich habe gezählt) Werbespots, Programmvorschauen und Schleichwerbung, Verzeihung, Product Placements, über sich ergehen lassen.

Punkt vier: Wenn eine vierköpfige Familie heutzutage ein Major-League-Baseballspiel anschauen geht, kostet das durch-schnittlich über zweihundert Dollar.

Ich erwähne das alles nicht, um deutlich zu machen, daß kommerzieller Overkill und abgestumpfter Sportsgeist dem Sport in diesem Land viel von seinem Spaß genommen haben (obwohl das so ist), sondern um zu erklären, warum ich die Bas-ketballspiele im Dartmouth College so mag.

Dartmouth College ist, wie schon früher erwähnt, die hiesige Universität. Sie gehört zur Ivy League, dem Verbund von acht ehrwürdigen, hochintellektuellen Institutionen, als da sind: Har-vard, Yale, Princeton, Brown, Columbia, Penn, Cornell und eben Dartmouth. Junge Menschen studieren an Ivy-League-Unis, weil sie Weltraumforscher und Professoren werden und nicht, weil sie als Basketballprofis zwölf Millionen im Jahr kassieren wollen. Sie spielen aus Liebe zum Spiel, wegen der Kameradschaft, weil ihnen Teilnahme wichtiger ist als Sieg, also wegen all der Dinge, die in diesem Lande nun nichts mehr gelten.

Zum erstenmal bin ich im Winter vor drei Jahren zu einem Match gegangen. Da hatte ich in einem Schaufenster einen Spielplan gesehen und festgestellt, daß die Saisoneröffnungspartie selbigen Abends stattfand. Ich war seit zwanzig Jahren nicht beim Basketball gewesen.

»He, heute abend spielt Dartmouth College«, verkündete ich aufgeregt, als ich nach Hause kam. »Wer kommt mit?«

Fünf Gesichter schauten mich mit einem Ausdruck an, den ich zuletzt gesehen hatte, als ich Campingurlaub in Slowenien vorschlug. »Okay, dann gehe ich allein«, sagte ich patzig. Aber schließlich erbarmte sich meine jüngere, damals elfjährige Tochter meiner und begleitete mich.

Also, es war wunderschön und wahnsinnig spannend. Dartmouth gewann mit knapper Not, und meine Tochter und ich schnatterten auf dem Weg nach Hause immer noch ganz aufgewühlt miteinander. Ein paar Abende danach gewann Dartmouth wieder haarscharf mit einem Korb Vorsprung in buchstäblich letzter Sekunde, und wir liefen wieder schnatternd nach Hause.

Da wollten die anderen auf einmal auch mitkommen. Und wissen Sie, was? Wir haben sie nicht mitgenommen! Das war unsere kleine Rache.

Seitdem, seit drei Spielzeiten, ist der Besuch der Dartmouth-Spiele für uns zur Tradition geworden. Es ist eine rundum herrliche Sache. Die Halle, in der die Mannschaft spielt, ist nur einen Katzensprung von unserem Haus entfernt. Die Eintrittskarten sind billig, und es kommen immer nur wenige, aber freundliche und loyale Zuschauer. Eine liebenswert doofe Band spielt kecke Weisen, um uns anzuheizen, und nach dem Spiel treten meine Tochter und ich in die nächtliche Winterluft und gehen munter plaudernd nach Hause. Wegen dieser Spaziergänge weiß ich, wer welches Spice Girl ist, daß *Scream 2* voll geil und Matthew Perry so süß ist, daß man sich wegpacken könnte. Wenn keinerlei Möglichkeit besteht, daß uns eine Menschenseele sieht, faßt meine Tochter mich sogar manchmal an der Hand. Himmlisch.

Aber die Hauptsache ist das Spiel. Zwei Stunden lang schreien wir, winden uns und raufen uns die Haare und sind nur von der einen Hoffnung beseelt, daß »unsere« einen Ball öfter durch einen Ring bugsieren als »die anderen«. Wenn Dartmouth gewinnt, schweben wir in höchsten Höhen. Wenn nicht – auch egal. Es ist nur ein Spiel. So sollte Sport sein.

Im letzten Jahr war auch ein zwei Meter dreizehn großer Riese namens Chris im Team, der alles hatte, was zu echter Größe gehört, nur nicht die Fähigkeit, Basketball zu spielen. Folglich verbrachte er fast seine ganze Karriere am untersten Ende der Bank. Ganz selten einmal setzte man ihn in den letzten fünfzehn oder zwanzig Sekunden einer Partie ein. Und jedesmal warf ihm dann einer den Ball zu, und jemand Kleineres kam und nahm ihn ihm wieder weg. Dann schüttelte Chris bedauernd den Kopf und gallopierte wie eine Giraffe zum anderen Ende des Feldes. Er war unser Lieblingsspieler.

Traditionell ist das letzte Match der Saison »Elternabend«. Dann kommen die Eltern aus allen Himmelsrichtungen herbeigeflogen und sehen zu, wie ihre Söhne spielen. Traditionell werden auch beim letzten Heimspiel die Studenten, die ihren Abschluß machen, am Anfang eingesetzt.

Diese Begegnungen haben keinerlei Bedeutung, aber die Neuigkeit hatte unseren schlaksigen Helden offenbar noch nicht erreicht. Hypernervös und mit angespannter Miene betrat er die Arena. Das war nun seine erste und letzte Chance zu glänzen, und die würde er nicht vermasseln.

Der Schiedsrichter pfiff. Unser Chris rannte vier-, fünfmal das Feld hinauf- und hinunter, wurde dann zu unserer und seiner Bestürzung herausgenommen und ging zur Bank. Er hatte höchstens eine Minute gespielt. Er hatte nichts falsch gemacht – dazu hatte er gar keine Gelegenheit gehabt. Er nahm seinen üblichen Platz ein, warf seinen Eltern einen entschuldigenden Blick zu und sah dem restlichen Spiel mit tränenfeuchten Augen zu. Jemand hatte vergessen, dem Trainer zu sagen, daß Gewinnen nicht alles ist.

Diese Woche hat Dartmouth das letzte Heimspiel der Saison. Und es gibt, glaube ich, zwei Spieler, die ein, zwei Alibiminuten lang über das Spielfeld trotten dürfen und dann von fähigeren Leuten ersetzt werden.

Meine Tochter und ich haben beschlossen, nicht hinzugehen. Vollkommenheit zu finden ist schwer genug, da möchte man nicht sehen, wie sie verdorben wird.

Gestern nacht auf der Titanic

»Am Abend des Untergangs boten unsere Dinnertafeln einen präch-
tigen Anblick! Die prallen Trauben zuoberst auf den Obstkörben auf
jedem Tisch waren ein Gedicht, die wunderbaren mannigfaltigen
Speisen eine einzige Versuchung. Ich blieb von der Suppe bis zu den
Nüssen.« (Titanic-Passagierin Kate Buss zitiert in *Das letzte Din-*
ner auf der Titanic: Mit fünfzig Rezepten und Menüs von dem
großen Luxusliner.)

»Sapperlot, Buss, was ist denn das für ein Tumult?«

»O hallo, Smythe. Sie sind doch sonst um diese Zeit nicht mehr auf. Zigarre?«

»Ja, bitte, da kann ich auch noch eine rauchen. Also was ist das für ein Tohuwabohu? Eben habe ich den Kapitän vorbeilaufen sehen und hatte den Eindruck, als sei er schrecklich in Schwulitäten.«

»Hat den Anschein, wir sinken, alter Knabe.«

»Papperlapapp!«

»Erinnern Sie sich an den Eisberg, den wir beim Dinner gesehen haben?«

»Der so groß war wie ein zwanzigstöckiges Hochhaus?«

»Genau der. Na, offenbar haben wir das verdammte Ding gerammt.«

»Kolossales Pech.«

»Kann man wohl sagen.«

»Aber das erklärt wahrscheinlich, warum meine Kabinentür unter dem Bett lag, als ich aufgewacht bin. Das fand ich ein wenig eigenartig. Donnerwetter, ist das eine Monte Christo?«

»Nein, H. Upman. Ich hab einen Mann in der Gerrard Street, der sie immer für mich besorgt.«

»Famose Sache.«

»Ja… Eigentlich schade.«

»Was?«

»Na, ich habe gerade ein Dutzend Kisten zu zwei Guineen das Stück bestellt. Trotzdem, der junge Bertie wird sich freuen, wenn er sie erbt.«

»Dann glauben Sie also nicht, daß wir es schaffen?«

»Sieht schlecht aus. Mrs. Buss hat mit Croaker, dem Achterdecksteward, gesprochen. Als er ihr den Schlaftrunk gebracht hat, meinte er, wir hätten weniger als zwei Stunden. Ach, übrigens, wie geht's Mrs. Smythe? Besser mit ihrem Magen?«

»Nicht daß ich wüßte. Sie ist ertrunken.«

»Schöne Bescherung!«

»Durchs Bullauge an der Steuerbordseite verschwunden, als wir Schlagseite kriegten. Eigentlich bin ich erst von ihrem Schreien aufgewacht. Eine Schande, daß sie die ganze Aufregung verpaßt. Sie hatte immer ein Faible für einen guten Schiffsuntergang.«

»Mrs. Buss auch.«

»Sie ist aber doch nicht ebenfalls über Bord gegangen?«

»O nein. Sie ist beim Zahlmeister. Wollte Fortnum's anrufen und die Bestellungen für das Gartenfest stornieren. Hat wohl jetzt nicht mehr viel Zweck.«

»Allerdings. Trotzdem war es alles in allem keine schlechte Fahrt, finden Sie nicht?«

»Ganz Ihrer Meinung. Das Essen war eins a. Die junge Kate war besonders angetan von den Tischgestecken. Sie fand, daß die Dinnertafel einen prächtigen Anblick bot und die Trauben ein Gedicht waren. Sie ist von der Suppe bis zu den Nüssen geblieben. Sie haben sie nicht zufällig gesehen?«

»Nein, warum fragen Sie?«

»Na ja, es war ein wenig merkwürdig, als sie auf einmal weggelaufen ist. Meinte, sie müßte noch was mit dem jungen Lord

D'Arcy erledigen, bevor wir untergingen. Hatte irgendwas mit Flaggen zu tun, glaube ich.«

»Flaggen? Eigenartig.«

»Nun, sie erwähnte kurz, sie brauche eine Totenkopfflagge, wenn ich sie richtig verstanden habe. Ich muß zugeben, ich verstehe nicht die Hälfte dessen, was sie manchmal daherredet. Außerdem war ich abgelenkt. Mrs. Buss hatte gerade ihren Schlaftrunk über ihr Negligé geschüttet – wohl wegen der Kollision – und war sehr aufgebracht, weil Croaker ihr keinen neuen bringen wollte. Er hat ihr gesagt, sie solle ihn sich selbst holen.«

»Was für eine außerordentliche Impertinenz.«

»Na, er war sicher auch ein bißchen daneben, weil er kein Trinkgeld mehr bekam. Ich nehm's ihm eigentlich nicht übel.«

»Trotzdem.«

»Ich habe es natürlich gemeldet. Man darf selbst in einer solchen Krisensituation nicht vergessen, was man seinem Rang schuldig ist. Sonst wäre ja das Chaos perfekt, meinen Sie nicht? Der Bootsmeister hat mir versichert, daß Croaker auf diesem Schiff nicht mehr angeheuert wird.«

»Das will ich auch hoffen.«

»Ist vielleicht nur ein Detail, aber wenigstens ist es schriftlich vermerkt worden.«

»Was für eine seltsame Nacht, wenn man es recht bedenkt. Ich meine, die Frau ertrinkt, das Schiff sinkt, und beim Dinner gab es keinen Montrachet '07. Ich mußte mit einem mittelmäßigen '05 vorliebnehmen.«

»Das finden Sie enttäuschend? Schauen Sie sich die hier an!«

»Entschuldigung, alter Knabe, aber in dem Licht kann ich nichts sehen. Was ist es?«

»Die Rückfahrkarten.«

»Ja, das nenne ich Pech.«

»Backbordaußenkabine auf dem Promenadendeck.«

»Wahrhaftig Pech. Aber bitte, was ist das für ein Lärm?«

»Das sind gewiß die Zwischendeckpassagiere, die ertrinken.«

»Nein, es klang wie eine Kapelle.«

»Ich glaube, Sie haben recht. Ja, selbstredend haben Sie recht. Ein bißchen düster die Musik, finden Sie nicht? Dazu hätte ich keine Lust, das Tanzbein zu schwingen.«

»Näher, mein Gott zu dir‹, stimmt's? Sie könnten an unserem letzten Abend auf See ja auch was Heitereres spielen.«

»Ich schlendere aber trotzdem mal hin und schaue, ob sie schon den Nachtimbiß serviert haben. Kommen Sie mit?«

»Nein, ich glaube, ich hau mich mit einem Coganc in die Falle. So wie's aussieht, wird es eine kurze Nacht. Was meinen Sie, wie lange haben wir noch?«

»Ungefähr vierzig Minuten, würde ich sagen.«

»Oje. Dann lasse ich den Cognac vielleicht doch lieber. Ich nehme an, ich sehe Sie nicht wieder.«

»In diesem Leben nicht, alter Knabe.«

»Sehr gut gesagt. Wahrhaftig, muß ich mir merken. Na, dann gute Nacht.«

»Gute Nacht.«

»Ach, übrigens, da fällt mir gerade ein. Der Kapitän hat nicht erwähnt, wir sollten in die Rettungsboote steigen, oder?«

»Nicht daß ich wüßte. Soll ich Sie wecken, wenn er eine Durchsage macht?«

»Das wäre sehr gütig von Ihnen. Aber nur, wenn es Ihnen nicht zuviel Mühe macht.«

»Nein, nein, keineswegs.«

»Na, dann angenehme Nachtruhe. Grüßen Sie Mrs. Buss und die junge Kate.«

»Mit dem größten Vergnügen. Das mit Mrs. Smythe tut mir leid.«

»Ach, das kann doch einen Seemann nicht erschüttern, wie es so schön heißt. Sie wird schon irgendwo wiederauftauchen. Sie war ja munter wie ein Fisch im Wasser. Dann gut Naß!«

»Gleichfalls, alter Knabe. Schlafen Sie wohl.«

Spaß im Schnee

Aus mir noch heute unerklärlichen Gründen haben mir meine Eltern, als ich ungefähr acht Jahre alt war, zu Weihnachten ein Paar Skier geschenkt. Ich bin hinausgegangen, habe sie angeschnallt und mich in Rennläuferposition hingehockt, aber nichts passierte. Und warum? Es gibt keine Berge in Iowa.

Auf der Suche nach einer Strecke mit Gefälle beschloß ich, die Treppe unserer hinteren Veranda hinunterzufahren. Sie hatte nur fünf Stufen, doch für Skier war der Neigungswinkel überraschend steil. Ich sauste die Stufen mit sicher einhundertundachtzig Stundenkilometern hinunter und traf mit solcher Wucht auf dem Boden auf, daß die Bretter sich fest verhakten, während ich elegant in hohem Bogen weiter und über unseren Garten hinwegsegelte. Etwa drei Meter siebzig entfernt stand drohend unsere Garage. Instinktiv breitete ich Arme und Beine aus, um in dieser Haltung den größtmöglichen Aufprall zu erzielen, krachte kurz unter dem Dach auf und rutschte wie Essen, das man an die Wand schmeißt, senkrecht an der Garagenmauer hinunter.

Und kam prompt zu der Erkenntnis, daß Wintersport nichts für mich war. Ich stellte die Skier weg und vergaß die Angelegenheit für die nächsten fünfunddreißig Jahre. Aber nun wohnen wir in Neuengland, wo die Leute sich auf den Winter freuen. Bei den ersten Schneeflocken schreien sie vor Entzükken und wühlen aus ihren Schränken Schlitten und Skistöcke hervor. Sprühend vor Vitalität haben sie plötzlich nichts Eiligeres zu tun, als hinaus in all das weiße Zeugs zu kommen und leichtsinnig rasende Schußfahrten auf schnellen Untersätzen zu veranstalten.

Angesichts all der fieberhaft erregten Menschen um mich herum, einschließlich meiner sämtlichen Familienangehörigen, fühlte ich mich dann doch ausgeschlossen und wollte mir auch einen Wintersport suchen. Ich borgte mir Schlittschuhe und ging mit meinen beiden Jüngsten zum Occum Pond, einem beliebten See zum Eiskunstlaufen in der Nähe.

»Kannst du denn überhaupt Schlittschuh laufen?« fragte meine Tochter ein wenig besorgt.

»Aber selbstverständlich, mein Herzblatt«, beruhigte ich sie. »Man hat mich ja schon manchesmal mit der bekannten Eisprinzessin Jane Torvill verwechselt. Und zwar nicht nur *auf* dem Eis.«

Ehrlich, ich konnte ja auch Schlittschuh laufen. Nur meine Beine gerieten nach so vielen Jahren ohne Übung ein wenig zu sehr in Erregung, als sie mit derartig rutschigen Gefilden konfrontiert wurden. Kaum hatte ich die Eisfläche betreten, beschlossen sie, aus allen möglichen Richtungen jede Ecke des Occum Pond sofort anzusteuern. Sie bewegten sich im Scherenschlag und Spreizschritt hierhin und dorthin, manchmal bis zu drei Meter fünfzig auseinander, gewannen aber stetig an Tempo, bis sie schließlich unter mir wegflogen und ich mit solcher Wucht auf dem Allerwertesten landete, daß mir das Steißbein gegen den Gaumen schlug und ich mir die Speiseröhre mit den Fingern wieder zurückschieben mußte.

»Manno!« sagte mein überraschter Hintern, als ich mühsam wieder auf die Füße kroch. »Das Eis ist ganz schön hart!«

»He, das muß ich auch sehen!« schrie mein Kopf, und pardauz! lag ich wieder auf der Nase.

Und so ging es die nächsten dreißig Minuten weiter. Die diversen Extremitäten meines Körpers – Schultern, Kinn, Nase, und auch ein, zwei der wagemutigeren inneren Organe – schleuderten sich voller Forscherdrang aufs Eis. Aus der Ferne betrachtet, habe ich wahrscheinlich ausgesehen, als würde ich von einem unsichtbaren Sumo-Ringer in die Mangel genommen. Als jede verfügbare Fläche meines Körpers mit blauen

Flecken übersät war, krabbelte ich an Land und bat darum, mir eine Decke überzulegen. Und damit war Schluß mit meinen Eiskunstlaufversuchen.

Als nächstes probierte ich es mit Schlittenfahren. Aber dazu enthalte ich mich jeglichen Kommentars außer dem, daß alles in allem genommen der Mann sehr verständnisvoll war, was seinen Hund betraf, und die Dame auf der anderen Straßenseite uns allen eine Menge Ärger erspart hätte, wenn sie einfach nur ihre Garagentür offengelassen hätte.

So ungefähr war der Stand der Dinge, als mein Freund, Prof. Danny Blanchflower, auf den Plan trat. Danny – in Wirklichkeit heißt er David, aber er ist Engländer, weshalb ihn in seiner Jugend alle Danny nach dem berühmten Fußballer von Trottenham Hotspur nannten, und der Name blieb an ihm hängen – ist Ökonomieprof an der Universität Dartmouth und ein sehr aufgewecktes Bürschchen. Er schreibt Bücher mit Sätzen wie »Wenn gleichzeitig eingetragen in die vollständigen Angaben von Spalte 5, 7, beträgt der Profit-pro-Angestellte-Koeffizient 0,00022 mit einer statistischen Wahrscheinlichkeit von 2,3« und meint das bierernst. Was weiß ich, vielleicht bedeutet es sogar was. Ich habe ja gesagt, er ist ein wirklich heller Kopf. Bis auf eins: Er ist ganz versessen aufs Schneemobilfahren.

Ein Schneemobil, sollte ich vielleicht erklären, ist ein von Satan ersonnenes Raumschiff, das auf Schnee fahren soll. Es kommt auf Geschwindigkeiten von bis zu hundertzehn Kilometern die Stunde, was mich – und nennen Sie mich einen Angsthasen, es ist mir egal – auf engen, gewundenen Pfaden durch felsübersäte Wälder ein wenig flott dünkt.

Wochenlang hatte Danny mich schon belabert, ihn auf einem seiner Wahnsinnsschneetrips zu begleiten, und immer hatte ich ihm beizubringen versucht, daß ich mit gewissen Aktivitäten im Freien, vor allem in der kalten Jahreszeit, Probleme hätte und eigentlich nicht der Meinung sei, daß sie mit gefährlich starken Maschinen zu lösen seien.

»Quatsch!« rief er. Aber der langen Rede kurzer Sinn – ehe ich mich's versah, hatte ich einen schicken, schweren Helm auf dem Haupt, der mich all meiner Gefühle außer purem Entsetzen beraubte, und saß an einem Waldesrand in New Hampshire rittlings bibbernd auf einem schnittigen Ungetüm namens Schneemobil.

Der Motor dröhnte voller Vorfreude auf die vielen Bäume, gegen die ich bald geschleudert werden würde. Danny unterwies mich rasch, wie das Gefährt funktionierte – wobei ich auch nicht mehr verstand, als wenn er mir einen Absatz aus einem seiner Werke vorgelesen hätte –, und sprang auf seine Maschine.

»Fertig?« schrie er durch das Brüllen des Motors.

»Nein!«

»Toll!« rief er und flitzte, Flammen aus dem Auspuff sprühend, los. Binnen zwei Sekunden war er ein krachender Tupfer in der Ferne.

Seufzend gab ich vorsichtig Gas, die Maschine stieg vorn hoch, und schon sauste ich mit erschrecktem Aufschrei und einer Geschwindigkeit los, die man außer in Road-Runner-Cartoons selten gesehen hat. Hysterisch kreischend und mich bei jedem munteren Hopser Ballasts aus meiner Blase entledigend, raste ich wie auf einer Exocet-Rakete durch die Wälder. Äste schlugen gegen meinen Helm. Elche erhoben sich und stoben von dannen. Die Landschaft flog vorbei wie in einem hallozinogenen Delirium.

Endlich hielt Danny an einer Kreuzung. Er strahlte übers ganze Gesicht, der Motor schnurrte. »Na, wie findest du es?«

Ich bewegte die Lippen, brachte aber keinen Laut hervor. Danny nahm es als Zustimmung.

»Gut. Und jetzt, wo du den Dreh raus hast, sollten wir da mal einen Zahn zulegen?«

Ich versuchte die Sätze »Bitte Danny, ich will nach Hause. Ich will zu meiner Mama« zu bilden, aber wieder kam kein Ton heraus.

Und Danny fuhr los. Stundenlang rasten wir in wahnwitzigem Tempo durch die endlosen Wälder, hoppelten durch Bäche, umkurvten Felsbrocken, schossen über herumliegende Baumstämme hoch in die Luft. Als dieser Alptraum endlich vorbei war und ich von meiner Maschine stieg, waren meine Beine nur noch Gummi.

Um unsere wundersame Unversehrtheit zu feiern, begaben wir uns auf ein Bier in Murphy's Taverne. Als die Kellnerin uns die Gläser hinstellte, hatte ich eine blitzartige Eingebung. Nun wußte ich, welchen Schneesport ich betreiben konnte. Wintertrinken!

Ich habe meine Berufung gefunden. Ich bin noch nicht so gut, wie ich einmal zu sein hoffe – meine Beine versagen meist nach etwa drei Stunden –, aber ich mache viel Ausdauertraining und freue mich schon auf eine erfolgreiche Saison 1998/99.

Der Alptraum des Fliegens

Mein Vater war Sportreporter und mußte wegen seiner Arbeit schon zu den Zeiten, als es noch nicht allgemein üblich war, oft fliegen. Manchmal nahm er mich mit. Auf ein Wochenende mit meinem Dad zu verreisen war schon aufregend genug, aber das Entzücken, in ein Flugzeug zu steigen und irgendwohin zu fliegen war das Alleraufregendste daran.

Das gesamte Procedere war besonders. Wie priviligiert man sich fühlte! Wenn man eincheckte, gehörte man zu einer kleinen Gruppe gutgekleideter Menschen (denn damals warf man sich zum Fliegen noch in Schale), die, wenn der Flug aufgerufen wurde, über ein breites Rollfeld zu einem glitzernden silbernen Flugzeug und dann eine Treppe mit Rädern hinaufschlenderte. Beim Betreten der Maschine fühlte man sich, als werde man in einem exklusiven Club aufgenommen. Schon durch das bloße An-Bord-Gehen wurde man selbst ein wenig vornehmer und kultivierter. Die Sitze waren bequem, und für einen kleinen Jungen wie mich sehr geräumig. Eine lächelnde Stewardeß kam und schenkte mir ein kleines Abzeichen mit Flügeln, auf dem »Copilot« oder etwas ähnlich Verantwortungsvolles stand.

All diese Romantik ist längst passé. Verkehrsflugzeuge sind heute in den USA kaum mehr als Busse, die fliegen, und die Fluggesellschaften betrachten ohne erkennbare Ausnahme ihre Passagiere als lästiges Sperrgut. In weit zurückliegender Vergangenheit haben sie einmal versprochen, es von einem Ort zum anderen zu transportieren, und bedauern es jetzt zutiefst.

Wie so oft fehlt mir in dieser Kolumne der Platz, um mich in angemessener Breite darüber auszulassen, weshalb einem heut-

zutage das Fliegen zunehmend verleidet wird – die routinemäßig überbuchten Flüge, das endlose Schlangestehen, die Ver-
spätungen, die Entdeckung, daß der »Direkt«flug nach Miami in
Pittsburgh endet, wo man neunzig Minuten Aufenthalt hat und
in ein anderes Flugzeug umsteigen muß, die schiere Unmög-
lichkeit, ein freundliches Gesicht beim Bodenpersonal zu finden, die Tatsache, daß man wie ein Idiot und eine Nummer behandelt wird.

Paradoxerweise aber tun die Fluggesellschaften so, als sei immer noch 1955. Nehmen Sie die Sicherheitsvorführungen.
Warum nach all den Jahren ziehen sich die Flugbegleiter heute
noch eine Schwimmweste über den Kopf und demonstrieren,
wie man an der kurzen Schnur zieht, damit sich die Weste mit
Luft füllt? In der gesamten Geschichte der Zivilluftfahrt ist
durch Bereitstellung einer Schwimmweste noch kein Leben gerettet worden. Die kleine Plastikpfeife bei jeder Weste ist besonders faszinierend. Ich stelle mir immer vor, wie ich senkrecht auf
den Ozean zutrudele und denke: »Na, Gott sei Dank habe ich
die Trillerpfeife.«

Es hat auch keinen Zweck, zu fragen, was die Fluggesellschaften sich dabei denken, denn sie denken nicht. Kürzlich
stieg ich in einen Flieger von Boston nach Denver. Als ich das
Handgepäckfach über meinem Kopf öffnete, fand ich ein aufgeblasenes Dingi, das den ganzen Platz wegnahm.

»Hier ist ein Boot drin«, flüsterte ich erstaunt einem vorbeikommenden Steward zu.

»Ja, Sir«, sagte der Mann schnippisch. »Diese Maschine erfüllt
die Vorschriften der amerikanischen Luftfahrtbehörde für Flüge
über Wasser.«

Ich starrte ihn nicht wenig verwundert an. »Und welchen
Ozean überqueren wir zwischen Boston und Denver?«

»Das Flugzeug erfüllt die Anforderungen für Überwasserflüge, ob Überwasserflüge planmäßig erwartet werden oder
nicht«, lautete seine knappe Antwort oder irgendwie ähnlich
idiotisch und verquast.

»Meinen Sie wirklich, daß einhundertundfünfzig Passagiere in ein Zweimanndingi passen, wenn wir auf dem Wasser notlanden?«

»Nein, Sir, dort befindet sich noch ein Wasserfahrzeug.« Er zeigte auf das Handgepäckfach gegenüber.

»Also zwei Boote für einhundertundfünfzig Leute? Kommt Ihnen das nicht einen Tick absurd vor?«

»Sir, ich mache die Vorschriften nicht, und Sie versperren den Gang.«

Er redete so mit mir, weil Fluggesellschaftsangestellte letztendlich immer so mit einem reden, wenn man ihnen ein wenig zusetzt, und bisweilen sogar, wenn man es nicht tut. Ich bin felsenfest überzeugt, daß es in den Vereinigten Staaten keine Branche gibt, in der die Erkenntnis, daß man Kunden auch zuvorkommend bedienen kann, weniger beachtet wird. Allzuoft wird man bei der harmlosesten Bewegung angefaucht und abgekanzelt. Sei es, daß man auf den Tresen zutritt, bevor das Bodenpersonal bereit ist, oder eben feststellt, daß man seinen Mantel nirgendwo verstauen kann, weil sich in dem Handgepäckfach über einem ein aufgeblasenes Gummiboot befindet.

Andererseits verdienen die meisten Fluggäste diese rüde Behandlung auch (außer mir und ein paar anderen sanftmütigen Seelen, die unverdrossen die Werte zivilisierten Benehmens hochhalten). Weil sie nämlich Riesenreisetaschen oder Bordkoffer mit Rädern, die doppelt so groß sind wie offiziell erlaubt, als Handgepäck mit an Bord nehmen, so daß die Fächer schon überquellen, noch ehe alle Passagiere eingestiegen sind. Um auch ja ein ganzes Fach für sich zu ergattern, stürmen sie das Flugzeug, bevor sie dran sind. Beim Einsteigen findet man mindestens zwanzig Prozent der Sitze von Leuten belegt, deren Reihennummern noch gar nicht aufgerufen worden sind. Ich beobachte diese Entwicklung schon seit etlichen Jahren mit zunehmendem Verdruß und kann Ihnen sagen, daß es, grob geschätzt, doppelt so lange dauert, als es müßte, bis ein amerikanisches Flugzeug besetzt und in der Luft ist.

Daraus resultiert der Krieg zwischen dem Personal und den Passagieren, der nur allzuoft auf himmelschreiend ungerechte Weise auf dem Rücken Unschuldiger ausgetragen wird.

Ich erinnere mich insbesondere an einen Vorfall vor einigen Jahren, als ich mit meiner Frau und den Kindern ein Flugzeug von Minneapolis nach London bestieg und entdeckte, daß wir sechs Plätze an sechs verschiedenen Stellen hatten, bis zu zwanzig Reihen auseinander. Verwirrt machte meine Frau eine vorbeigehende Stewardeß darauf aufmerksam.

»Und was erwarten Sie nun von mir?« erwiderte die Dame in einem Ton, der darauf schließen ließ, daß sie dringend einen Auffrischungskurs in Sachen Kundenbetreuung brauchte.

»Na, wir hätten gern ein paar Plätze zusammen, bitte.«

Die Dame stieß ein hohles Lachen aus. »Jetzt kann ich nichts tun. Die Leute steigen ein. Haben Sie denn Ihre Bordkarten nicht überprüft?«

»Nur die oberste. Die Angestellte beim Check-in« – die, das muß ich hier einwerfen, ebenfalls ein Kotzbrocken war – »hat uns nicht gesagt, daß sie uns übers ganze Flugzeug verteilt.«

»Daran kann ich nun auch nichts mehr ändern.«

»Aber wir haben kleine Kinder.«

»Tut mir leid.«

»Wollen Sie allen Ernstes behaupten, daß Sie einen Zweijährigen und eine Vierjährige auf einem Achtstundenflug über den Atlantik allein sitzen lassen wollen?« fragte meine Frau. (Für diese Idee hätte ich mich nun wieder erwärmen können, aber ich wollte nicht unsolidarisch sein und machte ein ernstes Gesicht.)

Die Stewardeß stöhnte vernehmlich und fragte mit unverhohlenem Ärger ein freundliches, schüchternes weißhaariges Paar, ob es die Plätze tauschen würde, damit meine Frau und die beiden Jüngsten zusammensitzen konnten. Wir übrigen blieben getrennt.

»Schauen Sie das nächstemal auf Ihre Bordkarten, wenn Sie eingecheckt haben!« blaffte die Flugbegleiterin meine Frau an, bevor sie entschwand.

»Nein, beim nächstenmal fliegen wir mit einer anderen Fluggesellschaft«, erwiderte meine Frau, und daran haben wir uns seitdem gehalten.

»Und eines Tages kriege ich eine Kolumne in einer Zeitung und erzähle, was wir uns hier bieten lassen müssen!« rief ich noch hocherhobenen Hauptes hinterher. Natürlich nicht, denn es wäre ja ein schrecklicher Mißbrauch meiner Position, wenn ich Ihnen sagte, daß es die Northwest Airlines war, die uns so schäbig behandelt hat.

Verloren im Cyberland

Als wir in die Vereinigten Staaten zogen, brauchte ich wegen der anderen Stromspannung lauter neues Zeug für mein Büro – Computer, Faxgerät, Anrufbeantworter und so weiter. Doch da ich schon normalerweise nicht gut einkaufen oder mich von großen Geldsummen trennen kann, erfüllte mich die Aussicht, durch eine Reihe Läden zu ziehen und Verkäufern zuzuhören, die mir ihre wunderbaren Bürogeräte aufschwatzen wollen, mit düsteren Vorahnungen.

Stellen Sie sich also mein Entzücken vor, als ich den ersten Computerladen betrat und ein Gerät fand, in dem schon alles drin war – Fax, Anrufbeantworter, elektronisches Adreßbuch, Internetanschluß, was das Herz begehrt. Als »Büro-zu-Hause-Komplettlösung« versprach der Computer, alles zu tun außer Kaffeekochen.

Also nahm ich ihn mit, baute ihn auf, streckte einmal spielerisch die Finger aus und schrieb ein munteres Fax an einen Freund in London. Dann tippte ich nach den Anweisungen seine Faxnummer in das entsprechende Fenster und drückte auf »Abschicken«. Unmittelbar darauf kamen aus den eingebauten Lautsprechern des Geräts Töne, wie wenn man ins Ausland wählt, es klingelte, und eine mir unbekannte Stimme sagte: »Alló? Alló?«

»Hallo?« erwiderte ich und begriff, daß ich mit dieser Frau, wo immer sie war, unter keinen Umständen parlieren konnte.

Doch mein Computer begann schrille Faxgeräusche auszustoßen. »Alló? Alló?« rief die Stimme wieder, nun einen Hauch verwundert und besorgt. Dann wurde aufgelegt. Unverzüglich wählte mein Computer die Nummer erneut.

Und so ging es fast den ganzen Morgen weiter. Mein Computer belästigte eine unbekannte Person an einem unbekannten Ort, während ich wütend das Handbuch durchforstete, um zu erfahren, wie ich die Operation beenden konnte. Als ich schließlich verzweifelt den Stecker herauszog, schaltete sich das Gerät mit einem Hagel von Meldungen wie »Schwere Schutzverletzung!« und »Fehler beim Zugreifen auf die Festplatte!« ab.

Drei Wochen später – und das ist wahr – bekamen wir eine Telefonrechnung mit achtundsechzig Dollar Gebühren für Anrufe nach Algier. Nachfolgende Erkundungen ergaben, daß den Leuten, die die Software für das Faxprogramm geschrieben hatten, entgangen war, daß man Nachrichten auch auf andere Kontinente schicken kann. Das Programm konnte nur amerikanische Telefon- beziehungsweise Faxnummern lesen. Wenn es mit anderen konfrontiert wurde, schaltete es auf Nervenzusammenbruch.

Dann entdeckte ich, daß auch das elektronische Adreßbuch eine ähnlich schrullige Abneigung gegen nichtamerikanische Adressen hegte, mithin nutzlos war, und der Anrufbeantworter die schöne Gewohnheit besaß, sich dauernd in Gespräche – na, einzuschalten.

Lange Zeit rätselte ich herum, wie etwas so Teures, technologisch so Fortgeschrittenes, derart nutzlos sein konnte, und dann kam ich darauf, daß ein Computer eine dumme Maschine mit der Fähigkeit ist, unglaublich schlaue Dinge zu vollführen, während die Computerprogrammierer schlaue Leute mit der Fähigkeit sind, unglaublich dumme Dinge anzustellen. In anderen Worten: ein gefährlich ideales Gespann.

Sie haben sicher von dem Jahrzweitausendproblem gehört und wissen, daß am ersten Januar 2000 Schlag Mitternacht aus unerfindlichen Gründen alle Computer auf dem Erdenrund einen Gedankenprozeß etwa folgenden Inhalts durchlaufen: »So, da sind wir nun in einem neuen Jahr, das mit 00 endet. Ich wette, es ist 1900. Aber 1900 waren Computer ja noch gar nicht erfunden. Ergo existiere ich nicht. Da mache ich wohl besser dicht und lösche meinen Primärspeicher.« Die geschätzten Kosten, um das Problem zu richten, betragen zweihundert Trillionen Trilliarden Dollar oder eine ähnlich monströse Summe. Ein Computer kann Pi bis auf zwanzigtausend Stellen ausrechnen, aber er begreift nicht, daß die Zeit immer vorwärts geht. Programmierer wiederum können achtzigtausend Zeilen komplexen Code schreiben, merken aber nicht, daß alle hundert Jahre ein neues Jahrhundert beginnt. Eine katastrophale Kombination.

Als ich zum erstenmal las, daß sich die Computerindustrie selbst ein so fundamentales, derart immenses und idiotisches Problem geschaffen hatte, verstand ich plötzlich, warum mein Faxgerät und andere digitale Spielzeuge wertlos sind. Es erklärt aber immer noch nicht hinreichend die phantastische – die himmelschreiende – Nutzlosigkeit des Rechtschreibprogramms meines Computers.

Wie fast alles an Computern ist ein Rechtschreibprogramm im Prinzip wunderbar. Wenn man mit der Arbeit fertig ist, aktiviert man es, und es geht durch den Text und sucht nach Wörtern, die man falsch geschrieben hat. Das heißt, da ein Computer ja nicht versteht, was Wörter sind, sucht er nach ihm unbekannten Buchstabenkombinationen, und hier fängt die Misere an.

Zunächst einmal erkennt er keine Eigennamen – Namen von Menschen, Orten, Firmen – oder Abkürzungen und Akronyme wie zum Beispiel »*UNO*«. Mit der nichtamerikanischen, sondern englischen Schreibweise von Wörtern wie *colour* und *centre* ist er ebensowenig vertraut mit wie manchen Plural- oder konjugierten Formeln. Und offenbar auch Worten, die nach Eisenhowers Präsidentschaft gebildet worden sind. Sputnik und Beatnik sind ihm geläufig, nicht aber *Internet, Fax, Cyberspace* oder *Butthead* und viele andere mehr.

Mein Rechtschreibprogramm nun zeichnet sich dadurch aus – und jetzt kommt das, was allen, die nichts Rechtes mit ihrem Leben anzufangen wissen, viele unterhaltsame Stunden bescheren kann –, daß es einem Alternativen anbietet. Und die sind samt und sonders denkwürdig. In diesem Artikel schlug er zum Beispiel für *Internet internat, Internodium* (ein Wort, das ich in keinem Lexikon finden konnte), *interim* und *Unternaht* vor. Für *Fax* hatte er nicht weniger als dreiunddreißig Vorschläge parat, unter anderem *Fach, Fakt, Faß, Fan, Fase* und wenigstens weitere zwei von der Lexikographie noch nicht erfaßte Begriffe: *Falx* und *Fose.* Bei *Cyberspace* zog ich eine Niete, für *Cyber* diente er mir aber *Cypern* und *Skythen* an.

Ich habe erfolglos versucht, die Logik zu erkennen, nach der ein Computer und ein Programmierer übereinstimmend zu der Auffassung gelangen, daß jemand der *F-a-x* getippt hat, eigentlich *F-a-k-t* schreiben wollte, oder warum auf *Cyber Cypern* oder *Skythen* folgt, nicht aber *Wassermelone* oder *Autowaschanlage,* um nur zwei willkürliche Alternativen zu nennen. Noch weniger kann ich erklären, wie nichtexistierende Wörter wie *Fose* und *Falx* in ein Programm geraten. Nennen Sie mich pingelig, aber ich würde doch meinen, daß man ein Computerprogramm, das ein echtes Wort zugunsten eines nichtexistierenden rausschmeißen will, noch nicht auf die Menschheit loslassen sollte.

Mein Rechtschreibprogramm schlägt nicht nur idiotische Alternativen vor, sondern es lechzt geradezu danach, sie zu verwenden. Man muß ihm beinahe befehlen, das falsche Wort nicht einzusetzen. Wenn man aus Versehen seinen Vorschlag akzeptiert, verändert es dieses Wort automatisch im ganzen Text. Zu meinem Überdruß (und meiner Verzweiflung) habe dich dadurch in den letzten Monaten Texte produziert, in denen *Handschuhe* durchgängig durch *Mandschurei* und *Minneapolis* durch *Monopolist* ersetzt wurden und – mein absolutes Lieblingsbeispiel – *Renoir* durch *Rentier.* Wenn es einen einfachen Weg gibt, diese unfreiwilligen Veränderungen rückgängig zu machen, so habe ich ihn leider noch nicht gefunden.

Nun habe ich im *US News & World Report* gelesen, daß eben die Computerindustrie, die nicht gemerkt hat, daß ein neues Millennium ansteht, auch nicht weiß, daß das Material, auf dem sie ihre Informationen speichert – Magnetbänder und so weiter – rasch zerfällt. Kürzlich versuchten NASA-Wissenschaftler an Aufzeichnungen über die Viking-Mission zum Mars 1976 heranzukommen, und entdeckten, daß zwanzig Prozent ins Datennirwana eingegangen waren und der Rest auf dem schleunigsten Weg dorthin war.

Es sieht also alles danach aus, daß die Computerprogrammierer in den nächsten Jahren ein paar Überstunden machen müssen. Wozu ich nur aus tiefstem Herzen *Hurra!* sagen kann. Oder *Hupf, Huch* oder *Hurtig,* wie mein Computer vorschlägt.

Hotel California

Einen schlimmeren Unhold als Robert Alton Harris kann man sich kaum vorstellen. Nach einem langen Leben voller böser willkürlicher Verbrechen ermordete er 1979 in Kalifornien kaltblütig zwei Jugendliche, weil er ihr Auto haben wollte. Als er damit wegfuhr, verspeiste er die Cheeseburger, die sie angefangen hatten zu essen.

Binnen Stunden war er verhaftet und gestand freimütig seine Tat. Trotzdem brauchte der Staat von Kalifornien dreizehn Jahre komplizierter und teurer Prozesse und Revisionsprozesse, um allen legalen Formalitäten zu genügen, damit er Harris vom Leben zum Tode befördern konnte.

In Kalifornien sitzen fast fünfhundert Leute wie Harris in der Todeszelle. Insgesamt wendet der Staat geschätzte neunzig Millionen Dollar im Jahr für Prozesse auf, die mit der Todesstrafe enden. Seit 1967 hat er eine Milliarde Dollar für Fälle verpulvert, in denen die Todesstrafe verhängt wurde, und genau zwei Leute exekutiert (einer davon war Harris).

Das scheint mir doch ein eindeutiges Indiz dafür zu sein (wenn schon sonst nichts), daß die Todesstrafe in den USA Wahnsinn ist. Überlegen Sie einmal, was Kalifornien mit der einen Milliarde Dollar hätte bewirken können, wenn es sie zum Beispiel für Schulen und Ausbildung aufgewandt hätte.

Fast alle sind der Meinung, daß ein solch verzwicktes legales Prozedere idiotisch ist, aber leider ist die Todesstrafe hier sehr beliebt. Umfragen zeigen beständig, daß etwa dreiviertel der Amerikaner sie befürworten. Darüber hinaus wollen sie sie – ja, sie bestehen darauf – für ein breitgefächertes Spektrum an Vergehen. Grob die Hälfte würde es gern zu einem Kapitalverbrechen machen, wenn man Kindern Drogen verkauft, und man kann in den Vereinigten Staaten nun schon für über fünfzig Verbrechensarten zum Tode verurteilt werden.

Ganz abgesehen von moralischen Einwänden, machen es meiner Meinung nach auch praktische Erwägungen schwer, die Todesstrafe zu verteidigen. Erstens einmal wird sie ungleich angewendet. Die zum Tode Verurteilten sind fast ausnahmslos männlich – seit 1962 ist erst eine Frau hingerichtet worden (eine ist allerdings in diesem Monat in Texas auf der Kandidatenliste) – und überproportional arm und schwarz (die Opfer übrigens in der großen Mehrzahl weiß). Von den seit 1977 etwa dreihundertundsechzig exekutierten Menschen in den Vereinigten Staaten wurden dreiundachtzig Prozent wegen Mordes an einem Weißen verurteilt, obwohl Weiße nur etwa die Hälfte aller Mordopfer ausmachen. Je nach Staat werden Mörder zwischen vier- und elfmal eher zum Tode verurteilt, wenn ihr Opfer ein Weißer und kein Schwarzer ist – da sage noch einer, daß Justitia blind ist!

Es gibt auch eklatante geographische Unterschiede. Neununddreißig US-Staaten haben die Todesstrafe, aber nur in siebzehn – hauptsächlich im Süden – wurden letztes Jahr Menschen hingerichtet. Wenn Sie jemanden ermorden wollen, sind Sie besser beraten, es in New Hampshire zu versuchen, wo seit Jahrzehnten niemand mehr exekutiert worden ist. In Texas oder Florida hingegen befördert man die Leute mit relativer Begeisterung ins Jenseits. Allein in Texas wurden letztes Jahr siebenunddreißig Menschen hingerichtet, soviel wie im ganzen Land zusammen.

Insgesamt sitzen in den USA circa dreitausend Menschen in der Todeszelle. 1997 wurden vierundsiebzig hingerichtet, seit vierzig Jahren die höchste Anzahl. Aber die Zahl derer, die jährlich neu in die Todeszellen kommen, ist viermal größer als die der Hingerichteten. (Die meisten Insassen der Todeszellen sterben im übrigen eines natürlichen Todes.) Um den Rückstand abzubauen und mit der wachsenden Menge neuer Kandidaten fertig zu werden, müßten die Behörden in den nächsten fünfundzwanzig Jahren einen Menschen pro Tag umbringen. Wegen der juristischen Kompliziertheit wird das nie der Fall sein.

Die Frage ist, warum man sich solche Mühe macht. Im Durchschnitt dauert es zehn Jahre und fünf Monate, bis alle Revisionsmöglichkeiten nach einem Todesurteil ausgeschöpft sind. Folglich kostet es nach einer Studie der Duke University zwei Millionen Dollar mehr, einen Gefangenen zu exekutieren, als ihn lebenslang einzusperren.

Sie könnten natürlich einwenden, daß es verurteilten Mördern nicht gestattet sein dürfte, wegen nichtiger Formalitäten endlos Berufung einzulegen. Diese Ansicht machte der Kongreß sich auch aus vollstem Herzen zu eigen und stimmte 1995 für die Streichung der zwanzig Millionen Dollar staatlicher Gelder, die dafür ausgegeben wurden, Todeskandidaten bei ihren Revisionsbegehren zu helfen. Beinahe über Nacht sank die durchschnittliche Frist von Verurteilung bis Exekution um elf Monate.

Das wären ja gute Nachrichten, wenn man darauf vertrauen könnte, daß jeder, der exekutiert wird, es auch verdient. Aber weit gefehlt! Betrachten Sie den Fall von Dennis Williams aus Chicago, der siebzehn Jahre in der Todeszelle verbrachte. Wegen eines Mordes, von dem er immer lautstark behauptete, er habe ihn nicht begangen, aus dem einfachen Grund, daß er ihn nicht begangen hatte. Williams wurde nur gerettet, weil ein Journalistikprofessor an der University of Chicago seinen Studenten als Seminarprojekt aufgab, sich den Fall anzuschauen. Unter anderem fanden die Studenten heraus, daß die Polizei Beweise unterdrückt und Zeugen gelogen hatten und ein anderer Mann bereit war zu gestehen, wenn man ihm nur einmal zuhörte.

Wie die meisten Todeszelleninsassen war Williams von einem Pflichtanwalt verteidigt worden. Illinois zahlt Pflichtverteidigern vierzig Dollar die Stunde. Das gängige Honorar für Advokaten in Privatkanzleien ist einhundertfünfzig Dollar die Stunde. Man muß kein Genie sein, um zu begreifen, daß die besten Anwälte wahrscheinlich keine derartigen öffentlichen Aufgaben übernehmen. In der Regel bekommt ein Anwalt gerade mal achthundert Dollar für eine Pflichtverteidigung. Da ist wohl auch der engagierteste Jurist kaum in der Lage, Experten, unabhängige Laboruntersuchungen oder sonst etwas aufzubieten, das die Unschuld seines Klienten beweisen würde.

Dank des Projekts der Studenten wurde Williams im letzten September entlassen. Das ist weniger ungewöhnlich, als man denkt. Seit Illinois im Jahre 1977 die Todesstrafe wiedereingeführt hat, sind dort acht Verurteilte hingerichtet und neun entlassen worden. Landesweit hat man in den letzten fünfundzwanzig Jahren neunundsechzig wegen Mordes zum Tode Verurteilte entlassen, nachdem sich herausstellte, daß sie unschuldig waren. Nun, da die staatlichen Prozeßbeihilfen für Revisionsbegehren gekürzt worden sind, können nur noch wenige der Betroffenen auf einen solch glücklichen Ausgang hoffen.

Es ist eine Sache, wenn ein Bürger einen unschuldigen Menschen ermordet, aber eine ganz andere, wenn der Staat es tut. Doch siehe da! Selbst das ist hierzulande eine Minderheitenmeinung. Laut einer Gallup-Umfrage von 1995 befürworten siebenundfünfzig Prozent der Amerikaner auch dann die Todesstrafe, wenn sich herausstellen sollte, daß von hundert Verurteilten einer fälschlich exekutiert wurde.

Ich glaube nicht, daß es einen amerikanischen Politiker – jedenfalls keinen mit einer gewissen Position – gibt, der gegen solch eine geballte Macht der Gefühle antritt. Es gab einmal eine Zeit, da versuchten Politiker, die öffentliche Meinung mitzugestalten. Nun reagieren sie nur noch darauf. Was eine Schande ist, denn diese Dinge sind nicht unveränderlich.

Richard L. Nygaard hat in einem Artikel im *New Yorker* geschrieben, daß Westdeutschland 1949 die Todesstrafe abschaffte, obwohl vierundsiebzig Prozent der Bevölkerung dafür waren. 1980 war dieser Anteil auf sechsundzwanzig Prozent gesunken. »Die Menschen, die nicht mit der Todesstrafe aufwachsen«, schreibt Nygaard, »betrachten sie zunehmend als barbarisches Relikt, wie Sklaverei oder Brandmarken.«

Ach, wäre es doch hier genauso.

Schluß jetzt

Endlich habe ich herausgefunden, was hier alles im argen liegt. Es gibt zuviel. Ich meine, es gibt von allem und jedem so viel, daß man es niemals wollen oder brauchen kann. Außer natürlich Zeit, Geld, guten Installateuren und Leuten, die sich bedanken, wenn man ihnen die Tür aufhält. (Und ganz nebenbei würde ich hier gern zu Protokoll geben, daß der nächste, der durch eine Tür geht, die ich aufgehalten habe, und nicht »Danke schön« sagt, was vor die Nuß kriegt.)

Sicher, die Vereinigten Staaten sind das Land, wo Milch und Honig fließen, und noch lange nach unserer Ankunft war ich hoch erfreut und wie geblendet von den unendlichen Wahlmöglichkeiten allenthalben. Ich weiß noch, wie ich das erstemal in den Supermarkt ging und baß erstaunt feststellte, daß er nicht weniger als achtzehn Sorten Inkontinenzwindeln im Angebot hatte. Zwei oder drei hätte ich ja noch verstanden. Aber achtzehn – liebe Güte! Es ist ein Land des Überflusses. Manche Einlagen waren parfümiert, manche mit Noppen für zusätzlichen Komfort versehen, und es gab sie in allen Regenbogenfarben und Stärken, von »Huch, es tröpfelt!« bis zu »Halt! Dammbruch!« Das stand natürlich nicht wörtlich auf den Etiketten, aber darauf lief's hinaus.

Bei fast allen Waren – Tiefkühlpizza, Hundefutter, Eis, Kekse, Chips – gab es buchstäblich Hunderte zur Auswahl. Jeder neue Geschmack schien einen weiteren nach sich zu ziehen. Als ich klein war, waren Weizenflocken Weizenflocken und damit basta. Nun kriegt man sie gezuckert, in bißgerechten Happen, mit Scheiben einer »echten bananenähnlichen Substanz«, und Gott weiß, was sonst noch. Ich war zutiefst beeindruckt.

Neuerdings begreife ich freilich, daß die Auswahl auch zur Qual werden kann. So richtig klar wurde mir das letzte Woche, als ich an einem Kaffeestand auf einem Flughafen in Portland, Oregon, in einer Schlange von etwa fünfzehn Leuten stand. Es war Viertel vor sechs morgens, nicht meine beste Zeit am Tage, in zwanzig Minuten wurde mein Flug aufgerufen, und mein Körper brauchte wirklich dringend Koffein. Sie kennen das.

Wenn man früher einen Kaffee wollte, bestellte man einen und kriegte einen. Aber das hier war ja ein Kaffeestand der neunziger Jahre. Er bot eine Palette von zwanzig Sorten – Espresso, Milchkaffee, Karamellmilchkaffee, kleinen Braunen, Macchiato, Mokka, Expressomokka, Schwarzwaldmokka, Americano und weiß der Himmel, was noch – und das alles in vier verschiedenen Portionsgrößen. Es gab auch jede Menge Muffins, Croissants, Bagels und sonstiges Gebäck. Alles in zahllosen Varianten, so daß die Bestellungen etwa folgendermaßen verliefen:

»Ich möchte einen Karamellmilchkaffee mit entkoffeiniertem Mokka und einer kleinen Zimtstange und dazu ein Magerfrischkäse-Sauerteigbagel, den Pimiento bitte gerieben und extra. Sind Ihre Mohnkörner in mehrfach ungesättigtem Pflanzenöl geröstet?«

»Nein, wir nehmen Canolaextrakt, doppelt-extra-lite.«

»Ach, das darf ich nicht essen. Dann bitte ein New Yorker Drei-Käse-Pumpernickel-Karamell-Croissant. Was für Emulgatoren nehmen Sie?«

Vor meinem inneren Auge sah ich schon, wie ich die in der Schlange Wartenden der Reihe nach bei den Ohren packte, ihnen dreißig- oder vierzigmal den Kopf zurechtrückte und sagte: »Sie wollen vor dem Flug doch nur eine Tasse Kaffee und ein Gebäckstück. Also bestellen Sie was Einfaches und zischen Sie ab!«

Doch die Leute hatten Glück. Bevor ich morgens (und insbesondere zu einer Stunde mit einer einzigen Ziffer) meine erste Tasse Kaffee getrunken habe, schaffe ich es nur, aufzustehen, mich (mehr oder weniger) anzuziehen und um eine Tasse Kaffee zu bitten. Alles andere übersteigt mein Vermögen. Ich blieb also stehen und wartete stoisch, während fünfzehn Kunden komplexe, zeitraubende und grotesk individuelle Bestellungen aufgaben.

Als ich endlich dran war, trat ich vor und sagte: »Ich möchte eine große Tasse Kaffee.«

»Was für Kaffee?«

»Heiß und in einer sehr großen Tasse.«

»Yeah, aber welche Sorte – Mokka, Macchiato, oder was?«

»Ich will einfach nur eine normale Tasse Kaffee.«

»Also einen Americano?«

»Wenn das eine normale Tasse Kaffee ist, bitte ja.«

»Na, Kaffee ist es alles.«

»Ich will eine normale Tasse Kaffee wie ihn Millionen Menschen allmorgendlich trinken.«

»Dann wollen Sie einen Americano.«

»Offensichtlich ja.«

»Wollen Sie kalorienarme oder normale Schlagsahne dazu?«

»Ich will überhaupt keine Schlagsahne.«

»Aber er ist mit Schlagsahne.«

»Passen Sie auf«, sagte ich leise, »es ist zehn nach sechs morgens. Ich habe fünfundzwanzig Minuten hinter fünfzehn wild unentschlossenen Menschen Schlange gestanden, und gleich wird mein Flug aufgerufen. Wenn ich jetzt nicht sofort einen Kaffee kriege, ermorde ich jemanden, und ich glaube, ich sollte Ihnen mitteilen, daß Sie ganz oben auf meiner Liste stehen.« (Ich bin, wie Sie mittlerweile gewiß schon erraten haben, kein Morgenmensch.)

»Heißt das, Sie wollen kalorienarme oder normale Schlagsahne?«

Und so ging es weiter.

Diese überbordende Auswahl verlängert nicht nur jede Transaktion um das Zehnfache des Notwendigen, sondern führt auch auf seltsame Weise zu Unzufriedenheit. Je mehr es gibt, desto mehr verlangen die Leute, und je mehr sie verlangen, desto mehr, ja, verlangen sie. In den Vereinigten Staaten hat man das Gefühl, als bewege man sich unter Abermillionen Menschen, die von allem und jedem ständig, unendlich, unerfüllbar mehr und mehr brauchen. Offenbar haben wir hier eine Gesellschaft geschaffen, die in der Hauptsache damit beschäftigt ist, durch Läden zu streifen und Dinge – Substanzen, Formen, Geschmäcker – zu suchen, die sie noch nicht kennen.

Und das gilt für alles. Man kann offenbar nun unter fünfunddreißig verschiedenen Crest-Zahnpasten wählen. Laut *Economist* »braucht der durchschnittliche amerikanische Supermarkt sechs Meter Regallänge für Medikamente gegen Husten und Erkältungskrankheiten«. Doch von den fünfundzwanzigtausend »neuen« Verbrauchsgütern, die letztes Jahr hier auf den Markt kamen, sind dreiundneunzig Prozent nur modifizierte Versionen schon existierender Produkte.

Als ich das letztemal frühstücken gegangen bin, mußte ich wählen unter neun Arten, wie ich das Ei haben wollte (pochiert, Rührei, Spiegelei, überbackenes Spiegelei und so weiter und so fort), sechzehn Varianten Pfannkuchen, sechs Saftsorten, zweierlei Würstchen, vier Kartoffelsorten und acht Arten Toast oder Muffins. Ich habe Hypotheken aufgenommen, bei denen ich weniger Entscheidungen treffen mußte. Ich dachte, ich wäre fertig, da fragte mich die Kellnerin: »Wollen Sie geschlagene Butter, portionsweise abgepackte Butter, Margarine, eine Butter-Margarine-Mischung oder Butterersatz?«

»Sie machen Witze«, sagte ich.

»Bei Butter mache ich keine Witze.«

»Dann geschlagene.« Ich gab mich auch geschlagen.

»Wenig Natrium, ohne Natrium oder normal?«

»Das überlasse ich Ihnen«, flüsterte ich.

Zu meinem Erstaunen finden meine Frau und meine Kinder das alles toll. Sie lieben es, in einen Eissalon zu gehen und aus fünfundsiebzig Sorten Eis und fünfundsiebzig verschiedenen Leckereien, die obendrauf kommen, wählen zu können.

Ich kann Ihnen gar nicht sagen, wie gern ich in England wäre und eine schöne Tasse Tee und ein simples Brötchen verzehren würde, aber leider stehe ich mit diesen Gelüsten allein. Ich hoffe, daß meine Frau und meine Kinder irgendwann auch die Nase voll haben, aber vorläufig gibt es noch keine Anzeichen.

Aber sehen wir das Positive! Ich bin wenigstens wohlversorgt mit Inkontinenzeinlagen.

Neues aus dem Land
der Dummheit

Ich möchte ein paar Worte zur Dummheit in den Vereinigten Staaten verlieren.

Bevor ich aber damit anfange, will ich klipp und klar sagen, daß Amerikaner von Natur aus nicht schlichteren Gemüts sind als andere Menschen. Wir haben die stärkste Wirtschaft, die wohlhabendsten Menschen, die besten Forschungseinrichtungen, viele der feinsten Universitäten und Denkfabriken und mehr Nobelpreisträger als der Rest der Welt zusammen. Das erreicht man nicht nur durch Dummheit.

Trotzdem wundert man sich manchmal. Passen Sie auf: Laut einer Umfrage wissen dreizehn Prozent der Frauen hier nicht, ob sie die Strumpfhose unter oder über dem Schlüpfer tragen. Das macht etwa zwölf Millionen Damen, die in einem chronischen Zustand der Unwissenheit über ihre Intimwäsche durch die Gegend laufen. Weil ich so selten Frauenkleidung trage, begreife ich vielleicht die Anforderungen, die diese an ihre Trägerinnen stellt, nicht zur Gänze. Doch bin ich fast sicher, daß ich, wenn ich Strumpfhosen und Schlüpfer tragen würde, wüßte, was drüber und was drunter wäre. Keinesfalls aber würde ich einem Fremden, der auf der Straße mit einem Fragebogen auf mich zukäme und wissen wollte, wie ich meine Unterwäsche trage, erzählen, daß ich es nicht wüßte.

Woraus sich ein weiterer interessanter Punkt ergibt: Warum wurde diese Frage überhaupt gestellt? Wie kommt jemand dazu, sich eine solche Frage auszudenken, und was wollte er mit den gewonnenen Daten anfangen? Sie sehen schon, das alles weist auf eine viel größere Art Dummheit hin, nämlich über die dreizehn Prozent Frauen, die unterwäschenunterbelichtet sind, hinaus auf diejenigen, die öffentliche Umfragen erstellen und durchführen.

Eines ist gewiß. Es gibt schrecklich viel Dummheit hier. Das weiß ich so genau, weil mir neulich ein Freund aus New York eine Sammlung dämlicher Zitate von berühmten Amerikanern aus dem Jahre 1997 geschickt hat. Da erklärt die Schauspielerin Brooke Shields ohne Hilfe von Erwachsenen, warum man nicht rauchen sollte: »Vom Rauchen stirbt man. Wenn man stirbt, verliert man einen sehr wichtigen Teil seines Lebens.« Gut gebrüllt, Brooke.

Und so dringt die Sängerin Mariah Carey zum Kern der Probleme in der dritten Welt vor: »Immer wenn ich Fernsehen gucke und die armen hungernden Kinder überall in der Welt sehe, muß ich weinen. Ich meine, ich wäre gern so schlank, aber nicht mit den ganzen Fliegen und dem Tod und so.«

Wie auch immer man den Zustand jenseits völliger Perplexität nennt, ich erreiche ihn jedesmal, wenn ich dieses Zitat lese. Mein Lieblingsspruch ist indessen die Antwort, die Miss Alabama bei den Miss-Universum-Wahlen auf die Frage gab, ob sie ewig leben wolle. »Ich möchte nicht ewig leben, denn wir sollten nicht ewig leben, denn wenn wir ewig leben sollten, würden wir ewig leben, aber wir können nicht ewig leben, und deshalb möchte ich nicht ewig leben.«

Nennen Sie mich unfreundlich, aber ich verwette einen Batzen Geld darauf, daß Miss Alabama nicht nur nicht wüßte, ob sie die Strumpfhosen unter oder über dem Schlüpfer trägt, sondern auch nicht ganz sicher wäre, in welche Löcher sie ihre Beine stecken sollte.

Wo aber kommt diese unendliche Dummheit her? Es ist mir ein Rätsel, doch ich bin überzeugt – felsenfest überzeugt –, daß es im modernen amerikanischen Leben etwas gibt, das selbst bei mehr oder weniger normalen Zeitgenossen das Denken unterdrückt. Gestern erst wurde ich wieder daran erinnert, als ich hinter einem Mann wartete, der an einem öffentlichen Telefon sprach. Der Mann – mittleren Alters, gut gekleidet, vom Aussehen her vermutlich Anwalt oder Steuerberater – redete offenbar mit dem Kleinkind eines Kollegen oder eines Klienten. Und er sagte folgendes: »Also, wann glaubst du, kommt deine Mami aus der Dusche, Süße?«

Denken Sie mal eine Minute darüber nach. Wenn man sich dabei ertappt, ein dreijähriges Kind zu fragen, wie lange ein Erwachsener braucht, um eine Tätigkeit zu Ende zu bringen, dann wird es höchste Zeit, in ein neues Hirn zu investieren. Finden Sie nicht? (Und wer weiß überhaupt, wie lange Leute unter der Dusche brauchen?)

Weiß Gott, die USA haben nicht das Monopol auf Blödheit, aber ein Faktor scheint doch hier in größerem Ausmaß eine Rolle zu spielen als anderswo, und zwar die Angewohnheit der Zeitungs-, Zeitschriften- sowie Rundfunk- und Fernsehleute, immer das extrem Offensichtliche zu konstatieren. Wir haben ja schon auf diesen Seiten gesehen, daß die *Washington Post* sich nicht schämt, ihre Leser darüber zu unterrichten, daß Schottland »nördlich von England« liegt, oder daß Kolumnisten einen Witz erzählen und dann die Pointe erklären. Natürlich wollen sie – sicher in bester Absicht – ihren Lesern ersparen, sich mit anspruchsvollen oder unbekannten Dingen abzuplagen (ja, verdammt, wo ist Schottland?). Tückischerweise hat es aber denselben durchschlagenden Effekt, als unterzögen sie das Publikum einer Lobotomie.

Das Unselige an all dem ist, daß die Leute, die ihrer Denkfähigkeit verlustig gegangen sind, relativ leichte Beute für die sind, die sie noch nicht ganz eingebüßt haben. Ein-, zweimal die Woche erhalten wir wie fast jeder Haushalt im Land von einer Zeitschriftenwerbegesellschaft einen Brief folgenden Inhalts: »Herzlichen Glückwunsch, Mr. Bryson. Sie haben fünf Millionen Dollar gewonnen!« Direkt über diesem verheißungsvollen Satz steht in erheblich kleineren Lettern: »Wenn Ihre Jackpotnummer mit Ihrer Gewinnummer übereinstimmt, können wir Ihnen mitteilen...« Man muß nicht sonderlich auf Zack sein, um zu erkennen, daß man selbstverständlich keine fünf Millionen gewonnen hat. Leider sind viele unserer Mitmenschen nicht sonderlich auf Zack.

Neulich berichteten die Zeitungen über einen Mann namens Richard Lusk, der, einen Gewinnerbrief in der Hand, der ihm seinem Verständnis nach mitteilte, daß er elf Millionen Dollar gewonnen habe und sie binnen fünf Tagen abholen müsse, von Kalifornien nach Florida flog. Die Firma zeigte ihm das Kleingedruckte und schickte ihn heim. Drei Monate später bekam Mr. Lusk wieder einen im wesentlichen identischen Brief und flog genauso glücklich und erwartungsvoll nach Florida wie das erstemal. Nach Angaben von Associated Press sind in den letzten vier Jahren mindestens zwanzig Leute in demselben freudigen, aber fälschlichen Glauben nach Florida gejettet.

Da diese Nachricht doch eher deprimierend ist, wollen wir mit der Geschichte von meinem Lieblingsdoofen der Woche aufhören – nämlich, einem Möchtegernräuber in Texas, der sich eine Kapuze übers Gesicht zog, um einen Lebensmittelladen zu überfallen, aber vergaß, von seiner Brusttasche das Schildchen mit seinem Foto, Namen und dem des Arbeitsplatzes abzunehmen, was auch prompt von mindestens zwölf Zeugen bemerkt wurde.

Irgendwo, da bin ich sicher, steckt eine Moral drin, und die erzähle ich Ihnen, sobald ich sie herausgefunden habe. Doch jetzt, wenn Sie mich bitte entschuldigen, will ich das Arrangement meiner Unterwäsche überprüfen, falls jemand anfängt, Fragen zu stellen.

Wie man die Wahrheit verdreht

An die Chuzpe, mit der einen hier große Wirtschaftsunternehmen und Konzerne belügen, gewöhnt man sich nur langsam. Ach, ich habe gerade selbst gelogen. Man gewöhnt sich nie daran.

Als wir noch neu im Land waren, fuhren wir durch Michigan und suchten was zum Übernachten. Da kamen wir an einer großen Plakatwand vorbei, auf der eine landesweite Motelkette ein sehr attraktives Sonderangebot offerierte. Ich kann mich nicht mehr an die Einzelheiten erinnern, aber es verhieß freie Unterkunft für die Kinder und Frühstücksgutscheine für die ganze Familie zu dem zutiefst befriedigenden Pauschalpreis von fünfunddreißig Dollar oder so was in dem Dreh.

Bis ich alles gelesen hatte, war ich natürlich schon an der Ausfahrt vorbeigedüst, mußte fünfundzwanzig Kilometer weiter und dieselbe Strecke wieder zurückfahren und dann eine halbe Stunde auf Nebenstraßen herumsuchen, während meine Mitfahrer auf bei weitem leichter erreichbare, besser ausgestattete Herbergen hinwiesen. Es gab also ziemlichen Ärger. Doch einerlei. Für ein solches Supersonderangebot mit üppigem Gratisfrühstück dürfen Sie mich so lange ärgern, wie Sie wollen.

Wie ich aber aus der Fassung geriet, als ich eincheckte und der Angestellte mir eine Rechnung zuschob, die sich auf 149,95 Dollar belief, können Sie sich ausmalen.

»Und was ist mit dem Sonderangebot?« wieherte ich los.

»Das«, sagte er überaus verbindlich, »gilt nur für eine ausgewählte Zahl von Zimmern.«

»Für wie viele?«

»Zwei.«

»Und wie viele Zimmer haben Sie?«

»Einhundertundfünf.«

»Aber das ist Betrug«, sagte ich.

»Nein, Sir, das ist Amerika.«

Na ja, ich glaube, das hat er nicht gesagt, aber er hätte es sagen können. Es handelte sich im übrigen um eine große, wohlbekannte Motelkette, deren Manager gewiß höchst betrübt und beleidigt wären, wenn man sie als Betrüger und Halsabschneider bezeichnen würde. Sie befolgen nur die fließenden moralischen Spielregeln des Kommerzes hierzulande.

Gerade habe ich ein Buch mit dem Titel *Wahrheit mit kleinen Fehlern: Wie in Amerika Fakten manipuliert werden* gelesen. Es ist voller spannender Stories von irreführenden Behauptungen in der Werbung, parteilichen wissenschaftlichen Studien, getürkten Meinungsumfragen und dergleichen – also voller Dinge, die man überall sonst als Betrug bezeichnen würde.

Autohersteller brüsten sich zum Beispiel in ihren Anzeigen mit Sicherheitsvorrichtungen wie Seitenaufprallschutz, die ohnehin gesetzlich vorgeschrieben sind. Chevrolet warb einmal für ein Auto mit »einhundertundneun Vorteilen, die es davor bewahren, vor der Zeit alt zu werden«. Als ein Autojournalist sich die Sache genauer ansah, entpuppten sich diese besonderen Vorteile als Rückspiegel, Rückfahrscheinwerfer, ausgewuchtete Räder und diverse andere »Pluspunkte«, die zur Standardausrüstung eines jeden Autos zählen.

Mich erstaunt nicht, daß Wirtschaftsunternehmen versuchen, die Wahrheit zu ihren Gunsten zu verdrehen, mich erstaunt nur das Ausmaß, in dem sie das dürfen, ohne daß man sie dafür belangt. Lebensmittelfabriken dürfen von einer bestimmten Zutat nichts oder so gut wie nichts in ein Produkt stecken und dennoch so tun, als sei es im Überfluß darin enthalten. Um nur ein willkürliches Exempel herauszugreifen: Eine große, wohlbekannte Firma verkauft »Blaubeerwaffeln«, in die sich nie eine Blaubeere verirrt hat. Die blaubeerähnlichen

Klümpchen darin sind in Wirklichkeit Chemikalien mit hundertprozent künstlichem Aroma, was man aber auch dann nicht begreifen würde, wenn man die Packung einen halben Tag lang studierte.

Können die Firmen bei den Zutaten nicht betrügen, mogeln sie bei anderen Angaben. Ein beliebter Hersteller von Schokoladenkuchen mit niedrigem Fettgehalt prahlt damit, daß eine Portion nur siebzig Kalorien hat. Aber die vorgeschlagene Portion wiegt nur dreißig Gramm – so kleine Stücke kann man rein praktisch gar nicht schneiden!

Am ärgerlichsten, weil unausweichlichsten, empfinde ich den Betrug mit der Werbepost. Jedes Jahr erhält jeder Mensch in den Vereinigten Staaten durchschnittlich dreißig Pfund – fünfhundert Sendungen – von diesem Müll. Und weil es so viel ist, greifen die Absender zu den fiesesten Tricks, um einen zum Hineinschauen zu verleiten. Sie drucken Umschläge, die von außen aussehen, als enthielten sie Gewinnschecks oder lebenswichtige behördliche Dokumente, seien durch besonderen Boten zugestellt worden oder könnten einem sogar Ärger bringen, wenn man sie nicht aufmerksam liest. Heute bekam ich zum Beispiel ein Couvert mit der Aufschrift »Inliegend Dokumente nur für den Empfänger persönlich… 2000 Dollar Geldstrafe oder fünf Jahre Gefängnis für jeden, der die Zustellung be- oder verhindert; Aktenzeichen 18/IV/1702/96«. Na, das mußte ja was Wichtiges sein! Es war… die Einladung zu einer Autoprobefahrt in der Nachbarstadt.

Zu meiner Verzweiflung bedienen sich nun auch durchaus ehrenwerte Verbände dieser Listen. Kürzlich erhielt ich einen sich hochoffiziell gerierenden Brief mit der Ankündigung: »Scheck beiliegend«. Er stellte sich als Schreiben der Mukoviszidosestiftung heraus, einer großen Wohltätigkeitsorganisation, die um eine Spende bat. Ein Scheck lag natürlich nicht darin – nur ein Faksimilescheck, der mir zeigte, wie meine Zehndollarspende an die Stiftung aussehen würde. Wenn sich nun sogar anständige, wohlmeinende karitative Vereinigungen gezwungen sehen zu lügen, um Aufmerksamkeit zu erregen, dann weiß man, daß was faul ist an dem System.

Man kriegt auch langsam das Gefühl, daß man niemandem mehr trauen darf. Cynthia Crossen, Autorin des erwähnten Buches, enthüllt, wie viele angeblich wissenschaftliche Studien in Wirklichkeit fauler Zauber sind. Sie greift eine heraus, über die auch in der landesweiten Presse weidlich berichtet und in der behauptet wurde, daß der Verzehr von Weißbrot hilft abzunehmen. An der »Testreihe«, auf die sich diese Behauptung gründete, waren zwei Monate lang achtzehn Personen beteiligt, und man fand buchstäblich keinen Beweis, um die These zu stützen, aber die Forscher sagten, ihrer Meinung nach wären die Annahmen erhärtet worden, »wenn man die Studie fortgeführt hätte«. Das Werk wurde vom größten Weißbrotproduzenten des Landes finanziert. Eine weitere Untersuchung – über die wieder getreulich und völlig unkritisch in den Zeitungen berichtet wurde – erbrachte das Ergebnis, daß der Verzehr von Schokolade Zahnverfall sogar verringere. Und es wird Sie nicht überraschen zu hören, daß dieses zutiefst fragwürdige Machwerk von einem führenden Schokoladenhersteller bezahlt wurde.

Selbst Berichte in den angesehensten Medizinzeitschriften sind mit Vorsicht zu genießen. Im letzten Jahr schauten sich laut *Boston Globe* zwei Universitäten, Tufts und UCLA, die finanziellen Interessen der Autoren von siebenhundertundneunundachtzig Artikeln in den wichtigsten Medizinjournalen einmal genauer an und fanden heraus, daß in vierunddreißig Prozent der Fälle zumindest einer der Autoren uneingestanden materielle Vorteile aus positiven Resultaten zog. In einem – typischen – Fall besaß der Forscher, der die Wirksamkeit eines neuen Erkältungsmedikaments überprüft hatte, mehrere tausend Aktien der Herstellerfirma. Nach Erscheinen des Berichts stiegen die Aktien, und er verkaufte sie mit einem Gewinn von einhundertundfünfundvierzigtausend Dollar. Ich behaupte nicht, daß der Mann ein schlechter Wissenschaftler war, aber irgendwo in seinem Hinterstübchen muß er doch geahnt haben, daß ein negativer Bericht die Aktien wertlos gemacht hätte.

Das schlagendste Beispiel für derlei Umtriebe stammt aus dem Jahre 1986, als das *New England Journal of Medicine* gleichzeitig zwei Studien über einen neuen Typ Antibiotikum erhielt. Die eine gelangte zu dem Resultat, das Medikament sei wirksam, die andere, daß nicht. Die Erfolgsmeldung kam – Überraschung! – von einem Forscher, dessen Labor 1,6 Millionen Dollar von der pharmazeutischen Industrie und er persönlich fünfundsiebzigtausend Dollar im Jahr von den Herstellern erhalten hatte. Der Miesmacher war ein unabhängiger Forscher, der nicht von den betroffenen Arzneimittelfirmen finanziert worden war.

Wem kann man also noch vertrauen und Glauben schenken? Nur mir, fürchte ich, und auch das nur bis zu einem gewissen Grade.

Angenehmen Aufenthalt

Diese Woche ist unser Thema ein Aspekt des modernen Lebens, der mir immer schwer aufstößt, nämlich, wie Firmen Entscheidungen treffen, um sich das Leben zu erleichtern und dann uns, den Kunden, weiszumachen versuchen, es geschehe zu unseren Gunsten. Man merkt es gewöhnlich daran, daß irgendwo die Worte »um Ihnen den Aufenthalt so angenehm wie möglich zu machen« auftauchen.

Jüngst habe ich zum Beispiel in einem großen Hotel Eiswürfel gesucht. Ich bin meilenweit über Flure gelatscht (wahrscheinlich immer wieder in einem großen Kreis herum) und habe keine gefunden.

Früher stand in jedem amerikanischen Hotel auf jedem Flur ein Eisautomat. Ich glaube, es ist sogar in der Verfassung verankert, unmittelbar vor dem Recht, Waffen zu tragen, und direkt nach dem Recht, einzukaufen bis zum Umfallen. Aber auf dem achtzehnten Stockwerk dieses Hotsl gab es keinen Eisautomaten. Endlich fand ich eine Nische, in der sich eindeutig einmal einer befunden hatte. An der Wand prangte ein Schild, auf dem stand: »Um Ihnen den Aufenthalt so angenehm wie möglich zu machen, finden Sie Eisautomaten in den Stockwerken 2 und 27.« Sehen Sie, was ich meine?

Ich hatte ja gar nichts gegen das Entfernen der Eisautomaten per se, sondern nur etwas gegen die Tatsache, daß man so tat, als sei es mit Rücksicht auf mein Wohlbefinden geschehen. Wenn auf dem Schild die ehrlichen Worte gestanden hätten »Wozu brauchen Sie überhaupt Eis? Ihr Getränk ist schon gekühlt. Gehen Sie wieder in Ihr Zimmer und hören Sie auf, in unangemessener Kleidung in halböffentlichen Räumen herumzuwandern«, wäre das ja völlig in Ordnung gewesen.

Das Phänomen beschränkt sich natürlich nicht nur auf die Vereinigten Staaten. Die Einwohner von Skipton im englischen North Yorkshire werden sich vielleicht an den Morgen vor einigen Jahren erinnern, als ein unbekannter, biederer amerikanischer Journalist, in Eile, seinen Zug zu erwischen, dabei beobachtet wurde, wie er sich mit Vehemenz gegen die Tür der Zweigstelle einer führenden Bank in der High Street warf und lautstark heftige Schmähungen in den Briefschlitz schrie. Im Fenster hatte er nämlich einen Anschlagzettel folgenden Inhalts gelesen: »Um Ihnen einen besseren Service anbieten zu können, öffnet die Bank nun wegen Weiterbildung der Belegschaft an Montagen fünfundvierzig Minuten später.« (Ebendiese Bank entließ bald darauf Tausende von Angestellten und behauptete ohne erkennbare Ironie, daß es geschehe, »um unseren Kunden einen besseren Service zu bieten«. Da wartet man doch schon auf den Tag, an dem sie alle feuern und aufhören, sich überhaupt mit Geld zu befassen. Womit der Service tadellos sein würde, weil nicht mehr existent.)

Hier in den USA trifft man allerdings – wie bei so vielem anderen, ob gut oder schlecht –, auf eine weit größere Scheinheiligkeit als sonstwo. In einem anderen Hotel, diesmal in New York City, bemerkte ich, daß auf der Speisekarte für den Zimmerservice stand: »Um Ihnen den Aufenthalt so angenehm wie möglich zu machen, erheben wir auf alle Bestellungen eine Gebühr von 17,5 Prozent.«

Da meine Neugierde angestachelt war, rief ich den Zimmerservice an und fragte, in welcher Weise es für mich angenehm sei, wenn 17,5 Prozent auf meine Zimmerservicerechnung draufgeschlagen würden.

Schweigen im Walde. »Weil Sie dann die Garantie haben, daß Sie Ihr Essen vor dem nächsten Donnerstag bekommen.« Das war vielleicht nicht der exakte Wortlaut der Antwort, aber die Stoßrichtung.

Für all das gibt es eine simple Erklärung. Die meisten Firmen können einen nicht besonders gut leiden, außer Hotels, Fluggesellschaften und Microsoft – die hassen einen bis aufs Blut.

Die Hotels – obwohl das eine sehr harte Aussage ist – hassen einen am abgrundtiefsten, davon bin ich überzeugt. (Ach nein, Microsoft, doch wenn ich anfange über die zu reden, höre ich nicht wieder auf.) Vor einigen Jahren kam ich ausgerechnet in Kansas City gegen vierzehn Uhr in einem großen Hotel an, und zwar ebenso ausgerechnet von den Fidschiinseln. Wie Sie sicher wissen, sind die Fidschiinseln von Kansas City weit, weit entfernt, und ich war müde und lechzte nach einer Dusche und einem Nickerchen.

»Die Zimmer sind erst ab sechzehn Uhr verfügbar«, teilte mir der Angestellte frohgemut mit.

Ich schaute ihn mit der schmerzlich hilflosen Miene an, die ich oft an Hotelrezeptionen aufsetze. »Sechzehn Uhr? Wieso?«

»Das ist unsere Geschäftspolitik.«

»Warum?«

»Weil es so ist.« Als er begriff, daß diese Antwort eine Spur unzureichend war, fügte er hinzu: »Die Reinigungsteams brauchen Zeit, um die Zimmer sauberzumachen.«

»Wollen Sie allen Ernstes behaupten, daß die vor sechzehn Uhr kein einziges Zimmer fertig haben?«

»Nein, ich sage nur, vor sechzehn Uhr stehen die Zimmer nicht zur Verfügung.«

»Warum?«

»Weil das unsere Geschäftspolitik ist.«

Da spreizte ich zwei Finger, stach ihm in die Augen und stolzierte in den Freßbereich des Einkaufszentrums auf der gegenüberliegenden Straßenseite, wo ich zwei herrliche Stunden verbrachte.

Wenn Sie was suchen, mit dem Sie in ähnlicher Weise Ihrem Masochismus frönen können, sind Bordmagazine in Flugzeugen genau das richtige für Sie. Bordmagazine enthalten mit tödlicher Sicherheit eine Spalte mit dem Konterfei eines lächelnden Vorstandsvorsitzenden, der erklärt, wie etwas, das unter keinen Umständen als Verbesserung anzusehen ist – daß man zum Beispiel in Cleveland umsteigen muß, wenn man von New York nach Miami fliegt –, deshalb eingeführt wurde, weil man einen moderneren Kundendienst bieten will. Diesbezüglich mein Favorit ist der Brief eines solchen Herrn, der sich nicht entblödet, zu erklären, daß Überbuchen (hier gang und gäbe) in Wirklichkeit eine feine Sache ist. Wie er zu dieser These kommt, erläuterte er wie folgt: Die Fluggesellschaft sorgt dafür, daß alle Flugzeuge voll werden, um ihre Gewinne zu maximieren, denn wenn sie emsig Gewinne scheffelt, wird sie in den Stand versetzt, mehr und bessere Dienste anzubieten. Offenbar glaubte der Mann das wirklich.

Ich habe schon lange den Verdacht, daß die Betreiber der hiesigen Fluglinien den Bezug zur Realität vollkommen verloren haben, und jetzt, habe ich, glaube ich, den endgültigen Beweis. Die *New York Times* untersucht in einem Bericht, wie selten auf Inlandsflügen nun noch Essen serviert wird und wie viel frugaler das Angebot im Verhältnis zu früher ist. In dem Artikel wird eine Sprecherin von Delta Airlines, eine Cindy Reeds, mit dem Satz zitiert: »Die Fluggäste haben uns gebeten, das Essen abzuschaffen.«

Wie bitte??? Die Kunden haben darum gebeten, daß ihnen keine Mahlzeiten mehr serviert werden? Ehrlich, das zu – ähm, schlucken, finde ich ein bißchen hart.

Im weiteren Verlauf des Artikels erklärt Ms. Reeds die interessante Argumentationsweise ihrer Firma: »Vor etwa eineinhalb Jahren«, behauptet sie, »haben wir unter tausend Passagieren eine Umfrage veranstaltet ... und sie haben alle gesagt, sie wollten niedrigere Flugpreise. Daraufhin haben wir die Mahlzeiten abgeschafft.«

Also, Moment mal, Cindy. Wenn man die Fluggäste fragt: »Wollen Sie niedrigere Flugpreise?« und sie dann »Ja, selbstverständlich« antworten (was man ja auch mehr oder weniger erwarten würde, oder?), ist das noch lange nicht dasselbe, als wenn sie sagen: »Ja, selbstverständlich, und wenn Sie schon mal dabei sind, dann schaffen Sie doch auch bitte das Essen ab.«

Aber versuchen Sie mal, diesen Einwand (wie überhaupt etwas) einer Fluggesellschaft klarzumachen. Wenigstens sülzte Cindy nicht, daß Delta Airlines, um den Aufenthalt an Bord so angenehm wie möglich zu machen, kein Essen mehr anbot – doch, recht bedacht, hätte sie es vielleicht sagen sollen.

Wie dem auch sei, in dem Bemühen, Ihnen stets mit Rat und Tat zur Seite zu stehen, höre ich hier auf.

Schnee von gestern

»Wissenschaft entdeckt Geheimnis des Alterns« verkündete neulich eine Schlagzeile in unserer Zeitung, was mich überraschte, weil ich Altwerden nie für ein Geheimnis gehalten habe. Es passiert. Was ist denn daran geheimnisvoll?

Es hat ja auch drei gute Seiten. Ich darf im Sitzen schlafen, ich kann nach Herzenslust *Auf der Flucht*-Wiederholungen sehen, ohne daß ich mich erinnere, wie sie enden, und das dritte fällt mir jetzt nicht ein. Das ist natürlich schade beim Älterwerden – man behält nichts mehr.

Bei mir wird's immer schlimmer. Zunehmend häufiger führe ich Telefongespräche mit meiner Frau, die etwa so verlaufen:

»Hallo, Liebes. Ich bin in der Stadt. Warum bin ich hier?«

»Losgegangen bist du, um dir die Haare schneiden zu lassen.«

»Danke.«

Man sollte meinen, ich würde mich mit zunehmendem Alter bessern, weil ich weniger Hirn übrig habe, mit dem ich geistesabwesend sein kann, aber so funktioniert es offenbar nicht. Kennen Sie das nicht auch? Die Jahre verstreichen, und man findet sich immer häufiger in einem Teil des Hauses wieder, den man sonst eher selten aufsucht – wie zum Beispiel die Waschküche –, schürzt die Lippen, schaut sich angestrengt um und versucht sich mühsam zu erinnern, warum man dort ist. Wenn ich früher denselben Weg zurückgegangen bin, fiel mir stets ein, warum ich ursprünglich losgezogen war. Jetzt nicht mehr. Jetzt weiß ich nicht einmal mehr, von wo ich losgegangen bin. Und habe immer öfter einen totalen Blackout.

Dann wandere ich zwanzig Minuten durchs Haus und suche

Spuren kürzlicher Veränderung oder Aktivität – ein Dielenbrett, das sich gehoben hat, eine tropfende Wasserleitung oder am Ende gar einen Telefonhörer, der neben dem Apparat liegt und aus dem ein komisches Stimmchen quäkt: »Bill? Bist du noch dran?« Jedenfalls schaue ich nach etwas, das mich veranlaßt haben könnte, aufzustehen und mich auf die Suche nach einem Notizblock oder dem Hauptabsperrhahn oder Gott weiß was zu begeben. Im Verlauf dieser Wanderungen finde ich normalerweise etwas anderes, um das ich mich kümmern muß – wie zum Beispiel eine geplatzte Glühbirne. Also gehe ich zum Küchenschrank, wo die Glühbirnen aufbewahrt werden, öffne die Tür und … ja, genau, habe keine Ahnung, warum ich dort bin. Und dann fängt alles wieder von vorne an.

Besonders die Zeit ist mein Ruin. Wenn sich einmal etwas in die Vergangenheit verflüchtigt hat, ist es für mich unwiederbringlich verloren. Der Horror meiner alten Tage ist, verhaftet und gefragt zu werden: »Wo waren Sie in der Zeit von acht Uhr fünfzig bis elf Uhr zwei am Morgen des elften Dezember?« Wenn das mal passieren sollte, strecke ich brav die Hände aus, lasse mir Handschellen anlegen und mich abführen, weil auch nicht die geringste Chance besteht, daß ich darauf antworten kann. Das ist schon so, solange ich mich entsinnen kann, was natürlich nicht sehr lange ist.

Meine Gattin hat das Problem nicht. Sie erinnert sich auf die Sekunde genau an alles, was je vorgefallen ist. Ich meine jedes kleinste Detail. Aus heiterem Himmel sagt sie plötzlich zu mir: »Vor sechzehn Jahren an einem Sonntag ist deine Großmutter gestorben.«

»Wirklich?« erwidere ich erstaunt. »Ich hatte eine Großmutter?«

Wenn ich mit meiner Frau draußen bin, geschieht es neuerdings auch häufig, daß jemand auf uns zukommt und freundlich vertraut mit uns plaudert, obwohl ich schwören könnte, daß ich ihn noch nie gesehen habe.

»Wer war das denn?« frage ich, wenn er weg ist.

»Das war Lottie Rhubarbs Mann.«

Ich denke einen Moment nach. Ergebnislos.

»Wer ist Lottie Rhubarb?«

»Du hast sie bei dem Barbecue der Talmadges am Big Bear Lake kennengelernt.«

»Ich war noch nie am Big Bear Lake.«

»O doch. Bei dem Barbecue der Talmadges.«

Wieder denke ich eine Minute nach. »Und wer sind die Talmadges?«

»Die Leute in der Park Street, die für die Skowolskis das Barbecue ausgerichtet haben.«

Langsam packt mich Verzweiflung. »Wer sind die Skowolskis?«

»Das polnische Ehepaar, das du beim Barbecue am Big Bear Lake kennengelernt hast.«

»Ich war bei keinem Barbecue am Big Bear Lake.«

»Natürlich. Du hast auf einem Bratspieß gesessen.«

»Ich auf einem Bratspieß gesessen?«

Solche Gespräche haben wir schon drei Tage am Stück geführt, und trotzdem war ich zum Schluß um nichts klüger.

Leider war ich schon immer zerstreut. Als Junge habe ich in einer der wohlhabendsten Gegenden der Stadt nachmittags Zeitungen ausgetragen – was wie ein Bombenjob klingt, es aber nicht war, weil erstens reiche Leute zu Weihnachten die größten Knauser sind (vor allem, das sei hier mal festgehalten, Mr. und Mrs. Arthur J. Niedermeyer in der St. John's Road Nr. 27; Dr. und Mrs. Richard Gumbel in dem großen Backsteinhaus am Lincoln Place und Mr. und Mrs. Samuel Drinkwater vom Bankhaus Drinkwater; ich hoffe, ihr seid jetzt alle im Pflegeheim) und zweitens jedes Haus am Ende einer langen, gewundenen Einfahrt eine gute Viertelmeile von der Straße entfernt stand.

Selbst unter idealen Bedingungen hätte man Stunden gebraucht, um alle Zeitungen zuzustellen, doch so weit kam ich nie. Mein Problem bestand darin, daß mein Hirn, wie es für alle zerstreuten Menschen typisch ist, vollkommen nutzlosen Tagträumereien nachhing, während meine Beine die Runde machten.

Am Ende fand ich grundsätzlich bei einem Blick in meine Tasche mit einem Seufzer ein halbes Dutzend übrige Zeitungen, und jede gemahnte mich an ein Haus, an dem ich gewesen war – eine lange Einfahrt, die ich hochgetrottet, eine Veranda, über die ich gelaufen war, eine Fliegengittertür, die ich geöffnet hatte –, ohne eine Zeitung dort zu lassen. Ich entsann mich natürlich nie, um welches der achtzig Anwesen auf meiner Route es sich handelte. Also seufzte ich abermals und klapperte die Häuser ein zweites Mal ab. Und so verbrachte ich meine Kindheit. Wenn die Niedermeyers, die Gumbels und Drinkwaters gewußt hätten, durch was für eine Hölle ich Tag für Tag ging, um ihnen ihre dämliche *Des Moines Tribune* zu bringen, hätten sie mich dann zum Christfest genauso fröhlich um mein Trinkgeld betrogen? Wahrscheinlich ja.

Einerlei, Sie fragen sich vermutlich nach dem Geheimnis des Alterns, das ich zu Beginn erwähnt habe. Laut des Zeitungsberichts hat offenbar ein Dr. Gerard Schellenberg am Medizinischen Forschungsinstitut für Veteranenbetreuung in Seattle den genetischen Übeltäter isoliert, der für das Altern verantwortlich ist. Offenbar ist in jedem Gen ein Enzym eingebettet, das einen Steuerungsmechanismus in Gang setzt, infolgedessen aus keinem mir ersichtlichen Grund die beiden Chromosomenstränge auseinandergezogen werden, die die DNA eines Menschen bilden, und ehe man sich's versieht, steht man am Küchenschrank und versucht sich zu erinnern, warum zum Teufel man dorthin gegangen ist. Natürlich kann ich Ihnen keine weiteren Einzelheiten nennen, weil ich den Artikel verlegt habe. Doch das macht gar nichts, weil in ein, zwei Wochen jemand anderes ankommt und ein neues Geheimnis des Alterns entdeckt und alle Leute Dr. Schellenberg und seine Entdeckung vergessen – was mir natürlich genau jetzt schon gelungen ist.

Wir freilich können den Schluß daraus ziehen, daß Vergeßlichkeit vielleicht gar nicht so übel ist. Ich glaube, das war's, was ich Ihnen erzählen wollte, aber um ehrlich zu sein, ich weiß es nicht mehr.

Humor? Fehlanzeige!

Hier bitte mein guter Rat der Woche. Machen Sie in den Vereinigten Staaten keine Witze. Selbst für altgediente Scherzkekse – und ich glaube, ich spreche hier mit einiger Kompetenz – kann ein Witz gefährliche Folgen haben.

Zu dieser Erkenntnis bin ich neulich beim Passieren der Zoll- und Paßkontrollen auf dem Flughafen Logan in Boston gekommen. Als ich vor den letzten Beamten trat, fragte er mich: »Obst oder Gemüse?«

Ich überlegte einen Moment. »Aber sicher doch«, erwiderte ich dann. »Ich hätte gern vier Pfund Kartoffeln und ein paar Mangos, wenn sie pflückfrisch sind.«

Doch schon sah ich, daß ich mein Gegenüber falsch eingeschätzt hatte und diesem Mann nicht nach einem Scherz zumute war. Denn er beäugte mich mit der ruhig düsteren Miene höchster geistiger Konzentration, die man an einem Uniformträger nicht erblicken möchte und schon gar nicht an einem Zoll- und Paßkontrollbeamten der USA. Denn, glauben Sie mir, er und seinesgleichen haben eine Macht, die man tunlichst nicht herausfordern sollte. Ich brauche sicher nur die Worte »Leibesvisitation« und »Gummihandschuhe« zu erwähnen, und Sie begreifen sofort, worauf ich anspiele. Diese Leute haben das gesetzliche Recht, einem den Durchgang zu blockieren, und zwar in jeder Hinsicht.

Gott sei Dank befand dieser Mann, daß ich nur unglaublich dumm war. »Sir«, erkundigte er sich genauer, »führen Sie Gegenstände wie Obst oder Gemüse mit sich?«

»Nein, Sir, nein«, antwortete ich sofort und bedachte ihn mit dem respektvollsten, schleimigsten Blick, den ich je zustande gebracht habe.

»Dann gehen Sie bitte weiter«, sagte er.

Ich tat, wie mir geheißen, und er schüttelte den Kopf. Garantiert erzählt er noch seinen Enkeln, daß so ein Schafskopf meinte, er sei Gemüsehändler.

Beherzigen Sie also meinen Rat! Scherzen Sie in den USA nie mit einer Amtsperson, und wenn Sie Ihre Landekarte ausfüllen, kreuzen Sie bei der Frage »Sind Sie jemals Mitglied der kommunistischen Partei oder in der Öffentlichkeit ironisch gewesen?« das Kästchen mit »Nein« an.

Unser Schlüsselwort ist natürlich »Ironie«. US-Bürger sind selten ironisch. (Das war ironisch: Sie sind es nie.) In den meisten Situationen ist das eigentlich sogar nett. Ironie ist mit Zynismus verwandt, und Zynismus ist moralisch eher verwerflich. Amerikaner – nicht alle, aber eine erkleckliche Anzahl – haben aber weder Zynismus noch Ironie nötig. Alltäglichen Begegnungen treten sie offen und vertrauensvoll, fast rührend direkt entgegen. Sie rechnen in Gesprächen nicht mit verbalen Taschenspielertricks; wenn man sie anwendet, bringt man sie aus der Fassung.

Diese Theorie habe ich in den ersten beiden Jahren unseres Hierseins an einem Nachbarn ausprobiert. Es begann ganz harmlos. Kurz nachdem wir eingezogen waren, fiel in seinem Garten vor dem Haus ein Baum um. Eines Morgens kam ich vorbei und sah, daß er ihn in Stücke zersägte und auf das Dach seines Autos lud, um zur Müllkippe damit zu fahren.

»Aha, Sie tarnen Ihr Auto«, bemerkte ich trocken.

Er schaute mich einen Moment an. »Nein«, klärte er mich auf. »In dem Sturm neulich nachts ist mir der Baum umgestürzt, und jetzt bringe ich ihn zur Müllkippe.«

Danach konnte ich mich einfach nie mehr davon abhalten, den einen oder anderen Kalauer an ihm zu erproben. Ein beinahe tragisches Ende fand das schließlich, als ich ihm eines Tages von einer katastrophalen Flugreise erzählte, bei der ich über Nacht in Denver steckengeblieben war.

»Mit wem fliegen Sie?« fragte er.

»Ich weiß nicht«, sagte ich. »Es waren alles Fremde.«

Er schaute mich mit einem Ausdruck an, der Panik verriet. »Nein, ich meinte, mit welcher Linie Sie fliegen.«

Kurz danach befahl mir meine Frau, mit dem Witzeln aufzuhören, weil er offenbar immer Migräne bekam, wenn er mit mir geplauscht hatte.

Die einfachste Schlußfolgerung, die man daraus ziehen könnte, wozu auch selbst die scharfsinnigsten Beobachter von außen allzuoft verleitet sind, lautet, daß die Amerikaner von ihrer Veranlagung her unfähig sind, einen Scherz zu verstehen. Ich habe gerade *Im Lande des Zauberers Oz* von Howard Jacobsen, einem Mann von großer Intelligenz und kritischem Urteilsvermögen, gelesen, und er behauptet ganz nebenbei: »Amerikaner haben keinen Humor.« Man braucht nicht länger als einen Nachmittag, um in modernen Abhandlungen dreißig, vierzig Bemerkungen dieser Art zu finden.

Ich verstehe die Meinung, aber sie ist doch grundfalsch. Wenn wir auch nur einen Moment nachdenken, fällt uns sofort ein, daß viele der witzigsten Leute, die je gelebt haben, Amerikaner waren oder sind: Die Marx Brothers, W. C. Fields, S. J. Perelman, Robert Benchley, Woody Allen, Dorothy Parker, James Thurber, Mark Twain. Und – auch das liegt auf der Hand – sie wären nie so berühmt geworden, wenn sie nicht ein großes Publikum, das sie zu schätzen wußte, im eigenen Land gefunden hätten. Es ist also nicht so, daß wir hier keinen guten Scherz zu goutieren wissen oder nicht gelegentlich selbst einmal scherzen.

Freilich trifft es zu, daß Sinn für Humor nicht eine solch geachtete Tugend ist wie zum Beispiel in Großbritannien. Der Komiker John Cleese hat einmal gesagt: »Ein Engländer würde lieber hören, er sei ein schlechter Liebhaber, als daß er keinen Humor habe.« (Alles in allem betrachtet, auch besser so.) Ich glaube nicht, daß viele Amerikaner das gern von sich hören würden. Hier ist es löblich, ja bewundernswert, wenn man Sinn für Humor oder eine Nase für Wein hat, gut Auto fahren oder das

Wort »Feuilleton« korrekt aussprechen kann, aber lebenswichtig ist es nicht.

Es gibt aber durchaus auch Leute mit einem ausgeprägten Sinn für Humor. Es sind einfach nur weniger. Wenn man einem begegnet, passiert wahrscheinlich dasselbe, wie wenn sich zwei Freimaurer in einem Raum voller Menschen erkennen. Als ich zum Beispiel vor ein paar Wochen hier bei uns auf dem Flughafen ankam, wollte ich mit dem Taxi nach Hause fahren und ging auf eines zu.

»Sind Sie frei?« fragte ich den Fahrer arglos.

Er schaute mich mit einer Miene an, die mir gleich vertraut war – dieser Mann wußte eine schlagfertige Antwort zu geben, wenn sie ihm in den Mund gelegt wurde.

»Nein«, sagte er mit gespieltem Ernst. »Ich kassiere wie alle anderen auch.«

Am liebsten hätte ich ihn umarmt, aber damit hätte ich den Scherz natürlich zu weit getrieben.

Der Katastrophentourist

Ich kann vieles nicht sehr gut. Vielleicht am wenigsten gut in der
wirklichen Welt leben. Ich bin immer voller Bewunderung dafür,
was andere Menschen alles ohne erkennbare Schwierigkeit
schaffen, das weit jenseits meines Vermögens liegt. Wie oft ich in
einem Kino die Toilette gesucht habe und schließlich in einem
Durchgang auf der falschen Seite einer sich selbst schließenden
Tür gelandet bin, kann ich Ihnen gar nicht sagen. Im Moment
ist meine Spezialität, zwei-, dreimal zur Hotelrezeption zurück-
zugehen und zu fragen, welche Zimmernummer ich habe. Kurz
und gut, ich bin ein rechter Schussel.

Was ich wieder einmal unter Beweis stellte, als wir das letztemal mit der ganzen Familie eine große Reise unternahmen. Es
war Ostern, und wir wollten für eine Woche nach England fliegen. Als wir am Flughafen Logan in Boston eincheckten, fiel mir
plötzlich ein, daß ich gerade erst mit dem Oftfliegerprogramm
von British Airways angefangen hatte. Mir fiel außerdem ein,
daß ich die dazugehörige Karte in die Reisetasche gesteckt und
die wiederum um den Hals gehängt hatte. Und da fing der Ärger an.

Der Reißverschluß der Tasche klemmte. Also zog und zerrte
ich ächzend und stirnrunzelnd und mit wachsender Bestürzung
ein paar Minuten lang, aber das Ding rührte sich nicht vom
Fleck. Ich zog fester und fester und ächzte noch ein bißchen
mehr. Na, Sie erraten schon, was dann passierte. Plötzlich gab
der Reißverschluß nach. Die Tasche klappte jäh auseinander,
und der gesamte Inhalt – Zeitungsausschnitte und andere
lose Papiere, eine Zweihundertgrammdose Pfeifentabak, Pässe,

Zeitschriften, englisches Geld, Filme – verteilte sich munter in hohem Bogen auf einer Fläche von etwa der Größe eines Tennisplatzes.

Fassungslos sah ich zu, wie hundert sorgsam geordnete Dokumente in einer Kaskade herniederflatterten, Münzen klimpernd auf Nimmerwiedersehen in alle Richtungen stoben und die Tabaksdose – nun ohne Deckel – wie toll durch die Halle rollte und ihr Inneres ausspie.

»Mein Tabak!« schrie ich entsetzt, weil mir schwante, was ich für diese Menge des wertvollen Krauts in England bezahlen mußte, nachdem dort wieder ein neues Budget mit höheren Tabaksteuern verabschiedet worden war. »Mein Finger! Mein Finger!« kreischte ich sofort darauf, denn ich hatte entdeckt, daß ich mir den Finger an dem Reißverschluß aufgeschlitzt hatte und großzügig Blut verspritzte. (Ich kann schon normalerweise kein Blut sehen, aber wenn mein eigenes fließt, finde ich es vollkommen gerechtfertigt, hysterisch zu werden.) Konfus und unfähig zu helfen, schaltete mein Haar auf Panik.

Und da schaute meine Frau mich voller Erstaunen – nicht Ärger, purem Erstaunen – an und sagte: »Ich faß es nicht, daß du mit Reisen unseren Lebensunterhalt verdienst.«

Leider ist es so. Ich erlebe immer Katastrophen, wenn ich unterwegs bin. Einmal wollte ich mir im Flugzeug einen Schnürsenkel zubinden, beugte mich genau in dem Moment nach unten, als der Fluggast vor mir seinen Sitz in Liegeposition brachte, und klemmte hilflos in Absturzposition fest. Erst als ich mich an das Bein meines Nachbarn klammerte, konnte ich mich befreien.

Ein anderes Mal kippte ich einer liebenswürdigen kleinen Dame neben mir Limonade in den Schoß. Der Steward kam, machte sie sauber, brachte mir ein neues Getränk, und sofort schüttete ich es wieder auf die Frau. Bis zum heutigen Tage weiß ich nicht, wie ich es angestellt habe. Ich weiß nur noch, daß ich nach dem neuen Getränk langte und hilflos zusah, wie mein Arm wie ein billiges Requisit in einem Fünfziger-Jahre-Horrorfilm mit Titeln wie *Untote Gliedmaßen* das Getränk gewaltsam aus der Halterung riß und auf ihren Schoß goß.

Die Dame schaute mich mit der verblüfften Miene an, die man auch von jemandem erwartet, den man wiederholt bis auf die Haut durchnäßt hat, und stieß einen Fluch aus, der mit »Ver« begann und mit »ße« endete, und dazwischen einige Silben enthielt, die ich in der Öffentlichkeit noch nie gehört hatte, jedenfalls nicht von einer Nonne.

Das ist aber beileibe nicht mein schlimmstes Erlebnis im Flugzeug. Das schlimmste war, als ich wichtige Gedanken in ein Notizbuch schrieb (»Socken kaufen«, »Getränke gut festhalten« u. ä.), dabei, wie man das eben so macht, nachdenklich an meinem Stift lutschte und dann ein Gespräch mit einer attraktiven jungen Dame neben mir begann. Etwa zwanzig Minuten lang amüsierte ich sie mit einem hochkultivierten Bonmot nach dem anderen und begab mich dann zur Toilette. Dort entdeckte ich, daß der Stift ausgelaufen war, und mein Kinn und Mund samt Zunge, Zähnen und Zahnfleisch leuchtend wischfest marineblau waren und tagelang bleiben würden.

Ich hoffe, Sie verstehen, wie gern ich der Mann von Welt wäre. Nur einmal in meinem Leben möchte ich von einer gepflegten Tafel aufstehen, ohne daß ich aussehe, als hätte ich ein örtlich extrem beschränktes kleineres Erdbeben erlebt; einmal möchte ich in ein Auto steigen und die Tür schließen, ohne daß ich fünfunddreißig Zentimeter Mantel draußen lasse, und einmal möchte ich helle Hosen tragen, ohne daß ich am Ende des Tages entdecken muß, daß ich abwechselnd in Kaugummi, Hustensirup, Eis und Motoröl gesessen habe. Aber es soll nicht sein.

Wenn nun in Flugzeugen das Essen serviert wird, sagt meine Frau: »Reißt Daddy mal die Deckel von dem Essen ab, Kinder.« Oder: »Kapuzen auf! Daddy schneidet sein Fleisch.« Diese hilfreichen Warnungen werden mir natürlich nur zuteil, wenn ich mit der Familie reise. Wenn ich allein fliege, verzichte ich sowohl auf Essen als auch Trinken und bücke mich nicht, um mir die

Schnürsenkel zuzubinden. Und niemals bringe ich einen Stift auch nur in die Nähe meines Mundes. Ich bleibe mucksmäuschenstill sitzen – manchmal sogar auf meinen Händen, damit sie nicht überraschend herausschießen und Unheil mit Flüssigkeiten anrichten. Es macht keinen Spaß, aber wenigstens sind die Wäschereirechnungen nicht mehr so hoch.

Übrigens habe ich meine Bonusmeilen nie bekommen. Werde ich auch nie. Ich habe die Karte nicht rechtzeitig gefunden, was mich nachhaltig frustriert. Alle Leute, die ich kenne – alle! – fliegen mit ihren Bonusmeilen dauernd erste Klasse nach Bali. Ich schaffe es nie, welche anzusammeln. Ich muß einhunderttausend Meilen im Jahr fliegen, aber bisher habe ich erst zweihundertundzwölf Bonusmeilen bei dreiundzwanzig verschiedenen Linien zusammengebracht.

Weil ich entweder vergesse danach zu fragen, wenn ich einchecke, oder wenn ich schon daran denke, die Fluggesellschaft vergißt, sie einzugeben oder mir der Angestellte vom Bodenpersonal mitteilt, ich könne sie nicht beanspruchen. Als ich im Januar aus beruflichen Gründen nach Australien mußte – wofür ich ungefähr eine Trillion Bonusmeilen hätte bekommen müssen – und meine Karte präsentierte, schüttelte die Bodenstewardeß den Kopf und sagte, ich hätte kein Anrecht darauf.

»Warum nicht?«

»Das Ticket ist auf den Namen B. Bryson und die Karte auf W. Bryson ausgestellt.«

Ich erklärte ihr die enge, traditionsreiche Beziehung zwischen Bill und William, aber sie wollte nichts davon hören.

Folglich kriegte ich meine Bonusmeilen nicht und fliege vorläufig auch nicht erster Klasse nach Bali. Aber vielleicht ist das besser so. Ohne zu essen würde ich es bis dahin eh nie schaffen.

Einen schönen Tag!

Ich glaube, in letzter Zeit bin ich mit meinen amerikanischen Landsleuten ein wenig zu hart ins Gericht gegangen. Ich habe sie beschuldigt, in ihrer Werbung zu lügen, nicht zu wissen, ob sie die Strumpfhosen unter oder über dem Schlüpfer tragen, und selbst dann einen Scherz nicht zu begreifen, wenn man sie mit der Nase hineinstupst. Es ist ja auch alles nicht falsch, aber trotzdem ein bißchen streng.

Also habe ich mir gedacht, es sei nun an der Zeit, einmal ein paar nette Dinge über mein liebes altes Land zu erzählen. Ich habe auch einen guten Grund, denn heute jährt sich der Tag unseres Umzugs in die Staaten zum drittenmal.

Und da ist mir aufgefallen, daß ich auf diesen Seiten nie erklärt habe, warum wir diesen folgenschweren Schritt unternommen haben, Sie sich aber vielleicht fragen, warum. Ich auch.

Will sagen, daß ich mich ehrlich gestanden, nicht erinnern kann, wie oder wann wir beschlossen, das Land zu wechseln. Ich kann Ihnen nur berichten, daß wir in einem Dorf in den Yorkshire Dales wohnten, wo sich Fuchs und Hase gute Nacht sagten, und obwohl es wunderschön war und ich die Pub-Unterhaltungen mit meinen rauhen, aber herzlichen Gesprächspartnern genoß, die kernigen Yorkshire-Dialekt sprachen und die ich nur verstand, wenn es hieß »Für mich noch ein Tetley, wenn du zum Tresen gehst«, gestaltete sich das Leben in diesem isolierten Fleckchen doch zunehmend unpraktisch, als die Kinder größer wurden und meine Arbeit mich immer weiter in die Ferne führte.

Also beschlossen wir, irgendwohin zu ziehen, wo ein paar mehr Häuser standen und es ein bißchen städtischer zuging. Dieser simple Gedanke – und ab hier wird es ein wenig verschwommen – entwickelte sich zu dem Plan, sich eine Zeitlang in den Vereinigten Staaten niederzulassen.

Dann ging offenbar alles sehr schnell. Leute kamen und kauften das Haus, ich unterschrieb eine Menge Papiere, ein Trupp Umzugsmänner erschien und holte unser Zeug ab. Ich kann nicht so tun, als hätte ich nicht gewußt, was da ablief, aber ich erinnere mich ganz genau, daß ich heute vor drei Jahren in einem fremden Haus in New Hampshire aufwachte, aus dem Fenster schaute und dachte: »Was um Himmels willen mache ich hier?«

Ich wollte wirklich nicht hier sein. Bitte verstehen Sie, ich hatte nichts gegen die USA. Es ist ein absolut herrliches Land. Aber der Umzug fühlte sich wie ein Schritt rückwärts an – unangenehm, als wenn man als gestandener Mann wieder zu seinen Eltern zieht. Sie können ja noch so nett sein, aber man möchte doch nicht mehr bei ihnen wohnen. Das eigene Leben ist weitergegangen. So empfand ich gegenüber dem Land.

Als ich noch meiner wachsenden Bestürzung Herr werden mußte, kam meine Frau von einer Erkundungstour in der Nachbarschaft zurück. »Es ist wunderbar«, gurrte sie. »Die Leute sind freundlich, das Wetter ist prachtvoll, und man kann überall herumlaufen, ohne daß man auf Kuhfladen aufpassen muß.«

»Und mehr möchte man ja auch gar nicht von einem Land«, bemerkte ich ein wenig zickig.

»Genau«, sagte sie im Brustton der Überzeugung.

Sie war hingerissen und ist es bis zum heutigen Tage, und das verstehe ich ja auch. Eine Menge an Amerika ist überaus reizvoll. All die offensichtlichen Dinge, die stets genannt werden – wie leicht und bequem das Leben hier sein kann, wie freundlich die Menschen sind, wie erstaunlich üppig die Portionen, wie berauschend die Vorstellung, daß fast allen Lüsten und Launen sofort und unkompliziert Rechnung getragen wird.

342

Doch ich war ja mit all dem aufgewachsen, und es hatte folglich nicht den gleichen Reiz des Neuen und Wunderbaren für mich. Ich war zum Beispiel nicht entzückt, wenn mich die Leute drängten, einen schönen Tag zu haben.

»Es ist ihnen doch schnurzpiepe, was für einen Tag man hat«, erklärte ich meiner Frau immer wieder. »Sie sagen es automatisch.«

»Weiß ich ja«, antwortete sie dann immer. »Aber trotzdem ist es nett.«

Und sie hatte natürlich recht. Es mag eine leere Floskel sein, aber sie entspringt einem richtigen Impuls.

Im Laufe der Zeit ist auch mir vieles ans Herz gewachsen. Als von Natur aus knickriger Mensch bin ich von dem ganzen Gratiszeug hier sehr eingenommen – gebührenfreies Parken, Gratisstreichholzheftchen, kostenloser Nachschlag bei Kaffee und nichtalkoholischen Getränken, Bonbons zum Mitnehmen in Körbchen neben der Kasse in Restaurants und Cafés. Freie Eintrittskarten fürs Kino, wenn man in einem Lokal in der Stadt ißt. Im Fotokopierladen steht an einer Wand ein Tisch, der von Dingen, derer man sich gratis bedienen kann, überladen ist – Töpfchen mit Kleber, Tacker, Tesafilm, eine Guillotine, um Seitenkanten gerade zu schneiden, Schachteln mit Gummibändern und Büroklammern. Für nichts davon muß man extra bezahlen, ja, man muß nicht einmal Kunde sein. Es ist einfach für alle da, die hereinspazieren und es benutzen beziehungsweise nehmen möchten. In Yorkshire sind wir manchmal zu einem Bäcker gegangen, bei dem man einen Extrapenny – einen Penny! – bezahlen mußte, wenn man das Brot geschnitten haben wollte. Ein solcher Kontrast ist doch einfach bezaubernd.

Weitgehend das gleiche könnte man zu der amerikanischen Lebenseinstellung sagen, die, pauschal betrachtet, bemerkenswert optimistisch ist und kaum negativ – etwas, das ich hier leider, gebe ich zu, meist für selbstverständlich halte, an das ich aber in Großbritannien gelegentlich erinnert werde. Als ich das letztemal in Heathrow ankam, schaute mich der Beamte, der meinen Paß kontrollierte, von oben bis unten an und fragte: »Sind Sie der Schreiberling?«

Gebauchpinselt, daß man mich erkannte, erwiderte ich voller Stolz: »Ja, der bin ich.«

»Dann wollen Sie jetzt wohl noch mehr Geld hier scheffeln, was?« sagte er verächtlich und gab mir meinen Paß zurück.

So was erlebt man in den Vereinigten Staaten selten. Im großen und ganzen haben die Menschen hier eine geradezu instinktiv positive Haltung zum Leben und seinen Möglichkeiten. Wenn man einem Amerikaner mitteilt, ein riesiger Asteroid stürze mit zweihunderttausend Stundenkilometern zur Erde und der Planet werde in zwölf Tagen in seine Einzelteile zerfetzt, würde er sicher sagen: »Echt? Na, dann sollte ich mich wohl besser doch noch schnell für den Kochkurs ›Mediterrane Küche‹ anmelden.«

Ein Brite würde auf dieselbe Ankündigung erwidern: »Das ist doch mal wieder typisch, was? Und hast du den Wetterbericht fürs Wochenende schon gesehen?«

Gewiß, der gnadenlose Optimismus der Amerikaner wirkt bisweilen einen Hauch einfältig. Ich denke zum Beispiel an die feste Überzeugung, daß man nur seinen Cholesterinspiegel kontrollieren, regelmäßig Sport treiben und Wasser aus Flaschen trinken muß, und schon lebt man ewig. Ich kann auch nicht behaupten, ich wolle den Rest meines Daseins in einem solchen Umfeld verbringen, aber es ist ein gewisser erfrischender Aspekt, den ich vorläufig noch rundum genieße.

Neulich habe ich meine Frau gefragt, ob sie je bereit sei, wieder zurück nach England zu ziehen.

»O ja«, sagte sie, ohne zu zögern.

»Wann?«

»Eines Tages.«

Ich nickte, und ich muß sagen, ich war ob dieser Antwort nicht mehr so verzweifelt, wie ich es einst gewesen wäre. Alles in allem ist es kein schlechtes Land, und meine Frau hatte mit einem recht: Es ist nett, daß man nicht immer auf Kuhfladen aufpassen muß.

Und nun – und das meine ich ehrlich – wünsche ich Ihnen einen schönen Tag.

Inhalt

Ein Wort vorweg 5

Wieder zu Hause 7

Hilfe! 11

Also, Herr Doktor, ich wollte mich gerade hinlegen 15

Baseballsüchtig 19

Dumm, dümmer, am dümmsten 23

Risiken und Nebenwirkungen 27

Die Post! Die Post! 31

Wie man auch zu Hause seinen Spaß haben kann 35

Konstruktionsmängel 39

Endlose Weite 43

Regel Nummer eins: Befolge alle Regeln! 47

Weihnachtliche Mysterien 51

Das Zahlenspiel 55

Zimmerservice 60

Unser Freund, der Elch 64

Konsumentenfreuden 68

Im Junk-food-Paradies 73

Wie vom Erdboden verschluckt 78

»Hail to the Chief!« – Es lebe der Boß! 82

Kälteexperimente 86

In der Behördenmühle 90

Verschlagen in die Fernsehödnis 94

Und nun folgt eine kleine Werbeunterbrechung 98

Freundliche Menschen 103

Rufen Sie unsere Hotline an 107

Ausländer? Gibt's die? 112

Die Becherhalterrevolution 116

Ihre Steuererklärung erklärt 120

Warnung! Wer sich amüsiert, wird angezeigt 125

Staaten im Staat 130

Der Krieg gegen die Drogen 134

Warum niemand mehr zu Fuß geht 139

Gärtnern mit meiner Frau 143

Warum sich alle Sorgen machen 147

Kein Anschluß unter dieser Nummer 152

Kino? Das war einmal 156

Der Risikofaktor 160

Ah, Sommer! 164

Erbarmen mit der nicht erfaßten Person 168

Wo Schottland liegt und andere nützliche Reisetips 172

Aussterbende Akzente 176

Ineffizienzbericht 179

Ein Tag am Strand 184

Herrliche Nebensächlichkeiten 189

Wie es ist, einen Sohn zu verlieren 194

Unterhaltsames von den Highways 198

Vorsicht, Schnüffler! 202

Wie man ein Auto mietet 207

Herbst in Neuengland 212

Eine kleine Unbequemlichkeit 216

Dann verklagen Sie mich doch! 220

Drinnen ist es am schönsten 225

Ein Besuch beim Friseur 229

Auf Lesereise 234

Der Tod lauert überall 238

Der beste amerikanische Feiertag 243

Am Weihnachtsbaume die Lichter brennen 247

Die Verschwendergeneration 251

Einkaufswahn 256

Ihr neuer Computer 261

Wie lob ich mir die Diners 266

Alles gleich gräßlich 271
Fettliebe 275
Sportlerleben 280
Gestern nacht auf der Titanic 285
Spaß im Schnee 289
Der Alptraum des Fliegens 294
Verloren im Cyberland 299
Hotel California 304
Schluß jetzt! 309
Neues aus dem Land der Dummheit 314
Wie man die Wahrheit verdreht 318
Angenehmen Aufenthalt 323
Schnee von gestern 328
Humor? Fehlanzeige! 333
Der Katastrophentourist 337
Einen schönen Tag! 341

Danksagungen

Folgenden Leuten schulde ich für allerlei Beweise von Freundlichkeit, Geduld und Großzügigkeit sowie einen Schluck zu trinken großen Dank: Simon Kelner bei *Night & Day* und all seinen lieben, wunderbaren Kollegen, als da sind: Tristan Davies, Kate Carr, Ian Johns, Rebecca Carswell und Nick Donaldson. Patrick Janson-Smith, Marianne Welmans, Alison Tulett, Larry Finlay, Katrina Whone, Emma Dowson und vielen, vielen anderen bei Transworld Publishers. Meiner Agentin Carol Heaton, meinem alten Kumpel David Cook, ferner Alan Baker sowie Allan Sherwin und Brian King, die mich Kolumnen haben schreiben lassen, obwohl ich für sie hätte arbeiten müssen. Und vor allem – vor allen anderen – meiner Frau Cynthia und den Kindern David, Felicity, Catherine und Sam dafür, daß sie alles so lieb mitgemacht haben.

Und ein ganz besonderes Dankeschön dem kleinen Jimmy, wer auch immer er ist.

Bill Bryson bei Goldmann